LE COUPLE

MODE D'EMPLOI

HARVILLE HENDRIX

LE COUPLE
MODE D'EMPLOI

*Traduit de l'américain
par Francine Beauvoir*

AUZAS ÉDITEURS
IMAGO

Pour toute information sur l'Imago thérapie :
www.imagotherapy.com
www.gettingtheloveyouwant.com
www.pasadenainstitute.com

AVERTISSEMENT DE L'ÉDITEUR
L'*Imago thérapie* n'a aucun lien avec les Éditions Imago,
où paraît le présent ouvrage.

ISBN : 978-2-84952-058-1
© Éditions Imago, 2008, 2010
7 rue Suger, 75006 Paris
Tél : 01-46-33-15-33
e-mail : info@editions-imago.fr
Site internet : www.editions-imago.fr

Préface
à la nouvelle édition

Dans l'introduction de la première édition de ce livre écrit en 1988, je rappelais comment ce « nouvel art d'aimer » est né de la rupture de mon premier mariage. L'échec m'avait contraint à explorer les mystères des relations amoureuses. Aujourd'hui je suis heureux de témoigner d'une réalité complètement différente. Mariés depuis dix-neuf ans et nourris des idées que je développe dans ces pages, Helen et moi-même vivons une amitié passionnée. Nous avons découvert avec plaisir qu'une relation proche et aimante est beaucoup plus facile à vivre qu'une relation distante et tendue. Aujourd'hui, notre vie commune est étonnamment paisible. Mais, paradoxalement, c'est aussi comme en écho d'une nouvelle énergie alimentée par l'intimité de notre relation, que nos corps, même d'âge mûr, se sentent plus en vie.

En plus d'une amitié passionnée, nous vivons, Helen et moi, ce que nous appelons « un partenariat passionné » puisque nous sommes aussi associés dans notre vie professionnelle. En vérité, Helen a influencé mon travail dès le premier jour. Nous avons commencé à nous fréquenter en 1977, deux ans après mon divorce. Lors de notre première soirée ensemble, je me souviens lui avoir dit que je voulais quitter Perkins pour m'orienter vers quelque chose d'autre, mais que je n'étais pas sûr de ce que je voulais faire. J'évoquais plusieurs possibilités auxquelles j'avais réfléchi, entre autres celle d'une recherche approfondie de la psychologie du couple. Je voulais savoir pourquoi les couples rencontraient de telles difficultés à rester ensemble et pourquoi l'effet était si dévastateur quand leur relation se brisait. Rien de ce que j'avais lu dans la littérature professionnelle ne m'avait semblé donner une explication satisfaisante. Helen a retenu cette possibilité parmi toutes celles que j'avais mentionnées et m'a encouragé à partager avec elle mes idées à moitié formées.

Au bout de quinze minutes d'échange, elle m'a dit : « La façon dont tu parles du rôle central des relations me fait penser au "je-toi" de Martin Buber. » Puis elle a cité un passage de Fiodor Dostoïevski qu'elle avait mémorisé quand elle était jeune : « L'homme qui désire voir Dieu vivant face à face ne le recherche pas dans les recoins obscurs de son mental, mais dans l'amour humain. » « Non, non », dis-je, ne voyant pas la connexion évidente entre ma façon de penser et la philosophie relationnelle de Buber ou la spiritualité de Dostoïevski, « je ne pense pas que mes idées aient quoi que ce soit à voir avec l'un ou l'autre ». Mais autrefois comme aujourd'hui, Helen avait eu l'intuition du but invisible vers lequel je me dirigeais, même si je ne le savais pas.

Les années suivantes, elle a développé ses propres centres d'intérêt tout en continuant à s'investir dans mon travail. D'un côté, elle a assumé le rôle de soutien traditionnel de la femme au foyer : elle a pris soin de la famille, m'a soutenu financièrement et m'a prêté une oreille bienveillante. Par ailleurs, elle a bousculé les choses par ses interventions pertinentes. Au lieu d'accepter mes idées comme des valeurs sûres, elle me questionnait en m'obligeant ainsi à approfondir ma compréhension. Mais ce que j'ai particulièrement apprécié, c'est qu'elle m'a toujours aimé suffisamment, ainsi que mon travail, pour élargir mon point de vue par sa propre vérité. Je peux honnêtement dire que toutes les idées de ce livre ont été forgées dans le creuset de notre relation. Aussi, lorsque l'on m'a demandé d'écrire une nouvelle introduction pour l'édition revue et augmentée, j'ai trouvé naturel de demander à Helen de l'écrire avec moi. Il était temps de rendre visible son rôle de cocréatrice.

En nous mettant à réfléchir à ce que nous allions écrire, nous nous sommes sentis submergés par une vague de nostalgie. Nous rappelant les longues années de recherche, nous avons reconsidéré la première édition. Au début, nous avions hésité entre un livre pour couples et un ouvrage plus académique pour thérapeutes. Quand nous avons décidé d'écrire un livre pour le grand public, nous nous sommes demandé si nous devions y inclure des exercices et lesquels. Leur seule rédaction m'a pris plusieurs années. Jo Robinson nous a aidés à classer nos idées,

et son lyrisme et sa simplicité ont été une des clés de la réussite.
Nous nous rappelions notre euphorie lors de la publication en
1988 et comment, à notre grande surprise, le livre s'est retrouvé
au programme de l'émission d'Oprah Winfrey. Le soutien
enthousiaste d'Oprah l'a propulsé bien au-delà de nos espé-
rances sur la liste des *best-sellers* du *New York Times*. Avec les
années, les lecteurs ont continué à augmenter : aujourd'hui, plus
d'un million et demi d'exemplaires ont été vendus aux Etats-
Unis, et l'ouvrage a été traduit dans plus de trente langues.

Helen et moi avons constaté la grande vague d'intérêt pour
l'*Imago thérapie*, nom donné au travail de couple dont nous parlons
ici. Dès la fin de l'année 1980, un nombre croissant de thérapeutes
a demandé une formation pour pratiquer cette nouvelle façon de
travailler avec les couples. Aujourd'hui, il existe une importante
communauté internationale d'*Imago*, d'environ mille cinq cents
praticiens dans treize pays. Chaque année, plus de cent cinquante
animateurs dirigent environ quatre cents ateliers. Vingt enseignants
de l'Institut d'*Imago thérapie* dispensent un enseignement régulier
à de nouveaux thérapeutes dans une douzaine de villes.

À revivre ces merveilleux événements, nous nous sommes
rendu compte que, en fait, nous nous sentions spectateurs plus
que créateurs. Nous avions mis en place le processus, mais nous
ne nous sentions pas pleinement responsables de son succès.
Nous nous sentions comme des parents ayant appris à leur
enfant à faire du vélo en courant à côté de lui, mais ne pouvant
s'attribuer les mérites de ses victoires de champion adulte. Certes,
nous étions présents pour le pousser la première fois, mais le
niveau professionnel est devenu tel qu'il s'agit dorénavant de
tout autre chose.

À qui devons-nous le succès de ce livre et la croissance florissante de l'*Imago thérapie* ? Le moyen le plus facile de l'expliquer, c'est de dire que nous avons poursuivi une dynamique
déjà en place. Dans la seconde moitié du XXe siècle, l'ancienne
conception du mariage ne fonctionnait plus pour beaucoup de
couples. Un nombre sans précédent de personnes préférait choisir les peines et les difficultés d'un divorce plutôt que des relations douloureuses et aliénantes. Entre 1960 et 1980, le mariage
lui-même a été remis en question, et nombreux furent ceux qui
expérimentèrent l'union libre ou le concubinage, espérant créer
quelque chose de plus significatif en transgressant les règles du
mariage traditionnel.

Mais beaucoup de couples issus d'un mariage conventionnel ont recherché une relation plus profonde, plus épanouie et plus significative que celle que leurs parents avaient connue, et attendu « quelque chose » de plus de la thérapie de couple. Cependant, le type de thérapie offert à l'époque se concentrait sur la psyché individuelle, non sur les dynamiques relationnelles. La théorie sous-jacente, c'était que le travail individuel fait séparément pouvait créer deux personnes saines et complètes. Alors ces deux personnes pouvaient se retrouver et, avec quelques efforts plus un peu d'introspection, créer une relation amoureuse satis-faisante.

Si le critère de réussite est d'éviter aux couples de divorcer, cette forme traditionnelle de thérapie a un pourcentage de réus-site limité. Dans deux couples sur trois environ, les partenaires ne parvenaient pas à surmonter leurs différences et décidaient de se séparer. Même ceux qui réussissent à rester ensemble expriment le besoin qu'on leur apporte plus de soutien et de compréhension de ce qui se passe à l'intérieur. Si le travail de couple leur a donné une meilleure compréhension de leurs propres problèmes et a amélioré leur capacité de communiquer, il n'en reste pas moins que leur relation elle-même demeure en partie un mystère. En dépit de toutes les connaissances acquises, les couples continuent à tisser leur propre échec. De plus, ils sentent que leur relation a été grosse d'une promesse de guérison et de complétude qu'ils n'ont pas pu définir, mesurer et encore moins réaliser.

L'une des raisons pour lesquelles notre livre et notre méthode ont quelque chose à proposer à ces couples, c'est que j'ai moi-même vécu la frustration d'être au sein d'une relation sans pou-voir en tirer tout le potentiel. Quand j'ai commencé à bâtir ma propre théorie et à pratiquer la thérapie de couple, on m'a criti-qué et j'ai dû montrer que j'avais établi ma théorie à partir de l'échec de mon propre mariage. Une de mes principales réalisa-tions fut de montrer que deux personnes liées par une relation doivent abandonner l'idée qu'elles sont, chacune, le centre du monde et apprendre à voir l'autre sur un plan d'égalité. Je pense à ce vieux dicton : « Toi et moi, nous sommes un, mais je suis le un ! » Dans une relation, il y a vraiment deux personnes. Quand deux personnes dépassent leur égocentrisme, il se passe quelque chose, la relation elle-même devient le centre. Parvenus à ce changement fondamental, les partenaires commencent le travail sur le but inconscient de leur relation, et non contre lui. Ils par-

viennent à accepter que le fait d'être dans une relation d'amour
fasse resurgir toutes les frustrations non résolues dans l'enfance,
et à entreprendre un travail en commun pour les résoudre. Nous
sommes nés dans un contexte relationnel, nous avons souffert
dans un contexte relationnel, et nous devons guérir dans un
contexte relationnel. Nous ne pouvons pas guérir pleinement en
dehors d'un tel contexte. Telle est l'idée qui a résonné en écho
chez tant de couples.

*

Après coup, Helen et moi pouvons voir aussi une autre raison
au succès du livre. L'ouvrage défiait les autres théories fondamentales de thérapie de couple dans lesquelles le thérapeute
constitue la source de la guérison. En *Imago thérapie*, le thérapeute accompagne le processus de guérison. Cela n'annule pas
l'importance du thérapeute, mais renforce la nécessité de la compétence de l'accompagnateur. C'est comme recourir à un obstétricien pour compléter le travail de la sage-femme. L'obstétricien
n'est pas une figure d'autorité distante, détenant toutes les
réponses, mais il apporte une aide éclairée dans un processus
naturel. Bien que le transfert du thérapeute sur le couple constitue un changement monumental, il est intéressant de constater
que nous n'en sommes devenus conscients qu'après la rédaction
de l'ouvrage. À nouveau, Helen a été la première perspicace :
« Tu as détrôné le thérapeute, m'a-t-elle dit un jour. Tu mets
l'acccent sur la relation entre les partenaires du couple plutôt
que sur la relation couple/thérapeute. » J'ai vu d'emblée qu'elle
avait raison. Une fois l'idée exprimée, nous avons saisi la perti-
nence du changement. Dans les thérapies traditionnelles, le
transfert constitue le mécanisme de base de la guérison. Vous
parlez de transfert quand vous attribuez à quelqu'un d'autre des
caractéristiques qui vous appartiennent (c'est le *transfert pro-
jectif*), ou bien des caractéristiques qui appartiennent à quelqu'un d'autre : « Tu es comme ma mère. » Une fois que le
transfert s'établit du patient au thérapeute, ce dernier peut utiliser cette fausse identification d'une façon positive pour aider le
patient à résoudre les impasses de son passé. Le mécanisme du
transfert constitue une partie fondamentale de la thérapie. La
thérapie réussit quand le patient dépasse le transfert et accepte
de voir le thérapeute comme un individu distinct.

Comme vous le constaterez dans cet ouvrage, le transfert s'établit aussi au sein des relations amoureuses. En fait, c'est inévitable. Pendant l'étape de l'amour romantique, il s'agit d'un transfert positif. Vous imaginez que votre partenaire possède beaucoup de vos propres qualités et aussi celles des personnes qui vous ont le plus profondément influencé dans l'enfance. Plus tard, quand le conflit apparaît, vous commencez à projeter des traits négatifs sur votre partenaire. C'est typiquement ce qui se passe quand les mariages se défont. Vous vous dites l'un à l'autre : « Tu as changé, tu n'es pas la personne que j'ai épousée.» Ce qui a changé, en réalité, ce n'est pas votre partenaire, mais la projection différente que vous faites sur elle ou sur lui. L'accompagnement en *Imago* utilise ce transfert comme source de guérison. Cela est très semblable à la dynamique psychologique des thérapies traditionnelles à la différence que le transfert se fait de vous à votre partenaire, et non de vous au thérapeute.

Certains couples sont capables de résoudre le transfert sans aide extérieure. Mais comme la plupart des gens, il est possible que vous ayez besoin de travailler avec une série d'exercices structurés ou un accompagnement qualifié. Les exercices ou le thérapeute vous permettent de créer une zone de sécurité et vous guident pas à pas à travers le processus. Comme les millions de personnes qui ont lu ce livre avant vous, la lecture et la pratique des exercices vous permettront de résoudre ce transfert. Vous découvrirez qu'en lisant ce texte et en pratiquant les exercices vous en ressentirez les effets.

*

Cette nouvelle édition nous a donné l'occasion de relire l'ouvrage et de mieux préciser la théorie et le processus de la thérapie. Nous avons été surpris de découvrir que presque tout ce que nous avions appris, au cours de ces treize années de pratique, correspondait davantage à un approfondissement qu'à une correction de la première édition. Un des approfondissements les plus encourageants est que la dynamique des couples hétérosexuels peut s'appliquer à toute relation intime, sans considération de préférence sexuelle. Bien sûr, nous sommes enthousiasmés par nos découvertes et allons les élaborer davantage dans un livre à venir. Mais rassurez-vous, l'essence du livre restera la même.

Les seules modifications qui nous sont apparues nécessaires dans cette nouvelle édition ont été la clarification de certains points concernant la fermeture des échappatoires (chapitre VII) et le prolongement d'un exercice (chapitre IX) relatif à l'exercice du miroir. Nous avons appris que la fermeture des échappatoires était un processus qui prenait du temps et non un acte ponctuel.

L'exercice du miroir est maintenant appelé le dialogue conscient et intentionnel et il comprend aujourd'hui deux nouvelles étapes, la validation et l'empathie, que nous n'avions pas encore intégrées au moment de la première publication. Comme nous l'expliquerons de façon plus détaillée dans le chapitre IX, refléter ou paraphraser votre partenaire est un point de départ essentiel pour explorer la réalité de votre conjoint. Seulement, cela ne suffit pas pour établir une connexion profonde. Si vous pouvez valider le point de vue de votre conjoint (« ce que tu me dis a de la valeur, tu ne perds pas la tête ») et avoir de la compassion (« je peux comprendre pourquoi tu es en colère »), vous approfondissez le lien entre vous, donc, en dernier lieu, comme je le dis aux couples, vous passez au stade d'une communication plus profonde aboutissant à une véritable communion.

Dans notre propre relation, Helen et moi avons eu le privilège d'expérimenter cet état transcendant. Nous l'avons aussi observé chez les couples qui ont travaillé en *Imago thérapie*. Nous aimerions terminer cette introduction en vous faisant partager quelques réflexions. Un homme ayant lu notre ouvrage a exprimé ainsi sa nouvelle façon de voir les choses : « J'ai appris que ma conception du monde n'était pas plus valable que celle de ma femme. En fait, quand nous combinons nos deux points de vue, nous créons quelque chose de plus vrai que ce que chacun de nous peut faire individuellement. Chacun de nous doit accepter de perdre quelque chose pour gagner beaucoup plus. Cela a été un changement profond dans notre relation. »

Après avoir suivi un atelier de week-end, un couple nous a écrit : « Aujourd'hui nous saisissons mieux le sens des conflits qui nous ont perturbés pendant des années et nous pouvons vraiment ressentir de la compassion l'un pour l'autre. Pour la première fois peut-être, en vingt-huit ans de vie commune, nous nous sentons en sécurité. C'est ce dont nous avions toujours rêvé pour notre relation et nous avons du mal à croire que cela se soit réalisé. » En écho à leur pensée, un autre couple a écrit :

« Ce que nous avons appris en ateliers et par vos livres a été de l'ordre du miracle. Nous sommes à nouveau amoureux l'un de l'autre et nous en sommes émerveillés. »

Si, comme beaucoup d'autres couples, vous prenez ce livre à cœur et si vous vous livrez sérieusement aux exercices apparemment anodins, vous arriverez vous aussi à une relation plus aimante, qui vous offrira davantage de soutien et sera profondément satisfaisante. L'*Imago thérapie* n'est pas seulement une théorie « en l'air », c'est un chemin qui a fait ses preuves pour créer l'amitié passionnée dont vous avez toujours rêvé. Comme vous allez le découvrir, le mariage, c'est de la thérapie à condition de prendre au sérieux ses motivations inconscientes.

Harville Hendrix et Helen LaKelly Hunt.

Introduction

La société d'aujourd'hui nous incite à voir le mariage comme une cage. D'abord, vous choisissez un partenaire. Ensuite vous entrez dans la cage. Une fois installé, vous regardez de près pour la première fois votre compagnon de cage. Si vous aimez ce que vous voyez, vous y restez. Si vous ne l'aimez pas, vous sortez de la cage à la recherche d'un autre partenaire.

Autrement dit, le mariage est perçu comme un état immuable, et, qu'il fonctionne bien ou non, sa réussite dépend de votre habileté à attirer un bon partenaire. Pour cinquante pour cent des couples, la solution courante choisie pour sortir d'un mariage malheureux est de divorcer et de recommencer avec un nouveau, et on espère meilleur, partenaire.

Cette solution qui consiste à changer de boîte s'accompagne de beaucoup de souffrances. Il y a la douleur de partager les biens, et d'abandonner nos rêves les plus chers. Il y a une réticence à se risquer dans une nouvelle intimité de crainte que cette nouvelle relation ne soit, elle aussi, un échec. Sans compter les séquelles infligées aux autres occupants de la boîte, les enfants en l'occurrence, qui grandissent en se sentant responsables du divorce et en se demandant s'ils connaîtront un jour un amour durable.

Malheureusement, beaucoup de gens n'entrevoient en dehors du divorce qu'une seule possibilité, rester dans la cage, fermer le couvercle et se contenter d'une relation médiocre toute leur vie. Ils se contentent d'une union vide de sens en se réfugiant dans la nourriture, l'alcool, la drogue, le travail, les activités sportives, la télévision, les fantasmes romantiques, résignés à croire que leur désir d'un amour vrai ne se réalisera jamais.

Dans ce livre, je propose une vision plus optimiste et, je crois, plus juste, du mariage. Le mariage n'est pas un état statique entre deux personnes qui n'évoluent pas. Le mariage est une aventure psychologique et spirituelle qui commence par l'extase de l'attirance, passe par le terrain accidenté de la découverte de soi, et culmine dans la création d'une union intime, heureuse et durable. Que vous en soyez conscient ou non, le potentiel optimal de ce défi ne dépend pas de votre capacité de choisir un partenaire parfait, mais de votre bon vouloir de découvrir vos faces cachées.

*

Au début de ma carrière de thérapeute, je travaillais à la fois avec des personnes individuellement et avec des couples. Je préférais le travail en individuel, ma formation m'y avait préparé et quand je voyais mes patients seuls, je me sentais compétent et efficace. Il n'en allait pas de même quand un couple venait à mon cabinet. La relation de couple présentait un ensemble de variables pour la compréhension desquelles je n'avais pas été formé. J'ai fini par faire ce que faisaient la plupart des thérapeutes : signer des contrats pour résoudre chaque problème spécifique. Quand cette approche ne fonctionnait pas, je mettais chacun des partenaires dans un groupe de travail séparé, ou je les conseillais individuellement.

En 1967, ma confusion au sujet de la psychologie des relations amoureuses s'est accrue lorsque j'ai commencé à avoir moi-même des problèmes dans mon propre couple. Mon épouse et moi-même étions profondément engagés l'un vis-à-vis de l'autre et nous avions deux jeunes enfants, aussi avons-nous passé huit ans de notre vie maritale à réfléchir intensément, travaillant avec de nombreux thérapeutes. Rien ne semblait nous aider et, en 1975, nous avons décidé de divorcer.

En attendant de comparaître devant le juge, je ressentais un double échec, en tant que mari et en tant que thérapeute. Cet après-midi-là, je devais donner un cours sur le mariage et la famille, et le lendemain je devais, comme d'habitude, travailler avec plusieurs couples. En dépit de ma pratique professionnelle, je ne savais plus où j'en étais et je me sentais autant en échec que les hommes et les femmes qui m'entouraient et attendaient au tribunal.

Pendant l'année qui a suivi mon divorce, je me réveillais le matin avec un immense sentiment de perte. Quand je me couchais le soir, je fixais le plafond, cherchant une quelconque explication à l'échec de notre mariage. Bien sûr, mon épouse et moi, comme n'importe quel autre couple, avions des dizaines de raisons de divorcer : je n'aimais pas ceci chez elle, elle n'aimait pas cela chez moi, nous avions des centres d'intérêt et des buts différents dans la vie. Mais derrière cette litanie de reproches, je ressentais une profonde déception, cause sous-jacente de notre malheur que huit années n'avaient pas réussi à cerner.

Le temps a passé et mon désespoir s'est transformé en un fort désir de comprendre mon dilemme. Je n'allais pas laisser derrière moi les ruines de mon mariage sans en tirer une leçon. J'ai commencé à concentrer tous mes efforts pour apprendre ce qui se passait dans les thérapies relationnelles. En cherchant dans les livres et les revues professionnelles, j'ai été surpris de trouver quelques ouvrages intéressants sur le mariage, tous invariablement tournés vers l'individu et la famille. Apparemment il n'existait aucune théorie d'ensemble capable d'expliquer la complexité des relations homme-femme, ni aucune explication satisfaisante des puissantes émotions capables de détruire un couple. Et je n'ai trouvé aucune explication quant au vide douloureux que laissait en moi l'échec de mon premier mariage.

Pour combler ces lacunes, j'ai travaillé avec des centaines de couples en consultation privée et avec des milliers d'autres lors d'ateliers et de séminaires. Suite à mes recherches et à mes observations cliniques, j'ai élaboré progressivement une théorie de la thérapie de couple que j'ai appelée la *théorie de l'Imago*. Mon approche a été éclectique. J'ai puisé à la fois dans la psychologie des profondeurs, les sciences du comportement, les traditions spirituelles occidentales ; j'ai ajouté des éléments d'analyse transactionnelle, de *Gestalt,* de psychologie systémique et de thérapie cognitive. À mon avis, chacune de ces écoles de pensée a contribué de façon unique et importante à la compréhension de la psychologie de l'individu, mais ce n'est qu'après avoir réuni toutes ces données en une nouvelle synthèse que la lumière s'est faite sur les mystères des relations amoureuses.

Quand j'ai commencé à mettre mes idées en application dans ma pratique de consultant et avec les couples, mon travail est devenu beaucoup plus plaisant. À mesure que mes idées se faisaient connaître, je commençais à donner des conférences, à la fois pour les couples et pour les personnes seules. J'ai fini par élaborer un atelier préparatoire pour couples appelé « Rester ensemble ». En 1981, j'ai commencé un cours de formation pour professionnels. À ce jour, plus de trente mille personnes ont été en contact avec mes idées par le biais de mes consultations, de mes ateliers et de mes séminaires.

*

J'ai un double objectif en écrivant ce livre : vous faire partager ce que j'ai appris de la psychologie des relations amoureuses et vous aider à transformer votre couple en une source durable d'amour et de compagnonnage. En résumé, il s'agit d'un livre théorique et pratique pour devenir des amis passionnés.

Ce livre est divisé en trois parties. Dans la première partie, je rapporte les faits quant à l'issue de la plupart des relations intimes : l'attirance, l'amour romantique et la lutte pour le pouvoir. Au fur et à mesure de ma description des éléments familiers de la vie de couple, je vous invite à les voir comme l'émergence d'un drame psychologique que je nomme *le mariage inconscient*, et par là j'entends un mariage qui inclut les désirs cachés et les comportements instinctifs datant de l'enfance et entraînant inévitablement les couples vers le conflit.

Dans la deuxième partie, j'explore une forme de mariage totalement différente, *le mariage conscient*, mariage qui vous aide à combler de façon positive les besoins d'enfance inassouvis. D'abord, j'explique une technique ayant fait ses preuves pour ranimer l'amour romantique. Ce processus restaure un esprit de coopération et vous motive pour travailler sur vos problèmes sous-jacents. Ensuite, je montre comment remplacer affrontements et critiques (tactiques apprises dans l'enfance) par un processus de croissance mutuelle et de soutien qui aboutit à la guérison. Enfin je vous montrerai comment transformer vos frustrations accumulées en empathie et en compréhension.

La troisième partie reprend toutes ces idées et les rassemble dans un cours unique de travail en couple de dix semaines. Grâce à une série d'exercices progressifs, vous y verrez plus clair dans vos problèmes conjugaux, et peut-être même que vous les résoudrez sans faire les frais d'un thérapeute.

Ce livre vous aidera à créer une relation plus aimante, au sein de laquelle vous vous sentirez soutenu. C'est dans ce couple régénéré que vous trouverez paix et joie.

Première partie

LE MARIAGE INCONSCIENT

Chapitre I
LE MYSTÈRE DE L'ATTIRANCE

*Le type d'être humain que nous préfé-
rons révèle les contours de notre cœur.*
Ortega y Gasset.

Quand des couples viennent me voir pour suivre une thérapie, je leur demande généralement comment ils se sont rencontrés. Maggie et Victor, un couple dans la cinquantaine qui envisageait le divorce après vingt-neuf ans de vie commune, m'ont raconté cette histoire.

« Nous nous sommes rencontrés à l'université, a dit Maggie. Nous louions chacun une chambre dans une grande maison dont nous partagions la cuisine. J'étais en train de préparer le petit déjeuner quand, levant les yeux, j'ai vu cet homme, Victor, entrer dans la pièce. J'ai eu la plus étrange des réactions. Mes jambes voulaient me porter vers lui tandis que ma tête me disait de rester éloignée de lui. L'émotion était si forte que j'ai dû m'asseoir, au bord de l'évanouissement. »

Remise de son choc, Maggie s'est présentée à Victor et ils ont passé la moitié de la matinée à bavarder. « Le sort en était jeté, a dit Victor. Nous sommes restés ensemble le plus possible pendant les deux mois suivants, puis nous nous sommes unis secrètement. » « Dans des temps de plus grande liberté sexuelle, je suis sûre que nous aurions été amants dès cette première semaine. Je n'avais jamais rien éprouvé d'aussi intense de toute ma vie », a-t-elle ajouté.

Toutes les premières rencontres ne produisent pas de tels séismes. Rayna et Mark, un couple de dix ans plus jeune que le précédent, ont connu un début de vie amoureuse plus long et moins torride. Ils se sont rencontrés par l'intermédiaire d'une amie commune. Rayna a demandé à son amie si elle connaissait un homme libre, et son amie lui a répondu qu'elle connaissait un homme intéressant, Mark, qui venait juste de se séparer de sa femme. Cependant, elle hésitait à le présenter à Rayna parce qu'elle pensait qu'ils n'iraient pas ensemble, que ce n'était pas son genre. « Il est très grand et tu es petite, il est protestant et tu es juive ; il est très calme et tu parles tout le temps », lui a-t-elle dit. Mais Rayna lui a répondu que cela n'avait aucune importance, surtout pour une seule soirée !

En dépit de son intime conviction, l'amie a invité Rayna et Mark à une soirée donnée à l'issue des élections de 1972. « Il m'a tout de suite plu », a rappelé Rayna. « Son calme m'attirait. Sa manière d'être calme avait quelque chose d'intéressant. Nous avons passé toute la soirée à parler dans la cuisine. » Rayna a ajouté en riant : « Je suppose que j'ai dû mener la conversation. »

Rayna était persuadée que Mark était tout aussi attiré par elle qu'elle l'était par lui, et elle s'attendait à avoir de ses nouvelles dès le lendemain. Mais trois semaines sont passées sans qu'elle ait de nouvelles. Finalement elle a incité son amie à s'informer pour savoir si Mark s'intéressait à elle. En fin de compte, sur le conseil de l'amie commune, Mark a invité Rayna au cinéma. Cela a été le début de leur relation sans que ce soit pour autant l'amour fou. « Nous nous sommes vus régulièrement pendant un certain temps, puis nous avons cessé, puis nous avons repris. Finalement nous nous sommes mariés en 1975 », a dit Mark.

« À ce propos, a ajouté Rayna, Mark et moi sommes toujours mariés tandis que l'amie qui ne voulait pas nous présenter est maintenant divorcée. »

Le contraste entre ces deux histoires soulève des questions intéressantes. Pourquoi certaines personnes ont-elles des coups de foudre aussi saisissants ? Pourquoi certains couples aboutissent-ils tout doucement au mariage dans le prolongement d'une amitié plutôt sereine ? Et pourquoi (selon l'exemple de Rayna et de Mark) tant de partenaires semblent-ils avoir des traits de caractère opposés ? Quand nous serons en mesure de répondre à ces questions, nous aurons également les premiers indices concernant les désirs psychologiques cachés sur lesquels se fonde le mariage.

L'attirance romantique

Ces dernières années, des scientifiques de différentes disciplines ont cherché à approfondir et à comprendre l'amour romantique, et de précieuses connaissances nous sont venues de chaque sphère de recherche. Certains biologistes sont d'avis qu'il y a une « bio-logique » dans le comportement amoureux. Selon ce concept évolutionniste de l'amour, nous choisissons instinctivement des compagnes ou des compagnons qui favorisent la survie de l'espèce. C'est la *théorie biologique*. Les hommes sont attirés par les femmes à la beauté classique, au teint clair, aux yeux vifs, aux cheveux brillants, aux lèvres rouges et aux joues roses, bien charpentées, non par engouement ou par phénomène de mode, mais parce que ces qualités de jeunesse et de robustesse sont les signes qu'une femme est au meilleur de sa forme pour procréer.

Les femmes choisissent leur conjoint selon des critères biologiques quelque peu différents. Comme la jeunesse et la santé physique ne sont pas essentielles à la fonction reproductrice de l'homme, les femmes préfèrent instinctivement un partenaire aux qualités de leader affirmées lui permettant de rapporter « plus que sa part de gibier » au foyer. L'hypothèse de base est que le caractère dominateur de l'homme assure mieux la survie du groupe familial que la jeunesse ou la beauté. Ainsi, un président-directeur général de cinquante-cinq ans (l'équivalent humain du gorille argenté) est aussi attirant pour les femmes qu'un homme jeune, viril et séduisant qui réussit moins bien professionnellement.

Mettons un instant de côté notre indignation devant le fait que notre attirance pour le sexe opposé se réduise à une question de reproduction et d'aptitude à rapporter nourriture et argent. Nous voyons alors que cette théorie a une certaine valeur. Qu'on le veuille ou non, la jeunesse et l'apparence physique d'une femme, la puissance et le statut social d'un homme jouent un rôle dans le choix d'un partenaire, comme le prouve un rapide coup d'œil sur la liste des petites annonces : « H célibataire 45 ans carrière brillante, avion privé, recherche JF mince de 20 ans. » Et ainsi de suite. Mais même si les facteurs biologiques jouent un rôle clef dans nos rapports amoureux, il y a quelque chose de plus à obtenir dans l'amour.

Passons à un autre champ d'étude, la psychologie sociale, et penchons-nous sur ce que l'on appelle la *théorie des échanges* dans le choix d'un partenaire. L'idée de base de la théorie des échanges est que nous choisissons quelqu'un qui est plus ou moins notre égal. Quand nous sommes en quête d'un partenaire, nous nous mesurons à lui aussi froidement que le feraient des hommes d'affaires pour une fusion d'entreprises, notant les attraits physiques de l'autre, son statut financier et son rang social, tout comme nous évaluons ses traits de caractère, sa gentillesse, sa créativité et son sens de l'humour. Nous enregistrons à la vitesse d'un ordinateur les scores de l'un et de l'autre et, si les résultats sont identiques à peu de chose près, la clochette sonne le début des enchères.

En ce qui concerne le choix d'un partenaire, la théorie des échanges nous donne une vue plus complète que le simple modèle biologique. Ce ne sont pas seulement la jeunesse, la beauté et le statut social qui nous intéressent, nous disent les psychologues sociaux, mais bien la personne tout entière. Par exemple, qu'une femme ne soit plus de première jeunesse ou qu'un homme ait une situation professionnelle subalterne sera compensé par le fait que cette personne soit intelligente, pleine de charme et de compassion.

Une troisième idée, la *théorie de la persona*, ajoute encore une autre dimension au phénomène de l'attirance romantique. La théorie de la persona souligne que la façon dont une personne peut rehausser l'estime que nous avons de nous-même constitue un élément important dans le choix de partenaire. Chacun de nous porte un masque qui est ce visage que nous montrons à l'autre. La théorie de la persona suggère que l'on sélectionne un partenaire qui renforce l'image de soi.

Voici la question qui nous vient à l'esprit : que va-t-on penser de moi si l'on me voit en compagnie de cette personne ? Cette théorie a apparemment une certaine valeur. Nous avons tous éprouvé de la fierté ou de la gêne selon la façon dont nous pensons que notre partenaire est perçu par les autres. Ce que les autres pensent de notre partenaire compte pour nous.

Bien que ces trois théories nous aident à comprendre certains aspects de l'amour romantique, nous revenons toujours à nos mêmes questions initiales. Qu'est-ce qui explique l'intensité de l'amour romantique (selon l'exemple de Maggie et Victor), de ces sentiments d'extase qui peuvent être « surpuissants » ? Et pourquoi (selon l'exemple de Rayna et Mark) de si nombreux couples ont-ils des traits de caractère complémentaires ?

De fait, plus nous observons en profondeur le phénomène de l'attirance romantique, plus ces théories nous paraissent incomplètes. Par exemple, comment expliquer l'abattement dont s'accompagne souvent la rupture d'une relation, cette lame de fonds émotionnelle qui peut nous faire sombrer dans l'anxiété et l'apitoiement sur soi-même ? Un de mes patients m'a dit, quand sa petite amie l'a quitté : « Je ne peux plus ni manger ni dormir. J'ai l'impression que ma poitrine va exploser. Je pleure tout le temps et je ne sais pas quoi faire. » Ces théories de l'attirance, dont nous venons de parler, nous suggèrent que la réponse la plus appropriée à un échec amoureux serait simplement de se remettre en quête d'un nouveau partenaire.

Il existe un autre aspect étonnant de l'attraction amoureuse : notre faculté sélective semble beaucoup plus forte qu'aucune de ces théories ne le laisse supposer. Pour comprendre ce que je veux dire, prenez le temps de réfléchir à toutes vos histoires d'amour. Vous avez rencontré des milliers de personnes dans votre vie ; selon une estimation raisonnable, supposons que plusieurs centaines d'entre elles aient eu suffisamment d'attrait physique ou de succès pour attirer votre regard. Selon la théorie sociale des échanges, nous pouvons établir qu'entre cinquante et cent personnes sélectionnées auraient pu avoir un ensemble de valeurs égales ou supérieures aux vôtres. Logiquement, vous auriez dû tomber amoureux d'un bon nombre de gens. Pourtant, la plupart des gens n'ont été attirés profondément que par peu de personnes. En fait, quand des célibataires me consultent, ils me répètent à l'envi qu'il n'y a personne de bien. Le monde est rempli de déchets.

De plus, curieusement, les rares personnes qui vous attirent ont tendance à se ressembler entre elles. Réfléchissez un instant aux traits de caractère des personnes avec lesquelles vous avez sérieusement envisagé de vous marier. Si vous deviez dresser une liste des traits de caractère dominants, vous seriez surpris de leur similitude, y compris de celle des traits de caractère négatifs.

En tant que thérapeute conjugal, je constate le modèle infaillible de la façon dont mes patients choisissent une compagne ou un compagnon. Un soir, dans un groupe de thérapie, j'écoutais les confidences d'un homme marié depuis trois mois, pour la seconde fois. À la rupture de son premier mariage, il avait juré devant le groupe qu'il ne prendrait jamais d'engagement avec une femme qui ressemblerait à sa première femme. Il pensait qu'elle était médiocre, cupide et égoïste. Pourtant, à la séance de la veille, il nous avait confié qu'il avait cru entendre la voix de son ex-femme sortir de la bouche de sa nouvelle compagne. Paniqué, il a réalisé que les deux femmes avaient des personnalités presque identiques. Il semble que chacun de nous cherche de manière compulsive un partenaire aux traits de personnalité positifs et négatifs bien particuliers.

Les profondeurs de l'inconscient

Pour saisir la force de cette sélection, nous devons comprendre le rôle joué par l'inconscient dans le choix du partenaire. Dans la période postfreudienne, la plupart des gens savent fouiller dans leur inconscient pour expliquer des événements quotidiens. Ainsi sommes-nous bien informés au sujet des « lapsus freudiens », analysons-nous nos rêves et essayons-nous de comprendre comment notre inconscient agit sur nos comportements de tous les jours. Malgré cela, la majorité d'entre nous sous-estime la puissance de l'inconscient.

L'analogie suivante vous permettra peut-être de saisir la portée de cette influence. Dans la journée, nous ne pouvons pas voir les étoiles. Nous disons d'elles qu'elles apparaissent à la tombée de la nuit. Mais pourtant elles sont présentes tout le temps. Nous sous-estimons également leur nombre exact. Quand nous levons le regard vers le ciel, nous voyons une petite quantité d'étoiles qui brillent faiblement et nous nous imaginons les voir toutes. Nous éloignant des lumières de la ville, nous voyons la voûte céleste criblée d'étoiles et nous sommes émerveillés par l'éclat des cieux. Mais ce n'est que par l'étude de l'astronomie que nous pouvons découvrir la réalité complète : les centaines de milliers d'étoiles observées par une nuit sans lune ne sont qu'une fraction de celles contenues dans l'univers, et les points de lumière que nous prenons pour des étoiles sont en fait des galaxies entières. Il en va de même dans l'inconscient : les pensées logiques et bien ordonnées de notre moi conscient ne sont qu'un voile fin qui masque l'inconscient, actif en permanence.

Jetons un rapide coup d'œil sur la conformation du cerveau, organe mystérieux et complexe subdivisé en plusieurs parties. Pour des raisons de clarté, je préfère utiliser le modèle du neuroscientifique Paul McLean, lequel divise le cerveau en trois couches concentriques.

Le tronc cérébral, la couche intérieure la plus primitive, est la partie du cerveau qui contrôle la reproduction, l'instinct de conservation, et les fonctions vitales telles que la circulation du sang, la respiration, le sommeil et les contractions musculaires en réponse aux stimulations extérieures. Localisée à la base du crâne, cette partie du cerveau est parfois appelée le *cerveau reptilien*, parce que tous les vertébrés, du reptile au mammifère, possèdent en commun cette partie anatomique. Dans l'objectif que nous poursuivons, considérons que le tronc cérébral est la source de l'action physique.

Le système limbique, deuxième partie du cerveau, s'évase comme un sternum au sommet de ce tronc cérébral dont la fonction semble être de susciter des émotions vives. Chirurgicalement les scientifiques peuvent stimuler le système limbique sur des animaux de laboratoire et déclencher une explosion spontanée de peur et d'agressivité. Dans mon ouvrage, j'utiliserai le terme de *vieux cerveau* pour désigner la partie du cerveau comprenant le tronc cérébral et le système limbique. Pensez au vieux cerveau comme étant le responsable génétique de la plupart de nos réflexes.

La dernière partie du cerveau, le cortex cérébral, est une large masse de tissu cérébral circonvolutionné enveloppant deux parties internes. Il est lui-même divisé en quatre parties ou lobes. Cette partie du cerveau, la plus développée chez les *Homo sapiens,* est le centre de la majorité des fonctions cognitives. J'appelle le cortex cérébral le *nouveau cerveau* parce qu'il est apparu plus récemment dans l'histoire de notre évolution. Le nouveau cerveau est la partie consciente de vous-même, alerte et éveillée, en contact avec les gens de votre environnement quotidien. C'est ce qui vous permet de penser, d'observer, de planifier, d'anticiper, de prendre des décisions, de réagir, de trier l'information et d'élaborer des idées. Le nouveau cerveau a une logique de base inhérente qui cherche une cause à chaque effet et un effet à chaque cause. Il peut, dans une certaine mesure, modérer les réactions instinctives de notre vieux cerveau. Généralement, cette partie de notre cerveau qui analyse, sonde, questionne, est cette partie que vous considérez comme étant « vous-même ».

La logique du vieux cerveau

Nous ne sommes pas conscients de la plupart des fonctions du vieux cerveau, contrairement à ce qui se produit pour le nouveau cerveau. Chercher à comprendre cette partie de soi est une tâche démentielle parce que cela exige de notre moi conscient qu'il fasse demi-tour pour observer ce qui est caché. Les scientifiques qui ont soumis le vieux cerveau à ce type d'examen nous disent que la principale préoccupation de ce dernier est d'assurer sa propre conservation. Toujours en alerte, le vieux cerveau se pose continuellement la même question : « Suis-je en sécurité ? »

Pour élaborer son travail de protection, le vieux cerveau agit d'une façon radicalement différente du nouveau cerveau. L'une des principales différences est que le vieux cerveau semble n'avoir qu'une conscience floue du monde extérieur. Contrairement au nouveau cerveau qui compte sur une perception directe des phénomènes extérieurs, le vieux cerveau tire ses informations des images, symboles et pensées fournis par le nouveau cerveau. Cela limite ses données à moins de catégories qui sont moins spécifiques. Ainsi, alors que le nouveau cerveau distingue facilement John de Suzy ou de Margaret, le vieux cerveau classe sommairement ces personnes en six catégories de base. Les seules choses qui importent au vieux cerveau sont de savoir si une personne donnée est quelqu'un : 1. dont on doit prendre soin ; 2. qui prendra soin de nous ; 3. avec qui nous pouvons avoir des rapports sexuels ; 4. que nous devons fuir ; 5. à qui nous devons nous soumettre ; 6. que nous devons attaquer. Des nuances telles que c'est « mon voisin », « mon cousin », « ma mère », ou « ma femme », n'entrent pas en ligne de compte.

Différents sur beaucoup de points, le vieux cerveau et le nouveau cerveau échangent et interprètent constamment les informations. Voici comment cela se passe. Supposons que vous soyez seul dans la maison et que, soudain, une personne « A » se présente à la porte. Aussitôt votre nouveau cerveau crée une image de la personne et la transmet à votre vieux cerveau pour qu'il la passe au scanner. Le vieux cerveau reçoit l'image et la compare avec d'autres déjà emmagasinées. Il fait instantanément une première observation : « Cet individu n'est pas un étranger. » Apparemment des rencontres avec cette personne avaient déjà été enregistrées auparavant. Un dixième de seconde plus tard, arrive une deuxième observation : « Il n'y a pas d'épisodes dangereux associés à cette image. » Parmi toutes les interactions que vous avez eues avec ce mystérieux visiteur, aucune n'a mis votre vie en danger. Alors, rapidement, une troisième observation se précise : « Il y a eu plusieurs épisodes agréables liés à cette image. » En fait, la banque de données semble révéler que « A » est quelqu'un de chaleureux et de maternant. Parvenu à cette conclusion, le système limbique envoie un message tout à fait clair au cerveau reptilien, et vous vous retrouvez à accueillir à bras ouverts la personne qui vous rend visite. À travers le nouveau cerveau, vous dites : « Tante Mary, quelle joie ! »

Tout cela s'est fait à l'insu de votre conscience, en une fraction de seconde. Au niveau conscient, tout ce qui s'est passé, c'est l'arrivée de votre tante Mary bien-aimée. Cependant, en compagnie de votre tante, le processus de collecte des données se poursuit. Cette rencontre suscite un tas de pensées, d'émotions et d'images qui sont envoyées au système limbique pour être stockées dans la partie du cerveau réservée à Tante Mary. Ces nouvelles données seront une partie de l'information examinée par le vieux cerveau lors de sa prochaine visite.

Considérons une situation légèrement différente. Supposons que la personne qui se présente à la porte ne soit pas la tante Mary, mais sa sœur, la tante Carol, et qu'au lieu de l'accueillir à bras ouverts vous éprouviez du ressentiment à cette interruption. Pourquoi une telle différence de réaction face à ces deux sœurs ? Imaginez que, lorsque vous aviez dix-huit mois, vous ayez passé une semaine chez votre tante Carol pendant que votre mère était à l'hôpital pour la naissance d'un autre bébé. Vos parents, essayant de vous préparer à cette nouvelle, vous avaient prévenu : « Maman va partir pour aller à l'hôpital et reviendra avec un petit frère ou une petite sœur. » Les termes « hôpital », « frère », « sœur », n'avaient pas de sens pour vous, mais les termes de « maman, » « partir », eux, en avaient un. Chaque fois qu'ils prononçaient ces deux mots ensemble, vous vous sentiez anxieux et vous suciez votre pouce. Quelques semaines plus tard, lorsque votre mère a eu ses premières contractions, on vous a pris dans votre lit alors que vous étiez endormi, et on vous a déposé chez la tante Carol. Vous vous êtes réveillé seul dans cette pièce inconnue, et quand vous avez pleuré, ce n'est pas votre mère ou votre père qui est venu, mais la tante Carol. Vous vous êtes morfondu ensuite pendant quelques jours.

Même si la tante Carol était pleine d'amour et de tendresse pour vous, vous vous sentiez abandonné. Cette peur primitive s'est associée à votre tante Carol, et pendant des années, sa vue ou l'odeur de son parfum vous ont donné envie de fuir. Dans les années qui ont suivi, vous avez eu beaucoup d'expériences agréables ou neutres avec votre tante Carol. Néanmoins, trente ans après, quand elle se présente à la porte, le désir de fuir s'empare de vous subitement.

Rien ne vaut l'instant présent

Cette histoire illustre un important principe qui régit le vieux cerveau : il n'a pas de notion de temps linéaire. Aujourd'hui, demain et hier n'existent pas ; tout ce qui a été perdure. La compréhension de ce principe de base vous aidera sans doute à expliquer pourquoi vous avez des sentiments qui vous semblent horriblement disproportionnés par rapport aux événements qui les ont déclenchés. Par exemple, imaginez-vous en femme de trente-cinq ans, avocate dans un cabinet prestigieux. Un jour que vous êtes assise dans votre bureau, vous avez des pensées affectueuses envers votre mari et vous décidez de l'appeler. Vous composez son numéro et sa secrétaire vous informe qu'il est sorti et qu'il n'est pas joignable. Soudain vos pensées amoureuses s'évanouissent et vous sentez une bouffée d'angoisse vous envahir : où est-il ? Votre esprit rationnel vous dit qu'il est en réunion avec un client ou retenu dans un déjeuner d'affaires, mais une autre partie de vous — soyons honnête — se sent abandonnée. Et vous voilà, femme intelligente et compétente, rendue vulnérable par le simple fait que votre mari ne soit pas disponible, au même titre que vous l'étiez lorsque votre mère vous laissait toute la journée avec une *baby-sitter* inconnue. Votre vieux cerveau est emprisonné dans un schéma archaïque.

Supposons que vous soyez un homme d'âge mûr, cadre dans une grande entreprise. Après une journée mouvementée au cours de laquelle vous avez réussi à contenir des clients importants et à boucler un budget de plusieurs millions, vous rentrez chez vous impatient de partager vos succès avec votre femme. Quand vous rentrez, vous trouvez un mot de votre femme disant qu'elle sera en retard. Vous vous arrêtez net. Vous comptiez sur sa présence. Surmontez-vous cette déception et profitez-vous de ce moment pour vérifier le budget une dernière fois ? Oui, mais pas avant de vous être précipité sur le congélateur et d'avoir avalé deux grands bols de glace à la vanille comme substitut le plus proche du lait maternel. La vie présente et la vie passée vivent côte à côte dans votre esprit.

Maintenant que nous avons passé du temps à essayer de comprendre la nature de l'inconscient, retournons à notre préoccupation initiale, à savoir le choix d'un partenaire. Comment ces informations au sujet du vieux cerveau peuvent-elles ajouter à la compréhension de l'attrait romantique ? Le curieux phénomène, dont j'ai déjà parlé dans cette exploration, est que nous sommes hautement sélectifs dans le choix de nos partenaires. En fait, nous semblons être à la recherche d'un seul et unique partenaire avec sa panoplie de traits positifs et négatifs.

J'ai découvert, après des années de recherches théoriques et d'observations cliniques, que ce que nous recherchons, c'est quelqu'un ayant les traits de caractère prédominants de la personne qui nous a élevé. Notre vieux cerveau pris au piège dans un éternel présent et n'ayant qu'une faible conscience du monde extérieur essaie de recréer l'environnement de l'enfance. Et la raison pour laquelle ce vieux cerveau essaie de faire resurgir le passé ne relève ni de l'habitude ni d'une compulsion aveugle, mais d'un besoin irrésistible de guérir de vieilles blessures d'enfance.

Ce que je suis en train de suggérer, c'est que la vraie raison pour laquelle vous êtes tombé amoureux de votre partenaire n'est pas sa beauté, sa jeunesse, sa réussite professionnelle, ses valeurs identiques aux vôtres ou son caractère facile.

Vous êtes tombé amoureux parce que votre vieux cerveau a confondu votre partenaire avec vos parents ! Votre vieux cerveau a cru qu'il avait finalement trouvé le candidat idéal pour réparer les dégâts psychologiques et émotionnels qui ont marqué votre enfance.

CHAPITRE II

LES BLESSURES D'ENFANCE

L'âge n'est pas mieux qualifié pour instruire la
jeunesse car il n'a pas profité autant qu'il a perdu.
Henri-David Thoreau.

Il est possible que les mots « dégâts psychologiques et émotionnels de l'enfance » vous fassent tout de suite penser à des traumatismes sérieux tels que des violences sexuelles, physiques, ou des souffrances consécutives à un divorce, à la mort ou à l'alcoolisme des parents. Et, pour beaucoup, c'est la réalité tragique. Cependant, même si vous avez eu suffisamment de chance pour grandir dans un environnement de sécurité et de tendresse, vous portez quand même d'invisibles cicatrices d'enfance parce que, dès la naissance, vous êtes déjà un être vivant complexe et dépendant, ayant un cycle de besoins sans fin. Freud nous a très justement qualifiés « d'êtres insatiables ». Et aucun parent, aussi dévoué soit-il, n'est capable de répondre parfaitement à tous ces besoins changeants.

Avant d'explorer les manières plus subtiles dont vous avez peut-être été blessé et la façon dont cela affecte votre mariage, voyons qui vous étiez lors de votre entrée dans le monde parce que cet état de *complétude originelle* détient une clef importante des espoirs cachés que vous apportez dans votre union.

La complétude originelle

Il n'y a jamais eu de bébés miracles, capables de nous révéler les arcanes de la vie avant la naissance. Toutefois, nous savons que les besoins biologiques du fœtus sont pris en charge instantanément et automatiquement par un échange de fluides avec la mère. Nous savons qu'un fœtus n'a besoin ni de manger, ni de respirer, ni de se protéger du danger et qu'il est constamment apaisé par le battement régulier du cœur de sa mère. De ces simples faits biologiques et de l'observation des nourrissons, nous pouvons déduire que le fœtus a une existence paisible, flottant sans effort. Il n'a ni la notion de limite, ni celle de lui-même, et n'est pas conscient d'être enfermé dans une poche à l'intérieur de sa mère. Généralement on croit que, lorsqu'un bébé est dans le ventre de la mère, il a une sensation d'unité, une expérience paradisiaque libre de tout désir. Martin Buber exprime les choses ainsi : « Pendant l'existence fœtale, nous étions en communion avec l'univers. »

Cette existence idyllique se termine brutalement quand les contractions de la mère expulsent de force le bébé hors de son ventre. Mais dans les premiers mois, le bébé est dans un stade de développement appelé la *période autiste* durant laquelle il continue à ne faire aucune distinction entre lui-même et le reste du monde. Récemment, je suis devenu papa de nouveau et je me rappelle clairement ma fille Leah à ce stade. Lorsque tous ses besoins physiques étaient assouvis, elle restait blottie dans nos bras et regardait autour d'elle avec un contentement de Bouddha. Comme tous les bébés, elle n'avait pas conscience d'elle-même en tant qu'être séparé et ne ressentait pas de clivage entre pensées, sentiments et actes. À mes yeux, elle faisait l'expérience d'une spiritualité primitive, d'un univers illimité. Bien qu'immature et complètement dépendante de sa mère et de moi pour survivre, elle était néanmoins un être humain vivant et complet, plus complet en fait qu'elle ne le sera jamais.

En tant qu'adultes, nous semblons n'avoir qu'un vague souvenir de ce stade de complétude originelle, ressaisir cette sensation est aussi difficile que de retrouver le souvenir d'un rêve. Il nous semble nous rappeler un temps lointain où nous étions plus unis et plus connectés au monde. Ce sentiment est décrit maintes et maintes fois dans les mythes de toutes les cultures, comme si les mots pouvaient lui conférer plus de réalité. C'est l'histoire du jardin d'Éden et cela nous frappe avec une force irrésistible.

Mais quel lien y a-t-il entre ce phénomène et le mariage ? Pour diverses raisons, nous entrons dans le mariage dans l'espoir que notre partenaire restaurera comme par magie le sentiment de ce tout originel. C'est comme s'il possédait la clef d'un lointain royaume, et tout ce que nous avons à faire, c'est de le persuader de déverrouiller la porte. Son échec à y parvenir est l'une des raisons principales de notre malheur.

Toi et moi sommes « un »

Le sentiment d'unité dont l'enfant fait l'expérience dans le ventre de sa mère et dans les premiers mois de sa vie s'estompe progressivement au profit d'une force intérieure l'obligeant à devenir un être distinct. Cette unité essentielle demeure, mais l'éveil au monde extérieur commence à poindre. C'est à ce stade de développement que l'enfant fait la découverte « monumentale » que sa mère, cette géante bienveillante qui le porte, le nourrit et émet des sons si réconfortants, n'est pas toujours là. L'enfant continue à se sentir lié à sa mère, mais il naît à une conscience primitive de lui-même.

Durant ce stade de symbiose, les psychologues du développement nous disent que les bébés éprouvent un fort désir d'être connectés à ceux qui prennent soin d'eux. Ils appellent cela la *pulsion d'attachement*. L'énergie vitale de l'enfant est dirigée extérieurement vers sa mère dans un effort pour retrouver la sensation primitive d'union physique et spirituelle. Un mot qui décrit ce désir est le mot *eros,* terme grec que nous associons habituellement à l'amour romantique ou sexuel mais qui, à l'origine, avait le sens plus large d'*élan vital.*

Le fait qu'un enfant parvienne à se sentir à la fois distinct de sa mère et uni à elle a un impact profond sur toutes ses relations futures. Avec de la chance, l'enfant sera capable de faire clairement la distinction entre les autres et lui-même, tout en se sentant relié à eux. Il aura des barrières souples qu'il pourra ouvrir ou fermer à volonté. Un enfant, qui a fait des expériences douloureuses au début de sa vie, va soit se couper de ceux qui l'entourent, soit essayer de fusionner avec eux, sans connaître ses limites ni celles des autres. Ce manque de limites bien définies sera un problème récurrent dans le mariage.

Au fur et à mesure que l'enfant grandit, son eros se dirige non seulement vers la mère mais aussi vers le père, les frères et sœurs et le monde en général. Je me rappelle ma fille Leah qui, à trois ans, voulait tout explorer autour d'elle. Elle avait une telle vitalité qu'elle pouvait courir durant une journée sans se sentir fatiguée.

« Papa, cours avec moi ! Fais des galipettes ! » Elle tour-
billonnait jusqu'à en avoir le vertige puis s'écroulait par terre en
riant à n'en plus finir. Elle courait après les lucioles, parlait aux
feuilles, se suspendait au portique et caressait tous les chiens
qu'elle voyait. Comme Adam, elle a aimé nommer tous les objets
et elle est devenue sensible à la signification des mots. Quand je
regardais Leah, je voyais Éros, cette formidable pulsion de vie.
Je l'enviais et aspirais à retrouver ce que j'avais perdu.

Helen et moi nous sommes efforcés de conserver Éros vivant
chez Leah, de maintenir l'éclat de ses yeux et l'explosion de vie
de son rire communicatif. Mais, en dépit de nos meilleures
intentions, nous n'avons pas comblé tous ses besoins. Parfois, la
vie semble l'avoir forcée à se replier sur elle-même. Une fois,
elle a eu peur d'un gros chien et a appris à se méfier des animaux
étrangers. Un jour, elle a glissé dans la piscine et en a gardé la
peur de l'eau. Mais quelquefois, Helen et moi sommes plus
directement responsables. Nous avons cinq autres enfants et elle
se sent délaissée de temps en temps. Il y a des jours où nous ren-
trions du travail tellement fatigués que nous ne pouvions même
pas écouter ce qu'elle nous disait, ou bien nous étions trop dis-
traits pour comprendre ce qu'elle voulait. Malheureusement
nous la blessions aussi en lui transmettant, sans le vouloir, nos
propres blessures d'enfance, héritage émotionnel des généra-
tions passées. Ou bien nous compensons ce que nous n'avons
pas reçu de nos parents, ou bien nous recréons inconsciemment
les mêmes situations douloureuses.

Quoi qu'il en soit, quand les désirs de Leah ne sont pas satisfaits, son regard se fait interrogateur ; elle pleure ; elle a peur.
Elle ne parle plus aux feuilles et ne remarque plus les lucioles
qui voltigent autour des buissons. Éros s'estompe et se replie sur
lui-même.

Le pèlerinage périlleux

L'histoire de Leah est mon histoire et votre histoire. Nous
sommes tous entrés dans l'existence complets et pleins de vitalité, impatients de vivre une vie remplie d'aventures, mais nous
avons tous fait un pèlerinage périlleux dans notre enfance. En
fait, certaines blessures se sont produites dans les tout premiers
mois de notre vie. Pensez un instant aux demandes incessantes

du nourrisson. Le matin, au réveil, il pleure pour être nourri. Ensuite ses couches sont mouillées et il pleure pour être changé. Puis, sous une impulsion physique aussi impérieuse que le besoin de nourriture, le bébé veut être pris dans les bras. Puis il a faim de nouveau et il pleure une fois encore pour être nourri. Des gaz lui font mal au ventre et la douleur le fait pleurer. Il ne peut que pleurer pour signaler sa détresse et, si ses protecteurs sont assez perspicaces, il est nourri, changé, pris dans les bras ou bercé, et il est satisfait, momentanément. Mais si les personnes nourricières sont incapables d'interpréter ce qui ne va pas ou si elles lui refusent leur attention par peur de le gâter, le nourrisson fait alors l'expérience d'une anxiété primitive : le monde n'est pas un endroit sécurisant. Comme il n'a aucun moyen de prendre soin de lui-même ni aucune notion de satisfaction différée, il croit qu'il est impératif que le monde extérieur réponde immédiatement à ses besoins : c'est une question de vie ou de mort.

Bien que vous et moi n'ayons pas de souvenir de ces premiers mois de la vie, nos vieux cerveaux sont encore imbriqués dans une perspective infantile. Bien que nous soyons aujourd'hui des adultes capables de nous nourrir, de nous tenir nous-mêmes au chaud ou au sec, une partie cachée de nous attend encore que le monde extérieur prenne soin de nous. Quand notre conjoint est hostile ou collabore peu, un signal silencieux se déclenche au plus profond de notre cerveau et nous emplit de la peur de mourir. Comme on le verra bientôt, ce système d'alarme automatique joue un rôle clef dans le mariage.

Quand l'enfant sort de la petite enfance, de nouveaux besoins émergent et chaque nouveau besoin définit un espace potentiel de souffrance. Par exemple, quand un bébé a environ dix-huit mois, il sent plus clairement où il finit et où commencent les autres. Ce stade de développement correspond à « l'autonomie et l'indépendance ». À cette période, l'enfant a un intérêt croissant pour explorer le monde en dehors de l'espace de ses protecteurs. Si un petit enfant avait la maîtrise du langage d'un adulte, il pourrait s'exprimer ainsi : « Maintenant, je suis prêt à passer du temps ailleurs que sur tes genoux. Je suis prêt à quitter le sein pour aller vagabonder tout seul. Je suis un peu inquiet de te laisser, mais je serai de retour dans quelques minutes pour m'assurer que tu n'as pas disparu. » Mais comme l'enfant n'a qu'un vocabulaire limité, il descend simplement des genoux de sa mère, lui tourne le dos et sort de la pièce d'un pas mal assuré.

Alors, dans l'idéal, la mère sourit et répond à peu près ceci :
« Au revoir, mon chéri, amuse-toi bien, je serai exactement ici
si tu as besoin de moi. » Et quand le bambin revient quelques
minutes plus tard, se rendant compte tout à coup à quel point il
est dépendant, sa mère lui dit : « Alors, tu t'es bien amusé ?
Viens t'asseoir une minute sur mes genoux. » Elle fait savoir à
l'enfant qu'elle est d'accord pour qu'il la quitte pour se risquer
« au loin », sachant qu'elle sera disponible tant qu'il aura besoin
d'elle. Le petit garçon apprend que le monde est un lieu sûr et
fascinant à explorer.

Les « fusionnels » et les « isolateurs »

Beaucoup d'enfants sont frustrés à ce stade crucial du développement. Certains ont des protecteurs qui contrarient leur indépendance. C'est la mère, ou le père, qui ressent de l'insécurité lorsque
l'enfant est hors de sa vue, et non l'enfant. Pour une raison —
enracinée dans sa propre enfance —, le parent a besoin que l'enfant reste dépendant. Quand une petite fille sort de la pièce, il
arrive que sa mère, inquiète, l'interpelle ainsi : « Ne va pas dans la
pièce d'à côté, tu pourrais te faire mal. » Soumise, l'enfant revient
sur les genoux de sa mère. Mais derrière cette carapace de conformité, au fond d'elle-même, elle a peur. Sa pulsion innée d'autonomie est niée. Elle a peur d'être engloutie si elle revient toujours à
sa mère. Elle sera piégée à jamais dans une union symbiotique.
Sans que l'enfant le sache, cette peur d'être engloutie devient
un aspect clef de son caractère, et des années plus tard, elle
deviendra ce qu'on appelle *un isolateur*, une personne qui, inconsciemment, repousse les autres. Elle tient les gens à distance parce
qu'elle a besoin « d'avoir beaucoup d'espace autour d'elle » ; elle
veut avoir la liberté d'aller et venir à sa guise. Elle ne veut pas être
coincée dans une relation de couple uniquement. En réalité, sous
une apparente décontraction, se trouve une petite fille de deux ans
qui n'était pas autorisée à satisfaire ses besoins naturels d'indépendance. Lorsqu'elle se mariera, son besoin d'être un moi distinct sera en tête de liste de ses aspirations secrètes. »
D'autres enfants grandissent avec des parents de type opposé,
qui les repoussent quand ils se jettent dans leurs bras pour être
réconfortés : « Va-t'en, je suis occupé », « va jouer », « arrête de te
cramponner à moi. » Ces personnes nourricières ne sont pas

armées pour satisfaire d'autres besoins que les leurs et leurs enfants grandissent avec un sentiment d'abandon affectif. Ils grandissent et deviennent finalement ce qu'on appelle des *fusionnels*, des gens qui semblent avoir un besoin insatiable d'intimité. Les fusionnels veulent toujours faire des choses ensemble. Si quelqu'un manque de se présenter à l'heure convenue d'un rendez-vous, ils se sentent abandonnés. L'idée d'un divorce les remplit de terreur. Ils désirent ardemment de l'affection physique et du réconfort, ils ont souvent besoin de rester en contact verbal constant. Derrière ce comportement de dépendance, il y a un enfant qui avait besoin de passer plus de temps sur les genoux de ses parents.

Ironie du sort, pour des raisons que je développerai dans les chapitres ultérieurs, à l'âge adulte, les fusionnels et les isolateurs ont tendance à se marier ensemble, débutant ainsi un cycle infernal d'attraction et de répulsion où nul n'est satisfait.

Pendant votre enfance, vous êtes passé d'un stade de développement à un autre, et la façon dont vos protecteurs ont répondu à vos besoins changeants suivant les stades a joué considérablement sur votre équilibre émotionnel. Il est quasiment certain qu'ils ont mieux réagi à certains stades de votre croissance qu'à d'autres. Ils ont pu s'occuper fort bien de vous quand vous étiez nourrisson, mais, par exemple, se sentir décontenancés quand vous avez trépigné de colère pour la première fois. Ou ils ont pu se réjouir de votre nature curieuse lorsque vous avez commencé à marcher mais être affolés par votre attirance pour le parent du sexe opposé lorsque vous avez eu cinq ou six ans. Vous avez pu grandir avec des personnes nourricières qui ont satisfait la plupart de vos besoins, ou seulement certains d'entre eux, mais, comme tous les enfants, vous avez grandi en connaissant l'angoisse de besoins non assouvis, et ces besoins vous ont suivi dans le mariage.

Le moi perdu

Nous venons d'explorer l'un des aspects importants du vaste monde caché que j'appelle le *mariage inconscient* et qui constitue notre réservoir de besoins d'enfance inassouvis, ce désir non satisfait d'être soigné, protégé et autorisé à avancer sans obstacles vers la maturité. Maintenant, nous voulons nous tourner vers une autre sorte de blessure d'enfance, une sorte de blessure psychique subtile appelée *socialisation*, des messages que nous avons reçus de nos protecteurs et de la société qui nous disent comment nous devons nous comporter et qui nous sommes. Ces messages jouent aussi un rôle majeur, quoique caché dans l'union.

À première vue, il semble étrange d'associer socialisation et blessure émotionnelle. Pour aider à comprendre pourquoi il en est ainsi, je vous parlerai d'une de mes patientes [1]. Sarah est une femme séduisante d'une trentaine d'années, bien de sa personne. La préoccupation majeure de sa vie est qu'elle se sent incapable de penser clairement et logiquement. « Je suis incapable de raisonner », m'a-t-elle répété à de nombreuses reprises. « Je ne peux pas tenir un raisonnement. » Elle est cadre moyen dans une société d'informatique où elle travaille assidûment depuis quinze ans. Elle aurait pu grimper les échelons beaucoup plus vite dans sa société si elle avait été efficace dans la résolution des problèmes, mais chaque fois qu'elle est confrontée à une situation difficile, elle panique et se précipite vers son chef pour trouver un soutien. Son chef lui donne de sages conseils, ce qui lui confirme l'idée qu'elle est incapable de prendre elle-même des décisions.

Il n'a pas été très difficile de découvrir, en partie, la raison de l'anxiété de Sarah. Dès son plus jeune âge, elle a reçu le message explicite de sa mère qu'elle n'était pas très intelligente : « Tu n'as pas l'esprit vif comme ton grand frère », et « tu auras intérêt à épouser un homme intelligent parce que tu vas avoir besoin de beaucoup d'aide. Mais je doute qu'un tel homme veuille de toi ». Aussi flagrants qu'aient été ces messages, ils n'ont pas été l'unique source de la perception qu'avait Sarah de son inaptitude à penser. Les idées des années 50, selon lesquelles les petites filles devaient être mignonnes, gentilles et soumises mais pas spécialement brillantes, ont amplifié le message de sa mère ; dans l'école primaire de Sarah, les filles rêvaient de devenir des épouses, des infirmières, des enseignantes, mais ni des cadres, ni des astronautes, ni des médecins.

Un autre élément a joué dans le fait que Sarah ne pouvait pas résoudre les problèmes, à savoir que sa mère avait elle-même très peu confiance en sa propre capacité de raisonnement. Sa mère s'occupait de la maison et prenait soin de ses enfants, mais

---

1. Comme pour la plupart des personnes mentionnées dans cet ouvrage, les noms et certaines caractéristiques d'identification ont été changés pour préserver l'anonymat.

déléguait les décisions importantes à son mari. Ce modèle de passivité et de dépendance a défini la « féminité » pour Sarah.

À quinze ans, Sarah a eu la chance d'avoir un professeur qui a reconnu ses capacités naturelles et l'a encouragée à s'investir davantage dans son travail scolaire. Pour la première fois de sa vie, elle est rentrée à la maison avec un bulletin de notes couvert de mentions A. Elle n'oubliera jamais la réaction de sa mère : « Comment tu as réussi à faire une chose pareille ? Je parie que tu ne pourras jamais le refaire ! » Et Sarah n'a pas pu car elle a finalement baissé les bras et mis en sommeil la partie de son cerveau qui réfléchit posément et rationnellement.

Le drame n'était pas seulement que Sarah avait perdu sa faculté de raisonnement, mais qu'elle avait aussi acquis la certitude qu'il était dangereux de penser. Pourquoi cela ? Puisque sa mère avait fortement rejeté ses capacités intellectuelles, elle croyait que, si elle était capable de penser clairement, elle allait être en porte à faux vis-à-vis de sa mère, en contradiction avec l'idée que sa mère avait d'elle, Sarah. Elle ne pouvait pas prendre le risque de se mettre sa mère à dos car sa propre survie en dépendait. Il était donc dangereux pour Sarah de savoir qu'elle avait un cerveau. Pourtant, elle ne pouvait pas nier complètement son intelligence. Elle enviait les personnes qui pouvaient penser, et, quand elle s'est mariée, elle a choisi un homme exceptionnellement brillant — stratagème inconscient pour compenser les dégâts psychologiques de son enfance.

Comme Sarah, nous avons tous des parties de nous-même dont nous n'avons pas conscience. J'appelle ces éléments manquants, le *moi perdu*. Chaque fois que nous nous plaignons de ne pas pouvoir penser, de ne rien pouvoir sentir, de ne pas pouvoir danser, de ne pas avoir d'orgasme ou de ne pas être très créatifs, nous nous identifions à des capacités ou à des pensées ou à des sentiments naturels que nous avons éliminés de notre moi conscient. Nous les possédons toujours, mais nous n'y avons pas accès. Pour l'instant, ils ne font pas partie de notre moi conscient et tout se passe comme s'ils n'existaient pas.

Comme dans le cas de Sarah, notre moi perdu s'est formé tôt dans l'enfance, résultant pour une large part des efforts bien intentionnés de nos protecteurs pour nous apprendre à vivre avec les autres. Chaque société a en propre un ensemble d'habitudes pratiques — lois, croyances et valeurs — que les enfants ont besoin d'assimiler et dont le père et la mère constituent les principaux vecteurs. Ce processus d'endoctrinement se déroule dans toute famille et dans toute société. Il semble exister un consensus universel selon lequel, en dehors des limites personnelles qui lui sont imposées, l'individu devient un danger pour les autres. Pour le dire en termes freudiens, « le désir d'avoir un ego puissant et non refoulé nous paraît logique mais, comme nous le montre l'époque à laquelle nous vivons, ce désir est complètement antagoniste avec la notion de civilisation ».

Même si nos parents ont souvent eu les meilleures intentions à notre égard, le message global que nous avons reçu nous a refroidi. Nous n'étions pas autorisés à avoir certaines pensées ni certains sentiments, nous avons dû « exterminer » certaines tendances naturelles et nier certains talents et certaines aptitudes. De mille façons, subtiles ou évidentes, nos parents nous ont transmis le message qu'ils n'approuvaient qu'une partie de nous-même. En substance, nous avons appris que nous ne pouvions pas être complets et exister dans cette culture en même temps.

Les tabous corporels

Le corps est un des domaines où nous avons été le plus contrôlés. Dès notre plus jeune âge, on nous a appris à nous habiller en filles ou en garçons, à ne pas parler de nos organes génitaux, à ne pas les toucher. Ces interdictions sont tellement universelles que nous n'en prenons conscience que lorsqu'elles sont enfreintes. Une amie m'a raconté une histoire illustrant bien à quel point cela peut surprendre lorsque des parents ont échoué à transmettre à l'enfant ces tabous non verbalisés. Un jour, une de ses amies, Chris, est passée chez elle avec son petit garçon de onze mois. Mon amie et Chris, avec son bébé, étaient assises sur la terrasse à siroter un thé glacé. Comme le soleil de mai chauffait agréablement, Chris a déshabillé le bébé pour qu'il en profite. Les deux femmes discutaient pendant que le petit garçon crapahutait sur la terrasse, creusant gaiement de ses doigts la terre chaude des pots de fleurs. Au bout d'environ une demi-heure, le bébé a eu faim et Chris lui a donné le sein. Mon amie a remarqué que le bébé avait une petite érection en tétant. Apparemment le fait de téter était une expérience tellement sensuelle qu'il ressentait du plaisir à travers tout son corps. Instinctivement le petit garçon a cherché à toucher son sexe. Contrairement à la plupart des mamans, Chris ne lui a pas déplacé la main. Le bébé avait le droit de sentir la chaleur du soleil sur sa peau nue, de prendre le sein, d'avoir une érection et même d'ajouter à son plaisir en tenant son pénis.

C'est normal et naturel qu'un nourrisson veuille ressentir ces agréables sensations, mais c'est rarement permis. Songez à toutes les règles que sa mère brisait. Premièrement, la société apprend aux femmes qu'elles peuvent allaiter leur bébé à condition de le faire discrètement, de façon à ce que personne ne puisse apercevoir leur sein nu. Deuxièmement, selon le même point de vue, les nourrissons doivent toujours être vêtus, ne serait-ce que d'une couche, même quand ils sont dehors par une belle journée ensoleillée. Troisièmement, les petits garçons et les petites filles ne devraient avoir l'expérience d'aucune forme d'excitation génitale et si, pour une raison quelconque, cela se produisait, ils ne devraient pas en éprouver de plaisir. En permettant à son bébé de se délecter de tous ses sens, Chris avait violé trois tabous puissants.

Il n'est pas dans mes intentions d'attaquer ou de défendre les interdits de la société à propos des plaisirs corporels. Il faudrait y consacrer un livre entier. Je ne cherche pas non plus à minimiser le problème que cela représente d'avoir un corps dans le monde occidental et, qui plus est, d'en tirer du plaisir. Mais pour comprendre les désirs cachés qui s'infiltrent dans votre mariage, il est important de connaître ce simple fait que, quand vous étiez jeune, maintes fois des interdits ont été imposés à votre sensualité. Comme la plupart des enfants qui grandissent dans cette culture, on vous a probablement embarrassé, culpabilisé ou mis mal à l'aise parce que vous aviez un corps capable de vous donner des sensations exquises. Pour être un « gentil petit garçon » ou une « gentille petite fille », vous deviez psychologiquement couper ou désavouer cette partie de vous-même.

Les sentiments interdits

Vos émotions étaient une autre cible de premier choix pour assurer le processus de socialisation. Bien sûr, certains sentiments étaient non seulement permis mais encouragés. Comme vos parents ont tout fait pour obtenir votre sourire quand vous étiez bébé ! Et quand vous avez éclaté de rire quelques semaines plus tard, cela a été un moment merveilleux pour tout le monde. La colère, par contre, c'était une autre histoire. Les crises de colère sont bruyantes et déplaisantes, et la plupart des parents essaient de les réprimer. Ils le font de bien des façons. Certains parents taquinent leurs enfants : « Tu es si mignonne quand tu es en colère. Je vois venir un sourire. Fais-nous un sourire. » D'autres les réprimandent : « Tu arrêtes ça tout de suite ! Va dans ta chambre ! Je ne tolérerai pas que tu me répondes sur ce ton ! » Souvent les parents, peu confiants en eux-mêmes, cèdent : « D'accord, fais comme tu veux ! Mais, la prochaine fois, tiens-toi mieux ! »

Il est rare qu'un parent approuve la colère d'un enfant. Imaginez le soulagement de cette fillette si ses parents lui tenaient ce discours : « Tu es en colère parce que tu ne veux pas faire ce que je te demande, mais moi je suis le parent, et toi l'enfant, alors tu dois faire ce que je te demande. » La reconnaissance de sa colère contribuerait à développer la conscience qu'elle a d'elle-même. Elle pourrait se dire : « J'existe. Mes parents ont conscience de ce que je ressens. Je ne peux pas faire tout ce que je veux, mais je suis écoutée et respectée. » Elle aurait la permission de garder le contact avec sa colère et, donc, de conserver un aspect essentiel à sa complétude.

Mais tel n'est pas le sort de la plupart des enfants. L'autre jour, j'étais dans un grand magasin et j'ai été témoin de la façon radicale dont on peut arrêter la colère d'un enfant, particulièrement lorsque celle-ci est dirigée contre l'un de ses parents. Une femme était en train d'acheter des vêtements tandis que son petit garçon d'environ quatre ans traînait derrière. Elle était occupée et le petit garçon parlait tout seul à voix haute. « Je peux lire ces lettres », a-t-il dit en montrant une étiquette, « F-A-B-R-I-Q-U-É ». Pas de réponse. « Tu vas encore essayer autre chose ? », a-t-il demandé. Pas de réponse.

Pendant tout le temps où je l'ai observée, elle ne lui a accordé que quelques secondes d'attention et, quand elle l'a fait, c'était d'une voix lasse et excédée. Finalement j'ai entendu le petit garçon crier haut et fort à une vendeuse : « Ma maman a eu un accident de voiture. Elle a été tuée. » Cette phrase a instantanément attiré l'attention de sa mère. Elle a secoué son fils par les épaules, lui a donné une fessée et l'a flanqué sur une chaise. « Qu'est-ce que tu racontes ? Je n'ai pas été tuée dans un accident de voiture. Arrête de parler comme cela. Assieds-toi sur cette chaise et ne bouge plus. Tu te tais. » Livide, le petit garçon est resté assis sans bouger jusqu'à ce que sa mère ait fini.

La colère du petit garçon contre sa mère s'était transformée dans sa tête en un fantasme de vengeance dans lequel celle-ci mourait dans un accident de voiture. Ce n'était pas lui qui avait blessé sa mère. À quatre ans, on lui avait déjà appris à renier ses pensées et ses sentiments de colère. À la place, il avait imaginé sa mère sur la trajectoire d'une voiture conduite par quelqu'un d'autre.

Quand vous étiez jeune, bien des fois, vous aussi avez dû être en colère contre vos protecteurs. Il est plus que probable que ce sentiment n'a reçu que peu d'encouragement. Vos sentiments de colère ou vos sensations sexuelles, et bien d'autres pensées et sentiments considérés comme antisociaux ont été profondément enfouis en vous, et n'ont pas été autorisés à voir le jour.

Quelques parents poussent ce processus de désapprobation à l'extrême. Ils renient non seulement les sentiments et les comportements de leur enfant, mais l'enfant lui-même. « Tu n'existes pas. Tu n'es pas important dans cette famille. Tes besoins, tes sentiments, tes désirs ne sont pas importants pour nous. » J'ai travaillé avec une jeune femme, que j'appellerai Carla, dont les parents ont nié l'existence au point qu'elle avait le sentiment d'être invisible. Sa mère était une parfaite maîtresse de maison et elle avait si bien appris à sa fille à nettoyer derrière elle que personne ne pouvait se douter que quelqu'un habitait là. Des carpettes en plastique délimitaient les endroits où Carla avait le droit de marcher. Le jardin, paysagé par des professionnels, ne comportait ni parcours pour un tricycle, ni balançoire ni bac à sable. Carla a un souvenir très fort d'un jour où elle était assise dans la cuisine, à l'âge de dix ans, déprimée au point de vouloir mourir. Sa mère et son père sont entrés dans la pièce et en sont sortis de nombreuses fois sans même remarquer sa présence. Carla a commencé à croire que son corps n'avait pas de réalité. Il n'est pas étonnant qu'à treize ans elle ait eu envie de disparaître conformément aux instructions non verbalisées de ses parents, qu'elle soit devenue anorexique, tentant littéralement de mourir de faim pour quitter cette existence.

Les outils de répression

Dans leurs tentatives de répression de certaines pensées, de certains sentiments et comportements, les parents utilisent des techniques variées. Quelquefois ils émettent des directives nettes et précises : « Tu ne penses pas vraiment ça », « les grands garçons ne pleurent pas », « ne te touche pas là ! », « je ne veux plus jamais t'entendre dire ça ! », « chez nous, ça ne se fait pas ! » Ou, comme la mère dans le grand magasin, ils grondent, menacent ou donnent une fessée. La plupart du temps, ils façonnent leurs enfants au travers d'un processus d'invalidation plus subtil — ils choisissent simplement de fermer les yeux sur certaines choses ou de ne pas les récompenser. Par exemple, si des parents accordent peu d'importance au développement intellectuel, ils donneront à leurs enfants des jouets ou des équipements sportifs, mais ni livres ni kits de science. S'ils pensent que les filles doivent être calmes et féminines et les garçons forts et autoritaires, ils récompensent seulement les comportements appropriés à leur sexe. Ainsi, si leur petit garçon arrive dans la pièce en traînant un jouet très lourd, ils diront : « Comme tu es costaud ! » Mais si leur fille fait la même chose, ils la mettront peut-être en garde en disant : « Fais attention à ta jolie robe ! »

Cependant, c'est par l'exemple que les parents influencent le plus profondément leurs enfants. Les enfants observent instinctivement les choix que font leurs parents, les libertés et les plaisirs qu'ils se permettent, les talents qu'ils développent, ceux qu'ils ignorent et les règles qu'ils suivent. Tout cela a un impact profond sur les enfants. « C'est ainsi que nous vivons. C'est ainsi que nous nous débrouillons dans la vie. » Que les enfants l'acceptent ou qu'ils se rebellent contre le modèle parental, cette socialisation au plus jeune âge joue un rôle primordial dans le choix d'un conjoint et, comme nous allons bientôt le voir, c'est souvent une source cachée de tension dans la vie conjugale.

La réaction de l'enfant aux décrets de la société passe par un nombre d'étapes prévisibles. En général, la première réaction est de cacher les conduites interdites par les parents. L'enfant se sent en colère mais il ne l'exprime pas ouvertement. Il prend conscience de son corps dans l'intimité de sa chambre. Il taquine ses cadets en l'absence de ses parents. En fin de compte, l'enfant en arrive à la conclusion que certaines pensées et certains sentiments sont tellement inacceptables qu'il faut les éliminer ; aussi s'invente-t-il un parent imaginaire pour contrôler ses pensées et ses activités. C'est cette partie de la psyché que les psychanalystes appellent le *surmoi*. Désormais, chaque fois que l'enfant a une pensée interdite ou se permet un comportement inacceptable, il reçoit une décharge d'anxiété qu'il s'inflige lui-même. C'est tellement désagréable que l'enfant mettra en sommeil ces parties interdites de lui-même — en termes freudiens, il les refoulera. Finalement, le prix de cette obéissance est la perte de sa complétude.

Le faux moi

Pour combler le vide, l'enfant crée un *faux moi*, une structure de caractère qui vise un double objectif. Elle camoufle ces parties de lui qu'il a refoulées et elle le protège de souffrances ultérieures. Un enfant élevé dans la répression sexuelle par une mère distante, par exemple, pourrait devenir un « dur ». Il se dit : « Je me moque que ma mère ne soit pas très affectueuse. Je n'ai pas besoin de ce truc à l'eau de rose. Je peux me débrouiller tout seul. Et puis, le sexe, c'est sale ! » Il finit par appliquer cette batterie de réponses à toute situation. À tous ceux qui l'approchent sans distinction, il oppose la même défense. Plus tard, lorsqu'il surmontera sa répugnance à s'engager dans une relation amoureuse, il est probable qu'il reprochera à son partenaire son désir d'intimité et sa sexualité intacte : « Pourquoi veux-tu tant de contacts et pourquoi est-ce que tu es si obsédé par le sexe ? Ce n'est pas normal ! »

Un autre enfant pourrait recevoir la même éducation et avoir une réaction inverse, exagérant ses problèmes dans l'espoir que quelqu'un vienne à son secours. « Pauvre de moi. J'ai mal ! Je suis profondément blessé. J'ai besoin que quelqu'un prenne soin de moi. » Tel autre pourrait devenir possessif, s'efforçant de s'accrocher au peu d'amour, de nourriture et de choses matérielles qu'il rencontre sur son chemin parce qu'il a la certitude qu'il n'y en a jamais assez. Mais quelle que soit la nature du faux moi, son but reste le même : minimiser la souffrance causée par la perte de sa complétude originelle d'enfant venu du ciel.

Le moi renié

Cependant, à un certain moment de la vie de l'enfant, cette forme ingénieuse d'autoprotection devient source de nouvelles blessures, car l'enfant est critiqué pour ces traits de caractère négatifs. Les autres lui reprochent d'être distant, ou quémandeur, ou centré sur lui-même, ou gros, ou avare. Ses attaquants ne voient pas la blessure qu'il essaie de couvrir, n'apprécient pas l'intelligence de son style de défense : tout ce qu'ils voient, c'est le côté névrosé de sa personnalité ; il est considéré comme inférieur, il a perdu sa complétude. L'enfant est alors pris au piège. D'un côté, il a besoin de maintenir ses caractéristiques d'adaptation car elles servent un but utile, mais d'un autre côté il ne veut pas être rejeté. Que peut-il faire ? La réaction est de nier ou d'attaquer ses détracteurs : « Je ne suis ni froid ni distant, peut-il rétorquer pour se défendre, en réalité, je suis fort et indépendant. » Ou : « Je ne suis ni faible ni pleurnichard, je suis simplement sensible. » Ou : « Je ne suis ni avare ni égoïste, je suis économe et prudent. » En d'autres termes : « Ce n'est pas de moi que vous parlez. Vous me voyez sous un jour négatif. »

En un sens, c'est vrai. Les traits négatifs ne font pas partie de sa nature originelle. Ils ont été forgés par la souffrance et sont devenus partie intégrante d'une fausse identité, d'une sorte de double qui l'aide à survivre dans un monde complexe et parfois hostile. Cependant, cela ne veut pas dire qu'il ne possède pas ces traits négatifs, et beaucoup de témoins en effet pourraient affirmer qu'il les possède. Mais pour maintenir une image positive de lui-même et augmenter ses chances de survie, il doit les renier. Ces traits négatifs sont devenus ce que nous appelons le *moi renié*, cette partie du faux moi trop douloureuse pour être reconnue.

Arrêtons-nous un instant pour tenter d'y voir clair dans cette prolifération des parties du moi. Nous avons maintenant réussi à découper votre complétude originelle, la nature aimante et unifiée avec laquelle vous êtes né, en trois entités distinctes :

1. Votre *moi perdu*, ces aspects de vous-même que vous avez dû refouler en raison des contraintes sociales.

2. Votre *faux moi*, cette façade que vous avez dû bâtir pour combler le vide créé par ce refoulement et les carences affectives de la petite enfance.

3. Votre *moi renié*, les parties négatives de votre faux moi qui ont suscité la désapprobation et qui ont été, par conséquent, reniées.

Les seules parties de cet assemblage dont vous ayez été régulièrement conscient sont quelques fragments de votre être originel, restés intacts ainsi que certains aspects de votre faux moi. Ensemble, ces éléments forment votre « personnalité », la manière dont vous vous décrivez pour les autres. Votre moi perdu était presque totalement hors de votre conscience ; vous aviez coupé presque tous les liens avec ces parties refoulées de vous-même. Votre moi renié, les parties négatives de votre faux moi, était juste au-dessous de votre conscient et risquait de resurgir à tout moment. Pour le garder caché, vous deviez le renier de façon active ou le projeter sur les autres : « Je ne suis pas égoïste », disiez-vous avec force. Ou : « Comment ça, je suis paresseux ? C'est vous qui êtes paresseux ! »

L'allégorie de Platon

Il y a une allégorie dans *Le Banquet* de Platon qui sert d'exemple mythique pour cet état divisé de l'existence. D'après l'histoire, les êtres humains étaient, au début, des créatures à la fois mâle et femelle. Chaque être avait une tête à deux visages, quatre mains et quatre pieds et les deux parties génitales, mâle et femelle. Étant unifiés et complets, nos ancêtres possédaient une force extraordinaire. En fait, ces êtres androgynes étaient si magnifiques qu'ils ont osé attaquer les dieux. Les dieux naturellement n'ont pas toléré cette insolence, mais ils ne savaient pas comment punir les humains. « Si nous les tuons, se sont-ils dit, il n'y aura plus personne pour nous adorer et nous offrir des sacrifices. » Zeus a réfléchi à la situation et finalement il est arrivé à une solution. « Les hommes continueront d'exister, a-t-il décrété, mais ils seront coupés en deux. De cette façon, leur force sera diminuée et nous n'aurons plus à les craindre. » Zeus a procédé à la séparation de chaque être en deux et a demandé l'aide d'Apollon pour rendre les cicatrices invisibles. Les deux moitiés ont alors été envoyées dans des directions opposées, condamnées à passer le reste de leur existence à chercher frénétiquement l'autre moitié pour s'y rattacher et restaurer leur unité.

Comme les créatures mythiques de Platon, nous traversons nous aussi notre vie tronqués, coupés en deux. Nous enduisons nos blessures de baumes guérisseurs et les enveloppons de gazes dans l'espoir de nous guérir nous-mêmes, mais, en dépit de nos efforts, un vide se creuse en nous. Nous essayons de le combler avec de la nourriture, des drogues et des activités, mais nous avons la nostalgie de notre tout originel, de notre gamme complète d'émotions, de notre esprit de curiosité, de l'élan vital qui était notre droit de naissance et de cette joie de Bouddha que nous avons connue dans notre petite enfance. Cela devient une quête spirituelle de complétude et, comme dans le mythe de Platon, nous développons la conviction profonde que le bon partenaire — ce compagnon parfait — nous complétera et nous rendra entier. Cette personne spéciale ne peut pas être n'importe qui. Il ne peut s'agir du premier homme ou de la première femme qui nous sourit de manière avenante dans de chaleureuses dispositions. Ce doit être quelqu'un qui éveille en nous un sentiment profond de *déjà connu* : « C'est lui ou c'est elle que je cherchais ! C'est lui ou c'est elle qui comblera les blessures du passé. » Et pour des raisons que nous approfondirons dans le prochain chapitre, cette personne est invariablement quelqu'un qui possède les traits à la fois positifs et négatifs de nos parents !

CHAPITRE III
VOTRE IMAGO

*En littérature comme en amour, nous sommes
étonnés du choix que font les autres.*
André Maurois.

Beaucoup d'entre nous ont du mal à accepter l'idée qu'ils ont cherché des partenaires semblables à leurs parents. Consciemment ils ont cherché des personnes dotées uniquement de qualités — qui soient, entre autres, gentilles, aimantes, intelligentes et créatives, présentant bien. En fait, s'ils ont eu une enfance malheureuse, il est possible qu'ils aient délibérément cherché quelqu'un de radicalement différent de leurs parents. Ils se sont dit : « Je n'épouserai jamais un alcoolique comme mon père ! » ou « il est hors de question que j'épouse un tyran comme ma mère ! » Mais quelles que soient leurs intentions conscientes, la plupart des gens sont attirés par une personne pourvue des qualités et des défauts de leurs protecteurs dans l'enfance, et, d'ordinaire, ce sont les traits négatifs qui ont le plus d'influence.

Je suis arrivé à cette conclusion atterrante après avoir écouté des centaines de couples me parler de leur partenaire. À un certain moment de la thérapie, presque toutes les personnes se sont tournées avec agressivité vers leur partenaire en disant : « Tu me traites exactement comme le faisait ma mère ! » ou « je me sens aussi désarmée et frustrée qu'avec mon beau-père ! » Cette conviction s'est encore accentuée quand j'ai proposé à mes patients de faire un exercice consistant à comparer les traits de personnalité de leur partenaire avec ceux de leurs personnes nourricières. Dans la plupart des cas, il y avait une étroite corrélation entre ceux des parents et ceux du conjoint et, à quelques exceptions près, les plus proches étaient les traits négatifs.

Pourquoi les traits négatifs exercent-ils un tel attrait ? Si le choix d'un partenaire se basait sur la logique, on chercherait quelqu'un qui compense les insuffisances des parents plutôt que quelqu'un qui les reproduise. Par exemple, si vos parents vous ont blessé en n'étant pas fiables, le bon sens serait d'épouser une personne sûre qui vous aide ainsi à dépasser votre peur d'être abandonné. Si vos parents vous ont blessé en vous surprotégeant, la meilleure solution serait de trouver quelqu'un qui vous laisse suffisamment de latitude psychique pour que vous puissiez surmonter votre peur d'être englouti. Cependant, la partie de votre cerveau qui a dirigé votre recherche de partenaire n'était pas votre nouveau cerveau, logique et organisé, mais votre vieux cerveau, myope et dépourvu de toute notion de temps. Et ce que votre vieux cerveau essayait de recréer, c'étaient les conditions de votre petite enfance dans le but de les corriger. Ayant reçu suffisamment de soins pour survivre, mais pas assez pour se sentir comblé, il tentait de retourner à la scène de la frustration originelle afin de clore votre quête inachevée.

À la recherche du moi perdu

Qu'en est-il de votre autre pulsion inconsciente, de votre besoin de retrouver votre moi perdu, ces pensées, ces sentiments et ces comportements que vous avez refoulés pour vous adapter à votre famille et à la société ? Quel genre de personne vous aiderait à retrouver votre sentiment de plénitude ? Serait-ce quelqu'un qui vous encouragerait activement à développer ces parties manquantes ? Serait-ce quelqu'un qui partagerait vos faiblesses, vous permettant ainsi de vous sentir moins complexé ? Ou serait-ce plutôt quelqu'un dont les faiblesses sont complémentaires aux vôtres ? Pour trouver la réponse, réfléchissez un instant à certaines insuffisances que vous ressentez en vous-même. Vous avez peut-être l'impression que vous manquez de talent artistique ou de capacité à ressentir des émotions fortes, ou, comme Sarah dans le chapitre précédent, d'aptitude à raisonner clairement et logiquement. Il y a des années quand vous étiez entouré de gens particulièrement forts dans ces domaines, vous étiez sans doute encore plus conscient de vos manques. Mais si vous avez réussi à établir une relation intime avec l'une de ces « personnes douées », vous avez eu une expérience tout à fait différente. Au lieu de vous sentir intimidé ou envieux, vous vous êtes subitement senti plus complet. Être attaché affectivement à cette personne (c'est « mon » petit ami ou c'est « ma » petite amie) vous a permis de vivre comme si vous possédiez vous-même ses qualités. C'était comme si, en vous unissant à l'autre, vous étiez devenu un être entier.

Regardez autour de vous et vous aurez la preuve manifeste que les gens choisissent des partenaires aux traits de caractère complémentaires. Dan est désinvolte et bavard ; Gretchen, introvertie et réfléchie. Janice est intuitive ; son mari, Patrick, très rationnel. Réna est danseuse ; son ami Matthew, raide comme un manche à balai. Dans ces combinaisons *yin-yang,* les gens essayent de reconquérir par procuration leur moi perdu.

L'imago

Pour vous guider dans votre quête du conjoint idéal, quelqu'un qui à la fois ressemble à vos parents et compense vos aspects refoulés, vous vous êtes fié à une image inconsciente du sexe opposé, en formation depuis votre naissance. J'ai nommé cette image intérieure *imago,* d'un mot latin signifiant « image ». Votre imago est essentiellement une image composite des personnes qui vous ont le plus influencé dans votre petite enfance. Il peut s'agir de votre mère et de votre père, ou d'un ou plusieurs de vos frères et sœurs, ou d'une nourrice, ou de parents proches. Mais quelles qu'aient pu être ces personnes, une partie de votre cerveau a enregistré tout ce qui les concernait — le son de leur voix, le temps qu'ils mettaient à répondre à vos pleurs, la couleur de leur peau quand ils se mettaient en colère, leur façon de sourire lorsqu'ils étaient heureux, leur façon de se tenir ou de bouger, leur humeur habituelle, leurs dons et leurs centres d'intérêt. À côté de ces impressions, votre cerveau a enregistré toutes les interactions importantes entre ces personnes et vous-même. Votre cerveau n'a pas interprété ces données, il n'a fait que les graver dans un certain registre.

Il semble peu probable d'avoir en tête un enregistrement aussi détaillé des personnes qui ont pris soin de vous dans l'enfance alors que vous n'avez que de vagues souvenirs de ces premières années. En fait, beaucoup de gens ont de grandes difficultés à se rappeler ce qui s'est passé avant l'âge de cinq ou six ans, même s'il s'agit d'événements dramatiques susceptibles de laisser des traces profondes. Mais les chercheurs nous disent qu'il y a des quantités incroyables d'informations enfouies dans notre cerveau. Des neurochirurgiens ont découvert cela lors d'interventions chirurgicales sur le cerveau de patients sous anesthésie locale. Ils ont stimulé des parties du cerveau par de faibles décharges électriques et les patients se sont subitement rappelé des centaines de détails oubliés de leur enfance, avec une précision étonnante. Notre cerveau est un gigantesque entrepôt d'informations oubliées. Certains suggèrent que toutes les expériences que nous avons vécues dans notre vie résident quelque part dans l'obscurité de nos circonvolutions cérébrales.

Toutes ces expériences ne sont cependant pas enregistrées avec une égale intensité. Les impressions les plus vives semblent être celles qui émanent de personnes ayant pris soin de nous dans les premiers temps de notre vie. Et de toutes les interactions que nous avons eues avec ces personnes clefs, celles qui sont le plus profondément gravées en nous sont celles qui nous ont le plus blessés, parce qu'elles ont paru menacer notre existence. Progressivement ces centaines de milliers de petites bribes d'informations concernant nos parents forment une image unique. Le vieux cerveau, incapable de faire des distinctions subtiles, a simplement regroupé tous ces renseignements en une seule rubrique : personne responsable de notre survie. Vous pourriez penser à l'imago comme à une silhouette ayant peu de caractéristiques physiques distinctes mais pourvue des traits de caractère combinés des gens chargés de prendre soin de vous dans votre petite enfance.

Que vous tombiez amoureux de quelqu'un ou non dépend, dans une large mesure, du degré auquel cette personne se superpose à votre imago. Une partie cachée de votre cerveau se met à calculer, analysant rationnellement les traits de cette personne et les confrontant aux nombreuses données de votre banque de données. S'il y a eu peu de corrélations, vous êtes resté indifférents. Cette personne était destinée à figurer parmi les milliers de gens qui vont et viennent dans votre vie sans trop vous marquer. S'il y a eu une forte corrélation, vous avez trouvé cette personne terriblement séduisante.

Le processus d'attraction de l'imago a une certaine ressemblance avec la manière dont les soldats étaient entraînés à identifier les avions en vol pendant la Seconde Guerre mondiale. On donnait aux soldats des livres remplis de profils d'avions alliés ou ennemis. Quand un avion non identifié était en vue, ils le comparaient hâtivement aux illustrations données. S'il s'avérait que c'était un avion allié, ils se détendaient et retournaient à leurs postes. S'il s'agissait d'un avion ennemi, ils se jetaient dans l'action. Inconsciemment, vous avez comparé chaque homme ou femme rencontrés aux caractéristiques de votre imago. Quand vous avez identifié une personne proche de votre imago, vous avez éprouvé une soudaine bouffée d'intérêt.

Comme pour tous les aspects de l'inconscient, vous n'aviez aucune idée de ce mécanisme de sélection élaboré. Le seul moyen d'entrevoir votre imago, c'est à travers les rêves. Si vous analysez vos rêves, vous remarquerez que votre vieux cerveau mélange les gens de façon capricieuse. Un rêve qui commence avec une personne dans un certain rôle peut continuer soudain avec une autre personne dans ce même rôle ; l'inconscient se soucie peu des formes corporelles. Il est possible que vous vous souveniez d'un rêve où votre épouse se transformait subitement en votre mère ou votre père, ou bien d'un rêve dans lequel votre épouse et un proche parent jouaient des rôles si semblables, ou vous traitaient d'une manière tellement similaire qu'il devenait pratiquement impossible de les distinguer. C'est la façon la plus directe de vérifier l'existence de votre imago. Mais quand vous ferez les exercices dans la troisième partie et que vous aurez l'occasion de pouvoir comparer les traits de caractère dominants de votre partenaire avec ceux de vos personnes nourricières, le parallèle établi par votre inconscient entre votre épouse et vos parents ne laissera plus aucun doute.

L'imago et l'amour romantique

Prenons cette information au sujet de l'imago et voyons comment elle enrichit les théories sur l'amour romantique que nous avons présenté antérieurement. Pour illustrer mes propos, laissez-moi vous parler d'une patiente, Lynn, et de sa quête d'amour. Lynn a quarante ans et trois enfants en âge scolaire. Elle vit dans une ville moyenne de Nouvelle-Angleterre où elle travaille dans une administration municipale. Peter, son mari, est *designer.*

Au cours des premières séances de thérapie avec Lynn et Peter, j'ai appris que le père de Lynn avait eu une profonde influence sur elle. Apparemment, il gagnait bien sa vie et ne regardait pas à la dépense à son égard. Mais il pouvait aussi être très dur. Quand il l'était, Lynn se sentait en colère et menacée. Elle m'a parlé de la manière insupportable dont il la chatouillait sans répit alors qu'il savait qu'elle détestait cela. Quand elle s'écroulait finalement et se mettait à pleurer, il se moquait d'elle et la traitait de « pleurnicheuse ». Elle ne pourra jamais oublier un certain incident, le jour où il l'a jetée dans une rivière pour lui « apprendre à nager ». Quand Lynn m'a raconté cette histoire, elle avait la gorge serrée et s'agrippait à sa chaise. « Comment a-t-il pu faire ça ? m'a-t-elle dit. Je n'avais que quatre ans ! Je me souviens d'avoir regardé ma fille au même âge sans croire qu'il ait pu me faire ça ! On est tellement confiant et vulnérable à cet âge-là. »

Sans en avoir conscience, Lynn avait des images beaucoup plus anciennes de son père, emmagasinées dans le tréfonds de son inconscient, qui l'affectaient encore profondément. Supposons, à titre d'hypothèse, que lorsqu'elle était encore bébé, son père ait négligé de faire chauffer le biberon quand c'était à son tour de la nourrir, et qu'elle ait alors appris à associer le fait d'être dans ses bras avec le choc du lait froid. Ou peut-être que, la lançant en l'air très haut, quand elle avait quelques mois, il avait confondu ses pleurs effrénés avec une forme d'excitation. Elle n'a aucun souvenir de tels incidents, mais chacune de ses expériences importantes avec son père est enregistrée quelque part dans sa psyché.

La mère de Lynn était une source d'images tout aussi importantes. Côté positif, elle donnait de son temps et de son attention et elle était constante dans ses exigences de discipline. À l'inverse du père, elle était sensible aux sentiments de sa fille. Quand elle la bordait le soir dans son lit, elle lui demandait comment sa journée s'était passée et elle se montrait compatissante si Lynn lui rapportait des difficultés. Mais elle était aussi exagérément critique. Ce que Lynn disait ou faisait n'était jamais assez bien. Sa mère corrigeait tout le temps ses fautes de grammaire, la recoiffait, vérifiait ses devoirs. Lynn se sentait comme sur une scène de théâtre en sa présence et avait toujours le sentiment de mal dire son texte.

Une autre chose importante concernant sa mère, c'est qu'elle n'était pas à l'aise dans sa propre sexualité. Lynn se rappelle que sa mère portait toujours des corsages à manches longues boutonnés jusqu'en haut qu'elle dissimulait sous des tricots amples. Elle n'autorisait personne à être avec elle dans la salle de bains alors qu'il n'y en avait qu'une dans la maison. Quand Lynn était adolescente, sa mère ne lui a jamais parlé des règles, des petits copains ou de sexe. Il n'est pas étonnant que l'un des problèmes de Lynn soit son inhibition sexuelle.

D'autres personnes ont également exercé une forte influence sur Lynn, dont sa sœur aînée, Judith. Judith, aînée de quatorze mois seulement, avait été son idole. Grande et douée, elle semblait réussir tout ce qu'elle entreprenait. Lynn admirait sa grande sœur et voulait passer le plus de temps possible en sa présence, mais quand elle le faisait, elle se sentait toujours inférieure.

Peu à peu, les traits de caractère de ces personnes clefs — sa mère, son père et sa grande sœur — ont fusionné dans son inconscient pour former une seule image, son imago. Son imago était l'image d'une personne qui était, entre autres, affectueuse, dévouée, critique, insensible, supérieure et généreuse. Les traits de caractère mis en relief étaient les traits négatifs — la tendance à être critique, insensible, et à se sentir supérieure — parce que c'étaient justement ceux qui l'avaient blessée ; c'était là qu'elle avait du travail personnel inachevé.

Lynn a rencontré Peter pour la première fois chez des amis. Le principal souvenir de cette rencontre, lorsqu'on le lui a présenté, est d'avoir regardé son visage et d'avoir eu l'impression qu'elle le connaissait déjà. C'était une curieuse sensation. La semaine suivante, elle a constamment trouvé des prétextes pour aller chez ses amis et elle était contente quand Peter était là. Peu à peu, elle a pris conscience que la force de son attirance grandissait et elle a réalisé qu'elle n'était vraiment heureuse que quand elle était près de lui. Dans ces premières rencontres, Lynn ne comparait consciemment Peter à personne de sa connaissance — en tout cas ni à ses parents, ni à sa sœur —, elle le trouvait simplement merveilleusement attirant et d'un abord facile.

Au cours de leur thérapie, j'ai progressivement apprécié à quel point l'imago de Peter était la copie conforme de celle de Lynn. Il était avenant et sûr de lui, traits qu'il partageait avec le père et la sœur de Lynn. Mais il avait aussi une nature critique comme la mère. Il n'arrêtait pas de dire à Lynn qu'elle devait perdre du poids, être moins guindée, être plus enjouée à la maison — surtout au lit — et plus sûre d'elle-même au travail. Cependant le trait parental le plus marqué chez lui était son manque de compassion pour les sentiments de Lynn, exactement comme le père. Lynn avait souvent des moments de dépression et le conseil de Peter était : « Parle moins et fais-en davantage. J'en ai assez de t'entendre parler de tes problèmes. » Ces mots s'accordaient avec sa façon d'agir à lui, avec ses propres sentiments négatifs qu'il dissimulait derrière des activités frénétiques.

Une autre raison pour laquelle Lynn était attirée par Peter, c'est qu'il était si bien dans sa peau. Quand je les regardais tous les deux, cela me rappelait souvent les paroles d'un de mes professeurs : « Si vous voulez savoir à quel genre de personne votre patient est marié, imaginez son opposé. » Lynn était assise, bras et jambes croisés, tandis que Peter était vautré sur sa chaise. Parfois il enlevait ses chaussures et s'asseyait en tailleur. D'autres fois, il balançait sa jambe sur le bras du fauteuil. Lynn portait des ensembles bien ajustés et boutonnés jusqu'en haut, ou un tailleur avec une écharpe de soie nouée autour du cou. Peter portait un pantalon de velours décontracté, une chemise à col ouvert et des mocassins sans chaussettes.

Nous avons maintenant quelques indices qui nous expliquent pourquoi Lynn a été attirée par Peter. Mais pourquoi Peter a-t-il été attiré par Lynn ? L'une des raisons était sa nature émotive. Bien que les parents de Peter aient accepté qu'il ait un corps, ils avaient refusé qu'il ait des sentiments. Quand il était avec Lynn, il se sentait plus connecté à ses émotions refoulées ; elle l'a aidé à renouer avec son moi perdu. De plus, elle possédait bon nombre de traits de caractère qui lui rappelaient ses parents à lui. Son sens de l'humour lui rappelait sa mère, sa soumission et ses manières légèrement dépendantes lui rappelaient son père. Parce que l'imago de Lynn s'accordait bien à celle de Peter et que l'imago de Peter s'accordait bien à celle de Lynn et, parce qu'ils avaient de nombreux traits de caractère complémentaires, ils étaient tombés amoureux l'un de l'autre.

La question qui m'est fréquemment posée quand je parle des facteurs inconscients dans le choix d'un partenaire est celle-ci : comment deux personnes peuvent-elles savoir autant de choses l'une sur l'autre en si peu de temps ? Bien que certaines caractéristiques puissent être évidentes d'emblée — la sexualité de Peter par exemple ou le sens de l'humour de Lynn —, d'autres ne sont pas aussi apparentes.

La raison pour laquelle nous pouvons évaluer instantanément le caractère d'une personne est que nous possédons ce que Freud appelle la *perception inconsciente*. Intuitivement nous captons beaucoup plus les gens que nous n'en avons conscience. Quand nous rencontrons des étrangers, nous enregistrons instantanément leur façon de bouger, de chercher ou d'éviter notre regard, nous remarquons les vêtements qu'ils portent, leurs expressions typiques, leur façon de se coiffer, l'aisance avec laquelle ils rient ou sourient, leur capacité d'écoute, leur rapidité d'élocution, le temps qu'ils mettent à répondre à une question — nous enregistrons toutes ces caractéristiques ainsi que des centaines d'autres et tout cela en quelques minutes.

Rien qu'en regardant les gens nous absorbons une grande quantité d'informations. Le matin, quand je me rends au travail à pied, j'évalue automatiquement les gens sur les trottoirs bondés de Manhattan. Mon jugement est instantané : cette personne est quelqu'un que j'aimerais connaître ; cette autre ne m'intéresse pas du tout. Je me sens attiré ou repoussé d'un simple coup d'œil. Quand j'entre dans un salon dans une soirée, un regard rapide autour de la pièce me suffit pour savoir qui je désire rencontrer. D'autres personnes rapportent des expériences similaires. Un chauffeur de poids lourds m'a raconté qu'il savait plus ou moins s'il voulait prendre ou non tel auto-stoppeur, même en roulant à 90 km/heure. « Et je me trompe rarement », a-t-il dit.

Notre pouvoir d'observation est particulièrement aigu quand nous sommes à la recherche d'un partenaire parce que nous recherchons quelqu'un pour satisfaire nos pulsions inconscientes fondamentales. Nous scrutons tout le monde avec la même minutie : s'agit-il de quelqu'un qui pourra répondre à mes besoins affectifs et m'aider à recouvrer mon moi perdu ? Quand nous rencontrons quelqu'un qui semble répondre à ces besoins, notre vieux cerveau est immédiatement intéressé. À chaque rencontre ultérieure, l'inconscient est en état d'alerte, cherchant des indices prouvant que cette personne est peut-être le partenaire idéal. Si des expériences ultérieures confirment que les imagos sont bien assorties (l'*imago match*), notre intérêt grandit encore davantage. D'un autre côté, si les expériences ultérieures montrent que l'assortiment est superficiel, notre degré d'intérêt chute et nous cherchons un moyen de mettre fin à la relation ou d'en réduire l'importance.

Sans le savoir, Lynn et Peter étaient engagés dans ce processus psychologique quand ils se sont rencontrés ce jour-là chez leur ami. Puisque Peter semblait s'harmoniser avec l'imago de Lynn, elle a tout fait pour le revoir. Et puisque l'imago de Lynn s'accordait à celle de Peter, l'intérêt qu'elle lui portait ne l'a pas laissé indifférent et il a répondu de même. Il ne s'agissait pas là d'amour non partagé. Au bout de quelques semaines, Peter et Lynn avaient accumulé suffisamment de données l'un sur l'autre pour savoir qu'ils étaient amoureux l'un de l'autre.

Tout le monde ne rencontre pas quelqu'un dont l'imago est aussi bien assortie. Parfois, seuls un ou deux traits de caractère déterminants sont assortis et il est probable que, au départ, l'attirance soit faible. Une telle relation est souvent moins passionnée et moins perturbée que dans les cas d'*imago match* (une imago bien assortie). La raison pour laquelle il y a moins de passion, c'est que le vieux cerveau est toujours à la recherche de l'*objet idéal de gratification*, et la raison pour laquelle la relation est moins perturbée, c'est que la réactivation des jeux de pouvoir de l'enfance est moindre. Quand des couples dont les imagos sont mal assorties se séparent, c'est souvent parce qu'ils ont peu d'intérêt l'un pour l'autre, et non parce qu'ils sont dans une grande douleur. « Il ne se passait pas grand-chose », disent-ils. « Je me sentais agité, je savais que, quelque part, il y avait quelque chose de mieux. »

À ce stade de notre discussion sur le mariage, nous avons une compréhension plus complète du mystère de l'attirance amoureuse. Aux théories du premier chapitre — dimension biologique, théories des échanges et de la *persona* — nous avons ajouté l'idée d'une quête inconsciente pour trouver l'*imago match* assortie à la nôtre. La motivation qui nous pousse à chercher une imago assortie est notre désir ardent de guérir nos blessures d'enfance. Nous avons aussi une compréhension nouvelle des conflits conjugaux : si la raison principale qui nous pousse à choisir notre partenaire est qu'il ressemble à nos parents, il devient alors inévitable que cette personne rouvre des plaies vives. Mais avant de sombrer dans ce marasme de souffrance et de confusion, *la lutte pour le pouvoir*, je voudrais mettre l'accent sur l'euphorie de l'amour romantique, ces quelques premiers mois ou premières années d'une relation amoureuse où nous sommes emplis de cet espoir délicieux que nos désirs vont se réaliser.

CHAPITRE IV

L'AMOUR ROMANTIQUE

Nous deux formons une multitude.
Ovide.

Je sais, par ma propre expérience et par l'écoute des autres, que les amoureux croient que leurs moments passés ensemble sont uniques et différents des expériences de n'importe qui d'autre. C'est un temps qu'ils savourent et un souvenir où ils retournent encore et encore. Quand je demande aux couples de me décrire leurs premiers temps idylliques, ils me décrivent un monde transformé. Les gens y semblent plus gentils, les couleurs plus lumineuses, la nourriture plus savoureuse. Tout, autour d'eux, brille d'une lumière immaculée comme au temps de leur petite enfance. Mais le changement le plus important était ce qu'ils éprouvaient intérieurement. Soudain, ils avaient davantage d'énergie et une conception de la vie plus saine. Ils se voyaient espiègles, plus enjoués, plus optimistes. Quand ils se regardaient dans la glace, ils avaient une appréciation nouvelle du reflet renvoyé par le miroir. Peut-être étaient-ils dignes de cet amour après tout ? Certaines personnes, se sentaient si bien dans leur peau que, pour un temps, elles étaient capables d'abandonner leurs alternatives de gratification. Elles n'avaient plus besoin de s'adonner aux bonbons, aux drogues ou à l'alcool, ou de se calmer avec la télévision ou des activités sexuelles sans lendemain. Les heures supplémentaires ne les intéressaient plus et courir après l'argent ou le pouvoir avait perdu son sens plutôt dérisoire. La vie avait gagné un sens et une nouvelle raison. Au summum de leur amour, ces sentiments positifs intenses rayonnaient autour d'eux et ils se montraient plus aimants et plus ouverts envers les autres. Certains ont éprouvé un sentiment d'unité intérieure, la sensation d'être relié à la nature, ce qu'ils n'avaient pas expérimenté depuis l'enfance. Un court instant, ils ont vu le monde non plus à travers la vitre fracturée de leur état divisé, mais à travers la vitre polie de leur nature originelle.

Lynn et Peter, le couple présenté à la fin du chapitre précédent, m'ont raconté que, lorsqu'ils étaient très amoureux, ils avaient passé une journée à flâner dans New York. Après le dîner, ils avaient, instinctivement, pris l'ascenseur pour se rendre en haut de l'*Empire State Building* afin de voir le coucher de soleil depuis la terrasse. Ils se tenaient par la main et regardaient, avec compassion, ces milliers de gens déambuler en bas. Comme c'était triste que ces gens ne puissent pas partager leur moment d'extase.

Ce sentiment éternel est magnifiquement exprimé dans une lettre de Sophia Teabody à Nathanaël Hawthorne, datée du 31 décembre 1839 :

> « Mon bien-aimé ! Quelle année cela a été pour nous ! Ma définition de la beauté, c'est que c'est l'"amour". Et donc cela embrasse, à la fois, la vérité et la bonté. Mais seuls ceux qui s'aiment comme nous aimons peuvent en sentir le sens et la force. Que Dieu te garde ! Je vais très bien et j'ai fait une longue promenade dans Danvers dans le froid du matin. Je suis remplie de la gloire de cette journée. Que Dieu te bénisse dans cette nuit de la vieille année ! Elle a été l'année de notre nativité. Cette vieille terre ne nous a-t-elle pas échappé ? Toutes choses ne sont-elles pas nouvelles ? Ta Sophie. »

La chimie de l'amour

Quelles sont les causes de cette précipitation de bons sentiments que nous appelons l'amour romantique ? Les psychopharmacologistes ont découvert que les amoureux sont littéralement intoxiqués par les hormones naturelles et des substances chimiques qui circulent dans leur corps et donnent une sensation de bien-être. Pendant la phase d'attraction, le cerveau libère de la dopamine et de la noripinéphrine, deux parmi les nombreux neurotransmetteurs de l'organisme. Ces neurotransmetteurs nous aident à voir la vie en rose, accélèrent le pouls, amplifient l'énergie et aiguisent notre perception. Pendant cette période, au cours de laquelle les amoureux ont envie d'être ensemble à tout moment de la journée, le cerveau accroît sa production d'endorphine et d'encéphaline, deux narcotiques naturels qui augmentent notre sens de sécurité et de bien-être. Le docteur Michaël R. Liebowitz, professeur associé à la clinique psychiatrique de l'université de Columbia, pousse cette idée un peu plus loin et suggère que l'expérience mystique des amoureux est peut-être due à l'augmentation de la production de sérotonine, un autre neurotransmetteur. Mais aussi intriguant que ce soit de concevoir l'amour d'une façon pharmacologique, les scientifiques ne peuvent expliquer ce qui cause la sécrétion ou la diminution de ces substances. Tout ce qu'ils peuvent faire est de constater que l'amour romantique est une expérience physique intense avec des composantes biologiques mesurables. Pour mieux cerner le phénomène de l'amour romantique, nous devons retourner au champ de la psychologie et à l'idée qu'il est une création de l'inconscient.

Le langage universel de l'amour

Dans le chapitre précédent, je vous ai proposé une explication de l'amour romantique. J'ai avancé que la raison pour laquelle nous avons de tels sentiments positifs au début d'une relation amoureuse c'est qu'une partie du cerveau croit avoir enfin trouvé quelqu'un qui prendra soin de nous et qui nous aidera à retrouver notre complétude originelle. Un des domaines à observer est celui du langage universel des amoureux. En écoutant les chants populaires, en lisant des poèmes d'amour courtois, des pièces de théâtre, des romans, et en écoutant des centaines de couples me décrire leurs relations amoureuses, j'en suis venu à la conclusion que tous les mots échangés entre amoureux depuis la création des temps peuvent se réduire à quatre phrases fondamentales. Le reste n'en est qu'une élaboration et ces quatre phrases nous offrent un aperçu rare dans le domaine inconscient de l'amour romantique.

La première de ces phrases arrive très tôt dans la relation. Peut-être au cours de la première ou deuxième rencontre ? Et voilà plus ou moins son contenu : « Je sais que nous venons juste de nous rencontrer mais j'ai pourtant l'impression de te connaître déjà. » Ce n'est pas seulement une phrase banale que les amoureux se disent. Pour des raisons incompréhensibles, ils se sentent bien l'un avec l'autre. Ils sentent, entre eux, un écho réconfortant presque comme s'ils se connaissaient depuis des années. Je nomme ceci *le phénomène de reconnaissance*.

Quelque temps plus tard, les amoureux se disent cette deuxième information importante : « C'est étrange. Il n'y a que peu de temps que nous nous fréquentons, mais je ne me souviens pas du temps où je ne te connaissais pas. » Bien qu'ils ne se soient rencontrés qu'il y a quelques jours ou quelques semaines, ils ont l'impression d'avoir toujours été ensemble comme si leur relation amoureuse n'avait pas de frontière temporelle. C'est ce que j'appelle *le phénomène d'intemporalité*.

Quand une relation a eu le temps de mûrir, les amoureux se regardent dans les yeux et échangent la troisième phrase signifiante : « Quand je suis avec toi, je ne me sens plus seul, je me sens complet. » Un de mes patients, Patrick, a exprimé ce sentiment en ces termes : « Avant de rencontrer Diane, j'avais l'impression d'avoir passé toute ma vie à errer dans une grande maison aux pièces vides. Quand nous nous sommes rencontrés, c'est comme si j'avais ouvert la porte et il y avait quelqu'un à la maison. » Leur rencontre semble avoir mis fin à sa quête inlassable de complétude. Ils se sentaient comblés comme s'il avait fait le plein. J'appelle ceci *le phénomène de réunification*.

Arrivés à un certain stade, les amoureux finissent par exprimer une quatrième phrase d'amour. Ils se disent : « Je t'aime tellement, je ne peux pas vivre sans toi. » Ils sont devenus tellement engagés, l'un avec l'autre, qu'ils n'imaginent plus de vivre séparément. J'appelle ceci *le phénomène de nécessité*.

Que les amoureux verbalisent ces mots ou aient simplement l'expérience des sentiments sous-jacents, ils donnent du poids aux idées que j'ai avancées sur l'idée de l'amour romantique et de l'inconscient.

La première phrase, par laquelle les amoureux expriment une étrange sensation de reconnaissance perd de son mystère, si on se rappelle que l'on tombe amoureux parce que cette personne ressemble à nos maternants. Pas étonnant qu'ils aient un sens de déjà vu, une sensation de familier. À un niveau inconscient, ils se sentent, à nouveau, reliés à leurs parents. Seulement, cette fois-ci, ils croient que leurs désirs les plus profonds et les plus fondamentaux, leurs besoins les plus infantiles sont sur le point d'être assouvis. Quelqu'un prendra soin d'eux ; ils ne seront plus seuls.

La seconde phrase — « je ne me souviens pas du temps où je

ne te connaissais pas » — témoigne que l'amour romantique est un phénomène du vieux cerveau. Quand les gens tombent amoureux, leur vieux cerveau superpose les images de leur amoureux avec celles de leurs parents et ils entrent dans le domaine de l'*instant éternel*. Pour l'inconscient, être dans une relation amoureuse intime, c'est similaire à être un nourrisson dans les bras de sa mère. Il s'agit de la même illusion de confiance et de sécurité, la même absorption totale.

En fait, l'observation d'un couple amoureux, à ce croisement critique de la relation, permet de faire une observation intéressante. Que tous les deux prennent part à un processus instinctuel de création de liens d'une façon comparable à celui des mères avec leurs nouveau-nés. Ils roucoulent, ils papotent et s'appellent par des noms doux qu'ils seraient gênés de répéter en public. Ils se caressent, se câlinent et jouissent de chaque centimètre de leur corps — « quel adorable petit nombril ! », « quelle peau douce ! » — de la même manière qu'une mère dorlote son bébé. Entre-temps, ils augmentent l'illusion d'être des parents de substitution en disant : « Je vais t'aimer comme personne ne t'a jamais aimé. » Ce qui pour l'inconscient veut dire : « Plus que papa et maman. » Inutile de préciser que le vieux cerveau se délecte de tous ces délicieux comportements régressifs. Les amoureux croient qu'ils seront guéris — non par un travail difficile ou une découverte de soi douloureuse, mais simplement en fusionnant avec quelqu'un que le vieux cerveau a confondu avec les parents.

Qu'en est-il de la troisième phrase, ce sentiment de complétude et d'unité qui enveloppe les amoureux ? Quand les amoureux se disent « quand je suis avec toi, je me sens entier et complet », ils reconnaissent qu'ils ont, sans le vouloir, choisi une personne qui possède ces parties d'eux-mêmes paralysées dans leur enfance. Ils ont redécouvert leur moi perdu. Une personne qui n'avait pas le droit d'exprimer ses sentiments choisira quelqu'un dont la faculté d'expression est particulièrement développée. Une personne qui n'avait pas été autorisée à être libre avec sa sexualité choisira quelqu'un de sensuel et libre. Quand des gens aux traits complémentaires tombent amoureux, c'est comme s'ils étaient subitement libérés de leurs interdits. Comme les êtres androgynes et divisés de l'allégorie de Platon, chacun d'eux n'avait été qu'une moitié. Maintenant, ils sont entiers.

Et qu'en est-il de cette dernière phrase, le sentiment que les amoureux éprouvent qu'ils vont mourir s'ils sont séparés ? Qu'est-ce que cela nous enseigne au sujet de la nature de l'amour romantique ? D'abord, cela confirme que les amoureux, inconsciemment, transposent la responsabilité de leur survie, des parents sur le partenaire. Ce même être merveilleux qui a réveillé Éros les protégera maintenant de Thanatos, cette peur omniprésente de la mort, en se chargeant de combler les désirs non satisfaits de l'enfance. Les partenaires deviennent alliés dans la lutte de survie. À un niveau plus profond, cette phrase révèle la peur que, s'ils venaient à se séparer, ils perdraient leur sens de plénitude retrouvée. Ils seraient, à nouveau, envahis de solitude et d'anxiété et ils ne se sentiraient plus liés avec le monde. Finalement, perdre l'autre reviendrait à perdre ce nouveau sens de soi. Ils seraient, à nouveau, fragmentés, créatures incomplètes, incapables d'une existence vécue à fond.

Un bref intermède

Pendant quelque temps cependant, il semble que ces peurs soient mises à distance et les amoureux ont l'impression que l'amour romantique les guérira réellement et les rendra entiers. Le compagnonnage, en lui-même, constitue déjà un baume apaisant. Parce qu'ils passent tant de temps ensemble, ils ne se sentent plus seuls ou isolés. Au fur et à mesure que leur niveau de confiance augmente, leur degré d'intimité s'approfondit. Ils peuvent même parler de peine et de douleur de leur enfance et, s'ils le font, leur amoureux les récompensera de s'être ouvert par de la sympathie sincère : « Oh ! je suis si triste que tu aies dû traverser ça », « c'est terrible que tu aies tant souffert. » Ils ont l'impression que personne, pas même leurs propres parents, ne s'est jamais soucié profondément de leur vie intérieure. En partageant cette intimité, ils font même l'expérience de vrais moments d'empathie et s'imprègnent du monde de l'autre. Durant ces rares moments, ils ne se jugent pas l'un l'autre, n'interprètent pas ce que l'autre est en train de dire et même ne comparent pas leurs expériences différentes. Ils font bien plus que ça. Pendant un court moment, ils mettent de côté leur éternelle tendance à s'occuper de leur propre personne et ils partagent la réalité d'un autre être humain.

Mais l'amour romantique apporte plus que des mots aimables

et des moments d'empathie pour guérir nos blessures. Avec un sixième sens qui manque souvent lamentablement aux stades ultérieurs d'une relation, les amoureux semblent deviner exactement ce qui fait défaut à leur partenaire. Si celui-ci a besoin de plus de marques d'affection, ils seront heureux de jouer le rôle de maman ou de papa. S'ils désirent plus de liberté, ils lui accordent plus d'indépendance. S'il a davantage besoin de sécurité, ils deviennent protecteurs et rassurants. Ils manifestent spontanément des attentions et des délicatesses, l'un envers l'autre, qui semblent effacer les manques de leur enfance. Être amoureux, c'est comme si on devenait, d'un seul coup, l'enfant préféré d'une famille idéale.

Entretenir une illusion

Pendant un certain temps, les amoureux se raccrochent à l'illusion de l'amour romantique. Cependant, ceci réclame une certaine capacité à jouer des rôles sur le plan inconscient. Un de ces rôles que pratiquement tous les amoureux jouent est d'essayer de paraître en meilleure santé émotionnelle qu'ils ne le sont en réalité. Après tout, si vous ne paraissez pas avoir beaucoup de besoins personnels, votre partenaire est libre de croire que votre but dans la vie est de prendre soin de lui plutôt que de vous et cela vous rend vraiment très désirable.

Louise m'a décrit les efforts qu'elle faisait pour que son futur mari, Steve, croie qu'elle sera la partenaire parfaite. Quelques semaines après leur rencontre, Louise invita Steve à dîner chez elle : « Je voulais lui montrer mes talents de femme d'intérieur, dit-elle. Il me voyait comme une femme moderne et active, je voulais lui montrer que je savais aussi faire la cuisine. » Pour que sa vie paraisse plus simple et le moins compliqué possible, elle envoya son fils de onze ans, né d'un mariage antérieur, passer la nuit chez une amie. À ce stade, pas besoin de souligner toutes les complexités de la vie. Ensuite, elle a fait le grand ménage dans la maison et prévu un menu autour des deux seules choses qu'elle cuisinait vraiment bien : quiche et salade au roquefort. Elle avait mis des fleurs fraîches dans chaque pièce. Quand Steve entra dans la maison, le repas était prêt. Elle venait de se remaquiller et elle avait mis de la musique classique. Steve, à son tour, se présenta sous son jour le plus charmeur et le plus serviable. Il insista après le dîner pour faire la vaisselle et réparer la lampe de la véranda. Cette soirée-là, ils se sont déclaré leur amour et, pendant plusieurs mois, ils ont été capables d'organiser leur vie de telle façon qu'ils semblaient n'avoir aucun ou peu de besoins personnels.

Ce degré de *faire comme si* est assez courant. Au début d'une relation, nous faisons de gros efforts pour donner l'impression d'être le partenaire idéal. La déception n'en est souvent que plus extrême.

Une de mes patientes, que j'appellerai Jessica, avait l'habitude de fréquenter des hommes sur lesquels elle ne pouvait compter. Ses deux mariages furent un échec et elle connut une série de relations douloureuses. Celle qui a, finalement, convaincu Jessica de son besoin de thérapie fut avec Brad, un homme qui, au début, semblait lui être totalement dévoué. Après lui avoir donné sa confiance, elle lui raconta tout de ses difficultés précédentes avec les hommes. Brad était compréhensif. Il l'assura qu'il ne la quitterait jamais : « Si nous devions nous quitter, ce sera toi qui le feras, lui dit-il. Moi, je serai toujours là. » Il semblait être pour tout le monde un partenaire stable et digne de confiance.

Ils étaient, tous les deux, constamment ensemble, pendant environ six mois et, Jessica, sécurisée dans leur relation, a commencé à se détendre. Puis un jour, en rentrant du travail, elle a trouvé un mot de Brad épinglé sur la porte. Le mot lui expliquait qu'on lui avait offert une place mieux payée dans une autre ville et qu'il n'avait pas pu refuser. Il avait voulu lui en parler personnellement mais il craignait sa réaction. Il espérait qu'elle comprendrait.

Quand Jessica fut remise du choc, elle appela le meilleur ami de Brad et lui demanda de lui dire ce qu'il savait. À mesure qu'elle l'écoutait parler, un portrait très différent commença à se dessiner. Apparemment, il n'était jamais resté dans la même place très longtemps. Dans les quinze dernières années, il avait déménagé six fois et s'était marié trois fois. Tout cela constituait des informations nouvelles pour Jessica. Sentant son besoin de sécurité, Brad s'était efforcé de donner l'image d'un amoureux sur lequel elle pouvait compter. C'est un processus psychologique appelé *identification projective*. Il s'était, inconsciemment, identifié à l'idéal masculin de Jessica. Je soupçonne qu'au début il était bien intentionné. Il ne s'était probablement pas lancé dans cette relation avec le but de gagner sa confiance et son affection pour la laisser tomber ensuite. Il n'était tout simplement pas capable de continuer la mascarade.

Après le départ de Brad, Jessica aurait pu éclater de rage à bon droit. Mais elle voulait le rejoindre. Elle resta à proximité du téléphone des heures entières, au cas où il appellerait, et attendit impatiemment une lettre. Elle n'eut jamais de nouvelles. « Et je suis contente de n'en avoir jamais reçu, me dit-elle un jour, parce que quelle qu'ait été sa conduite, je l'aurais accepté de nouveau. J'avais tellement besoin de lui. »

Le cas de Jessica est un cas classique de déni. Elle refusait de croire que Brad était, en fait, un homme immature sur lequel on ne pouvait compter. Le rôle qu'il avait volontiers joué était plus réel pour elle que son véritable comportement.

Le déni

À un certain degré, nous utilisons tous le déni pour faire face. Quand la vie nous présente une situation difficile ou douloureuse, nous avons tendance à vouloir ignorer la réalité et à entrer dans un fantasme plus agréable. Mais il n'y a aucun moment dans nos vies où notre mécanisme de dénégation ne soit pas aussi pleinement engagé que dans les premiers stades de nos relations amoureuses.

John, un homme d'une trentaine d'années, qui est venu me voir en consultation, était particulièrement expert en matière de déni. Il était programmeur en informatique, avait mis au point un logiciel qui connut un tel succès qu'il l'utilisa pour démarrer sa propre société. Il passait les dix ou quinze premières minutes de chaque séance à parler de sa société et de sa réussite. Puis, s'interrompant brusquement, il détournait les yeux et en venait à son thème véritable, à savoir Cheryl, la femme qu'il aimait. Il était totalement envoûté par elle et l'aurait épousé sur-le-champ si, seulement, elle disait oui. Mais Cheryl continuait à refuser de s'engager.

Quand John rencontra Cheryl pour la première fois, elle lui semblait être tout ce qu'il désirait chez une femme. Elle était jolie, intelligente et merveilleusement sensuelle. Mais après quelques mois de relation, il commença à prendre conscience de certains de ses traits négatifs. Quand ils sortaient dîner, par exemple, il avait observé qu'elle se plaignait toujours de la nourriture ou du service. Il avait remarqué qu'elle se plaignait sans cesse de son travail sans jamais vouloir rien faire pour en améliorer les conditions.

Pour éviter d'être agacé par ces traits négatifs, John s'engagea dans une gymnastique cérébrale ardue. Quand il sortait dîner avec elle, il la complimentait sur ses goûts raffinés, non sur son attitude critique. Quand elle tempêtait sur son travail, il lui disait qu'elle était une championne de travailler dans de telles conditions. D'autres personnes auraient démissionné depuis longtemps, me dit-il avec une pointe de fierté.

La seule chose qui le contrariait au sujet de Cheryl était son manque de disponibilité. Elle semblait toujours le repousser. Après six mois de fréquentation, la situation empira lorsqu'elle lui demanda de ne pas se voir en semaine pour qu'elle puisse avoir une « petite bouffée d'oxygène ». John accepta ses conditions, à contrecœur, quoiqu'il sût qu'une des raisons de sa demande était de pouvoir sortir avec d'autres hommes. Elle lui fit clairement comprendre qu'il n'avait pas d'autre choix que de lui accorder davantage de liberté.

En échange, John commença à passer du temps avec une femme appelée Patricia qui était très différente de Cheryl. Dévouée, docile et patiente, elle était folle de lui. Elle m'aurait épousée à la minute, m'a dit John un jour. Exactement comme je voulais le faire avec Cheryl. Mais Patricia ne m'intéresse pas énormément. Même si sa compagnie est plus agréable, je ne pense jamais à elle quand je suis loin. C'est presque comme si elle n'existait pas. Parfois, j'ai l'impression de profiter d'elle mais je n'aime pas être seul. Elle comble le vide. Entre-temps, pendant ses heures de réveil, c'est Cheryl, critique et non disponible, qui occupe tous ses moments : « Dès que je ne pense plus à mon travail, me dit-il, je rêve de Cheryl. »

Pourquoi John était-il aussi insensible au charme de Patricia et acceptait si facilement les fautes de Cheryl ? Cela ne devrait pas nous surprendre que la mère de John était critique et distante. Tout à fait comme Cheryl ! Souvent, un regard inquiet apparaissait sur le visage de sa mère, et c'était comme s'il disparaissait de son champ de conscience. John n'avait aucune idée de ce qui se passait en elle. Comme tous les enfants, il ne comprenait pas et ne s'intéressait pas aux états d'âme de sa mère. Tout ce qu'il savait, c'est qu'elle était souvent indisponible pour lui et que cela le remplissait d'anxiété. Quand il remarquait son regard absent, il se mettait en colère et il la frappait. Elle le repoussait et l'envoyait dans sa chambre. S'il se mettait très en colère contre elle, elle lui donnait une fessée et ne lui parlait pas pendant des heures.

Finalement, John a appris à souffrir en silence. Il se souvient de façon vive du jour où il sut adopter une attitude stoïque. Sa mère avait hurlé contre lui et lui avait donné une fessée avec la brosse à cheveux. Il ne se rappelle pas de ce qui l'avait mise dans une telle colère. Tout ce dont il se rappelait, c'est qu'il avait vécu cette punition comme injuste et il courut dans sa chambre en sanglotant. Il s'est alors enfermé dans la penderie. Il y avait un miroir sur la porte : il se souvient avoir allumé la lumière et a regardé son visage inondé de larmes. « Tout le monde se moque que tu sois ici à pleurer, se dit-il. Ça sert à quoi de pleurer ? » Au bout d'un moment, il s'arrêta de pleurer et essuya ses larmes. Ce qui est remarquable, c'est qu'il n'a jamais plus pleuré depuis. Ce jour-là, il commença à dissimuler sa tristesse et sa colère derrière un masque imperturbable.

Les expériences d'enfance de John aident à expliquer son attirance mystérieuse envers Cheryl. Quand Cheryl ignorait ses avances, en sortant avec d'autres hommes ou en lui demandant de ne pas l'appeler pendant quelques jours, il était rempli du même désir archaïque d'intimité qu'il avait éprouvé avec sa mère. En fait, il y avait tellement de similitudes entre les deux femmes qu'inconsciemment il lui était impossible de distinguer l'une de l'autre. La froideur de Cheryl réactivait en lui le même désir ardent qu'il avait ressenti pour sa mère. Pour son vieux cerveau, Cheryl était sa mère, et ses efforts pour gagner ses faveurs étaient une version adulte de ses pleurs et de ses cris d'enfant pour attirer l'attention de sa propre mère. Le terme psychologique pour ce cas d'erreur d'identité, c'est le *transfert*. C'est-à-dire attribuer les caractéristiques d'une personne et de les placer sur une autre. C'est particulièrement facile, pour les gens, de transférer les sentiments éprouvés pour leurs parents sur leur partenaire parce qu'à travers le processus de sélection inconscient ils ont choisi un partenaire qui ressemblait à leur personne nourricière. Il ne reste plus qu'à exagérer les ressemblances entre eux et à diminuer les différences.

En plus des ressemblances avec sa mère, il y avait d'autres raisons pour expliquer l'attirance de John envers Cheryl. Son sens artistique était une autre source d'attirance. Puisqu'il était « un homme d'affaires terne » (sa propre expression), le sens esthétique raffiné de Cheryl lui ouvrait de nouvelles dimensions. « Quand nous sommes en voiture et que j'ai plein de projets, me dit-il, Cheryl attire mon attention vers un immeuble intéressant ou un bel arbre. Tout d'un coup, je les vois concrètement. Je ne les aurais jamais vus si elle ne me les avait pas fait remarquer. C'est presque comme si elle les créait. Quand je suis seul, le monde me semble gris et à deux dimensions. »

Autre chose qui l'avait attiré chez Cheryl, quoiqu'il l'ait nié avec véhémence, c'est le fait qu'elle soit d'une nature caustique et critique. Le côté sombre de sa personnalité l'avait attiré pour deux raisons. Premièrement, comme nous l'avons déjà vu, cela lui rappelait sa mère qui était émotive et coléreuse. Deuxièmement, et c'est peut-être plus important, le mauvais caractère de Cheryl l'aidait à reprendre contact avec ses propres émotions reniées. Quoiqu'il ait autant de colère que Cheryl, il avait appris à masquer son hostilité derrière une attitude d'acceptation docile. Dans son enfance, cette adaptation était utile car elle le protégeait des colères de sa mère, mais maintenant qu'il était adulte cette répression lui volait la moitié de son être. Étant incapable de sentir ou d'exprimer des émotions fortes, il se sentait vide intérieurement. Il a découvert que, lorsqu'il était avec Cheryl, il pouvait exprimer ses besoins de catharsis. Il n'avait pas besoin de se mettre en colère lui-même. Cela aurait stimulé son surmoi, le parent gendarme dans sa tête, qui gardait vivants les interdits de sa mère. Au lieu de cela, il pouvait avoir l'illusion d'être de nouveau complet simplement en s'associant à elle.

Film de famille

Projection est le terme qui décrit la façon dont John a pris une partie cachée de lui-même, sa colère, et l'a attribuée à son amoureuse. Il a projeté sa colère refoulée sur la colère exprimée de Cheryl. Comme John, à chaque fois que nous prenons une partie de notre moi renié ou de notre moi perdu et l'attribuons à une autre personne, nous faisons de la projection. Nous projetons tout le temps. Pas uniquement dans notre relation amoureuse principale. Je me rappelle une fois, à Dallas, quand je partageais mon cabinet avec un psychiatre nommé James. Nous cherchions une autre personne pour la location d'une pièce en plus. James avait un ami qui venait de finir ses études de médecine et qui voulait ouvrir un cabinet privé. Il suggéra que nous le prenions en colocataire. Comme l'idée me plut, James l'invita pour que je puisse le rencontrer.

Quelques jours plus tard, j'ouvris la porte de mon cabinet et je vis un homme, dans le couloir, qui s'éloignait de moi, et je ne le vis que de dos. Mais il y avait quelque chose dans sa démarche qui m'exaspérait profondément. Il balançait ses hanches et sa tête comme si le monde entier lui appartenait. Il s'éloignait d'un pas nonchalant. « Ce doit être l'être le plus arrogant du monde, me dis-je. Je me demande qui c'est ? Ce doit être un patient de James. »

Je rentrai dans mon cabinet et oubliai l'incident. Un peu plus tard, on frappa à ma porte. C'était James avec l'homme que j'avais vu dans le couloir. « Harville, dit James, je te présente Robert Jenkins, l'ami psychiatre dont je t'avais parlé et qui aimerait louer la pièce libre. J'ai pensé que, peut-être, toi et lui, vous aimeriez déjeuner ensemble. »

J'ai jeté un coup d'œil vers Robert et j'ai vu un homme au visage plaisant et souriant. Il avait les cheveux bien coupés, une barbe poivre et sel bien entretenue, des lunettes à monture d'écailles et de grands yeux bruns. Il me tendit la main : « Bonjour Harville ! J'ai beaucoup entendu parler de vous ! J'ai entendu dire que vous étiez embarqué dans quelque chose de vraiment intéressant. J'aimerais en parler avec vous. »

Quelle réflexion humble et gentille, pensais-je ! Peut-il être le même homme que je croyais si arrogant ? Robert et moi sommes allés déjeuner. Nous avons eu une conversation intéressante. Plus tard dans la journée, j'ai dit à James que je pensais que Robert serait une excellente personne pour partager le cabinet. Par la suite, Robert devint un bon ami et un collègue de confiance. En réalité, le trait négatif qui m'avait semblé si fort la première fois que je l'avais vu était une partie arrogante de moi-même. Celle-ci ne collait pas avec l'image d'un thérapeute sensible et attentionné. Je l'avais projeté sur Robert.

Les personnes amoureuses sont maîtresses en matière de projection. Certains couples vivent leur mariage entier comme s'ils étaient des étrangers assis dans l'obscurité d'une salle de cinéma et projetant l'un sur l'autre des « images clignotantes ». Ils n'éteignent même pas leur projecteur assez longtemps pour voir qui sert d'écran à leur propre film de famille. C'est la façon dont John avait rejeté sa colère réprimée sur Cheryl. Bien qu'elle soit réellement une personne coléreuse, il voyait aussi, en elle, une partie de sa propre nature. Une partie de lui qui était dystonique par rapport à son ego, c'est-à-dire incompatible avec l'image qu'il se faisait de lui-même.

Si nous devions traduire en termes psychologiques stricts l'amour de John pour Cheryl, on le décrirait comme un mélange de déni, de transfert et de projection. John était amoureux de Cheryl pour trois raisons :

1. Il avait transféré sur Cheryl des sentiments qu'il éprouvait pour sa mère.

2. Il avait projeté sa colère cachée sur celle extériorisée de Cheryl.

3. Il était capable de renier la peine qu'elle lui faisait subir.

4. Il pensait qu'il était amoureux d'une personne alors qu'en fait il était amoureux d'une image qu'il avait projetée sur cette personne. Cheryl n'était pas une personne réelle avec ses besoins et ses désirs propres : elle était une source de satisfaction des besoins inconscients de son enfance. Il était amoureux avec l'idée d'être comblé et, comme Narcisse, amoureux de son reflet.

Psyché et Éros

La nature illusoire de l'amour romantique est magnifiquement illustrée dans le mythe de Psyché et d'Éros, une légende archétypale qui remonte au IIᵉ siècle de notre ère. Selon cette légende, la déesse Aphrodite était jalouse d'une belle et jeune mortelle appelée Psyché et offensée de l'adoration que lui prodiguaient les hommes de son pays. Dans un accès de dépit, Aphrodite décréta qu'on transportât Psyché en haut d'une montagne où elle devait devenir l'épouse d'un monstre horrible (dans d'autres versions de ce mythe, ce monstre s'appelle Maure). Les parents de Psyché et les villageois escortèrent, avec tristesse, la jeune vierge en haut de la montagne, l'enchaînèrent à un rocher et la laissèrent à son destin mais, avant qu'elle ne soit réclamée par le monstre, le Vent d'ouest eut pitié d'elle, la souleva doucement et la transporta au pied de la montagne, dans une vallée, qui appartenait au fils d'Aphrodite, Éros, le dieu de l'Amour.

Psyché et Éros tombèrent rapidement amoureux, mais Éros ne voulait pas que Psyché sache qu'il était un dieu et cacha sa véritable identité en ne venant la voir qu'à la nuit tombée. Au début,

Psyché accepta cette condition étrange et se réjouit de son nouvel amour, du palais splendide et des jardins magnifiques. Mais un jour, ses deux sœurs lui rendirent visite et, envieuses de sa bonne fortune, commencèrent à la presser de questions au sujet d'Éros. Comme Psyché ne pouvait leur répondre, elles semèrent le doute dans son esprit, laissant croire que son amoureux était, peut-être, un serpent répugnant qui avait l'intention de la dévorer.

Cette nuit-là, avant qu'Éros ne la rejoigne, Psyché cacha une lampe et un couteau aiguisé sous leur lit. Si son amoureux s'avérait être une créature monstrueuse, elle était déterminée à lui couper la tête. Elle attendit qu'Éros soit profondément endormi puis alluma doucement la lampe mais, comme elle se penchait pour le voir de plus près, une goutte d'huile bouillante tomba de la lampe sur son épaule. Éros se réveilla en sursaut et, quand il vit la lampe et le couteau, il s'enfuit par la fenêtre et jura de punir Psyché pour avoir découvert la vérité, en la quittant à tout jamais. Dans sa douleur, Psyché courut après lui, hurlant son nom, mais ne pouvant pas le rattraper, trébucha et tomba. Immédiatement, le palais céleste et le paysage exquis disparurent et elle fut, une fois de plus, enchaînée à un rocher sur le haut de la montagne solitaire et escarpée.

Comme dans tous les contes de fées, il y a du vrai dans cette légende. L'amour romantique s'épanouit dans l'ignorance et la fantaisie. Aussi longtemps que les amoureux gardent une vision idéalisée et incomplète l'un de l'autre, ils vivent dans un jardin d'Éden. Mais le mythe compte aussi une part de fiction. Quand Psyché alluma la lampe et vit clairement Éros, pour la première fois, elle découvrit qu'il était un dieu magnifique avec des ailes d'or. Quand vous et moi allumons nos lampes et posons notre premier regard objectif sur notre amoureux, nous découvrons qu'il n'est pas du tout un dieu, qu'il est un être humain imparfait, plein de défauts, d'imperfections, de traits négatifs que nous avions fermement refusé de voir.

CHAPITRE V

LA LUTTE POUR LE POUVOIR

Je ne puis vivre ni sans toi ni avec toi.
Ovide.

À partir de quel moment pouvons-nous dire que l'amour romantique cesse et que commencent les jeux de pouvoir ? Comme dans toutes les tentatives faites pour répertorier les comportements humains, il est impossible de définir avec précision le début de ces étapes. Mais la plupart du temps, il y a un changement notable dans la relation de couple au moment où les partenaires décident de s'engager de manière concrète l'un envers l'autre. Une fois qu'ils se sont dit « marions-nous », « fiançons-nous », ou « soyons liés tout en gardant chacun notre liberté », les plaisirs des délicieuses scènes galantes touchent à leur fin, et les amoureux ne vivront plus seulement dans l'attente de l'assouvissement de leur besoin de plénitude — cette illusion qui avait provoqué l'euphorie de l'amour romantique — mais ils voudront en éprouver la réalité. Il ne suffit plus d'un seul coup que le partenaire soit affectueux, intelligent, attirant, séduisant et de bonne compagnie. Il leur faut maintenant satisfaire toute une liste de besoins, conscients pour certains, mais, pour la plupart, cachés.

De quels besoins s'agit-il ? Dès qu'ils démarrent leur vie à deux, la plupart des gens s'imaginent que leur partenaire se conformera à un ensemble de comportements très spécifiques mais rarement clairement exprimés. Ainsi, un homme s'attend à ce que sa femme soit une bonne femme d'intérieur, fasse la cuisine, les courses, la lessive, organise leur vie sociale et joue le rôle d'une infirmière. En plus de ces attentes traditionnelles, il en a une longue liste qui lui sont personnelles, du fait qu'elles sont liées à son éducation. Le dimanche, par exemple, il aimerait que sa femme lui prépare un petit déjeuner spécial tandis qu'il lit son journal et qu'elle l'accompagne ensuite faire une promenade dans le parc. C'est ainsi que ses parents passaient leurs dimanches ensemble, et la journée ne semblerait pas réussie sans faire écho aux dimanches de son enfance.

De son côté, sa femme a une série d'attentes tout aussi longues et peut-être en conflit avec celles de son mari. Non seulement elle aimerait qu'il assume ce qui est du ressort de l'homme comme s'occuper de la voiture, régler les factures, remplir la feuille d'impôts, tondre la pelouse et faire les travaux d'entretien de la maison, mais aussi peut-être qu'il l'aide à la cuisine, aux courses et à la lessive. De plus, elle aussi a son éducation derrière elle. Peut-être que, pour elle, un dimanche idéal consiste à aller au restaurant et, l'après-midi, à rendre visite à la famille. Avant le mariage, ni l'un ni l'autre n'ayant fait part de ses désirs, ces derniers peuvent devenir une importante source de tension.

Mais encore plus importants que ces attentes — conscientes ou semi-conscientes — sont les apports inconscients dans le mariage, à commencer par l'espoir que l'autre, sélectionné sur une longue liste de candidats, va m'aimer comme jamais mes propres parents n'ont su le faire. Le ou la partenaire va tout faire : satisfaire les besoins inassouvis de l'enfance, restituer nos parties perdues, combler régulièrement avec douceur nos besoins affectifs et être à jamais disponible. Ce sont ces mêmes attentes qui nourrissaient l'amour romantique sauf que, maintenant, on a moins envie de donner que de recevoir. Après tout, on ne se marie pas pour assouvir les besoins de l'autre, on se marie pour favoriser son propre épanouissement émotionnel et psychologique. Une fois que la relation semble sûre, un commutateur psychologique se déclenche dans les profondeurs du vieux cerveau et active tous les désirs infantiles latents. Tout se passe comme si l'enfant blessé qui est en nous prenait le contrôle. L'enfant en nous se dit : « J'ai été gentil assez longtemps pour m'assurer de sa présence à mes côtés au moins un certain temps. Il faut que ça paye. » Ainsi maris et femmes font-ils marche arrière et attendent-ils que les dividendes de leur vie commune remplissent la caisse.

Le changement peut être brutal ou progressif mais, un jour ou l'autre, maris et femmes se réveillent et réalisent que le climat s'est refroidi. Désormais, on se masse plus rarement le dos mutuellement, les billets doux se font plus brefs, les rapports sexuels moins fréquents. Les partenaires cherchent moins de prétextes pour être ensemble et passent plus de temps à lire, à regarder la télévision, à sortir avec leurs amis ou, simplement, à rêvasser.

Pourquoi as-tu changé ?

Ce sombre rationnement d'amour est, en partie, le résultat d'une révélation troublante. À un moment donné de leur relation, la plupart des gens découvrent qu'un certain trait de caractère de leur partenaire, trait qu'ils avaient autrefois trouvé fortement désirable, commence à les exaspérer. Un homme découvre que la nature conservatrice de sa femme — une des principales raisons qui l'avaient attiré — lui donne maintenant un air prude et collet monté. Une femme découvre que le naturel calme et réservé de son mari, trait qui pour elle avait été un gage de spiritualité, la pousse aujourd'hui à se sentir isolée et seule. Pour un homme, la personnalité impulsive et extravertie de sa femme qu'il trouvait jadis si rafraîchissante lui donne aujourd'hui l'impression d'être envahissante.

Quelle est l'explication de ces renversements troublants ? Si vous vous rappelez, dans notre désir d'être unifié sur le plan spirituel, nous choisissons un conjoint qui représente les parties de nous-même éclatées dans l'enfance. Chacun de nous a trouvé quelqu'un pour compenser son manque de créativité ou son incapacité à penser ou à ressentir. Dans l'union avec notre partenaire, nous nous sommes sentis connectés à des parties cachées de nous-même. Au début, cet arrangement semblait marcher. Mais, avec le temps, les traits complémentaires de notre partenaire se sont mis à réveiller en nous des sentiments et des aspects de nous-même restés tabous jusque-là.

Coup d'œil sur une réalité douloureuse

J'ai fait cette découverte douloureuse très tôt dans mon premier mariage, le deuxième jour de notre lune de miel. Ma femme et moi passions une semaine sur une île au large des côtes de la Géorgie du Sud. Nous marchions sur la plage. Je trifouillais dans des tas de bois échoué sur le sable, tandis que ma femme se tenait au bord de l'eau, à une centaine de mètres devant moi, la tête baissée, totalement absorbée par la recherche de coquillages. En levant les yeux, j'ai vu sa silhouette se détacher sur le soleil levant. Encore maintenant, j'en ai le souvenir précis. Elle me tournait le dos. Elle portait un short noir et un haut rouge. Ses cheveux blonds, mi-longs, flottaient au vent. La contemplant, je remarquai ses épaules légèrement tombantes. À cet instant même, je fus frappé par un éclair d'anxiété, réalisant immédiatement, avec effroi, que je n'avais pas épousé la bonne personne. C'était un sentiment très fort et il m'a fallu maîtriser mon impulsion de retourner à la voiture et de partir. Tandis que je me tenais là, figé, ma femme s'est retournée vers moi, souriante, et m'a fait signe de la main. J'ai eu l'impression de sortir d'un cauchemar. Je lui ai fait signe moi aussi et j'ai couru la rejoindre.

C'était comme si un voile s'était levé un instant puis était retombé. J'ai mis des années à comprendre exactement ce qui s'était passé. J'ai finalement fait la connexion un jour, en séance de thérapie. Mon thérapeute me guidait dans un exercice de régression destiné à me faire retourner dans mon enfance, et avec son aide, j'ai pu me revoir jouant par terre dans la cuisine de ma mère. Je n'avais pas plus d'un an ou deux. Je pouvais voir ma mère de dos s'activer devant la cuisinière, ce qui devait être une scène courante étant donné que j'étais son neuvième enfant, et qu'elle devait bien passer quatre ou cinq heures par jour dans la cuisine pour préparer les repas ou nettoyer. Je pouvais très clairement imaginer ma mère de dos. Elle se tenait près de la cuisinière, en robe, un tablier noué autour de la taille. Elle était fatiguée et déprimée et ses épaules tombaient.

Adulte revoyant cette scène imaginaire, j'ai été submergé par une vague de conscience qu'elle n'avait aucune énergie, ni physique, ni émotionnelle, à me consacrer. Mon père était mort depuis quelques mois seulement des suites d'un traumatisme crânien, et elle se retrouvait seule avec son chagrin, très peu d'argent, et une maison pleine d'enfants à élever. Je me suis senti comme un enfant indésirable. Ce n'était pas que ma mère ne m'aimât point : elle était affectueuse et attentionnée, mais elle était épuisée physiquement et émotionnellement. Elle était tellement plongée dans ses propres soucis qu'elle ne pouvait s'occuper de moi que machinalement.

C'était une découverte pour moi. Jusque-là dans ma thérapie, j'avais attribué mon anxiété au fait que j'avais perdu mes deux parents avant l'âge de six ans. Mais ce jour-là, j'ai appris que mon sentiment d'abandon était né beaucoup plus tôt. Dans mon état de régression, j'appelais ma mère, mais elle ne me répondait pas. Dans le cabinet du psychiatre, cette douleur profonde m'a fait pleurer. Puis j'ai eu une seconde révélation. J'ai soudain compris ce qui m'était arrivé ce jour de ma lune de miel. En voyant ma femme, si loin de moi, si absorbée en elle-même, avec le même affaissement des épaules, j'avais eu l'étrange pressentiment que mon mariage allait être la répétition des premières années de ma vie, avec une mère dépressive. Le sentiment de vide des premières années de mon enfance allait continuer. Pour moi cela avait été trop dur à avaler, si bien que j'avais rapidement tiré le rideau.

À un certain moment, la plupart des gens découvrent dans leur mariage que le comportement du mari ou de la femme réveille en eux des douleurs d'enfance. Parfois, les parallèles sont évidents. Il se pourrait qu'une femme dont les parents étaient violents découvre une tendance à la violence chez son époux. Un homme dont les parents étaient alcooliques pourrait s'apercevoir qu'il se trouve marié à une personne attirée par l'alcool ou la drogue. Une femme dont l'Œdipe a été déformé dans sa relation avec ses parents pourrait devenir enragée en découvrant que son mari entretient une liaison.

Mais les similitudes entre parents et partenaires sont souvent plus subtiles que cela. C'était le cas de Bernard et Kathryn, deux de mes patients qui étaient mariés depuis vingt-huit ans. Bernard était chef de service dans le public. Kathryn avait repris des études pour passer un diplôme de conseillère en psychologie. Ils avaient trois enfants et un petit-fils.

Un soir, en arrivant à mon cabinet pour leur rendez-vous hebdomadaire, ils semblaient être plus bas que terre, démolis. J'ai tout de suite deviné qu'ils venaient d'avoir une de leurs scènes de ménage répétitives, cette lutte qui se reproduisait encore et encore si souvent depuis les vingt dernières années de leur mariage, avec d'innombrables variations subtiles. La plupart des couples ont une scène qui leur est propre et représente un noyau pour eux, querelle qu'ils ont si souvent que chacun connaît son rôle par cœur.

Ils m'ont dit que cette dispute avait commencé alors qu'ils décoraient la maison pour Noël. Bernard était calme comme à son habitude, plongé dans ses pensées, et Kathryn donnait les ordres. Leurs trois enfants et leurs conjoints allaient venir pour les vacances et Kathryn voulait que tout soit parfait. Bernard faisait consciencieusement tout ce qu'on lui demandait de faire et restait plongé dans ses pensées. Au bout d'une heure environ, son silence était devenu si intenable pour Kathryn qu'elle a essayé d'engager la conversation sur les enfants. Il n'a prononcé que quelques phrases. Elle est devenue de plus en plus exaspérée. Pour finir, elle l'a attaqué sur la manière dont il accrochait les lumières sur l'arbre : « Tu ne peux pas faire attention à ce que tu fais ? J'aurais mieux fait de le faire moi-même ! » Bernard a laissé glisser la tirade puis il s'est retourné calmement pour sortir par la porte de derrière.

Kathryn s'est approchée de la fenêtre de la cuisine. En voyant la porte du garage se refermer derrière Bernard, elle a été envahie par deux émotions primales : la peur et la colère. La colère était la plus forte : cette fois-ci, elle n'allait pas le laisser se retrancher. Elle lui a emboîté le pas en ouvrant la porte du garage : « Bon Dieu ! Pourquoi est-ce que tu ne m'aides pas ? Tu t'enfermes toujours dans le garage. Tu n'es jamais là quand j'ai besoin de toi. C'est quoi ton problème ? »

Pour un thérapeute, le fait que Kathryn ait utilisé en bloc les mots « toujours » et « jamais » indiquait clairement qu'elle était dans une phase de régression. Les jeunes enfants ont des difficultés à distinguer le passé du présent. Tout ce qui se passe dans l'instant présent est déjà arrivé dans le passé et arrivera toujours dans le futur. Mais Bernard n'était pas un thérapeute. C'était un mari assailli par sa femme et qui venait d'échapper à un torrent de reproches dans l'espoir de trouver la paix. Son vieux cerveau avait répondu à l'attaque de sa femme — laquelle n'était, en réalité, rien de plus qu'une version adulte des pleurs de l'enfant — par une contre-attaque : « Je t'aiderais peut-être plus si tu étais moins garce ! Tu es toujours en train de me harceler. Je ne peux pas avoir cinq minutes à moi ? » Il bouillait de colère et Kathryn avait fondu en larmes.

En tant qu'observateur extérieur, je pouvais voir facilement l'évolution graduelle de leur dispute. Le déclencheur de leurs affrontements venait presque toujours du fait que Bernard se repliait sur lui-même. Kathryn le titillait pour se sentir en contact avec lui. Bernard n'y prêtait pas attention jusqu'au moment où il ne pouvait plus y tenir, alors il allait dans une autre pièce pour essayer de trouver un peu de tranquillité. À ce moment-là, Kathryn explosait de rage et Bernard répondait sur le même ton. Pour finir, Kathryn fondait en larmes.

Quand ils ont achevé de me raconter ce dernier épisode, j'ai demandé à Kathryn de se rappeler exactement comment elle s'était sentie en faisant les préparatifs des fêtes avec un mari non communicatif. Elle est restée muette un moment, cherchant à se rappeler ses sentiments. Puis elle m'a regardé d'un air surpris en disant : « J'avais peur. Peur qu'il ne me parle pas. » Pour la première fois, elle a réalisé qu'en fait elle avait peur de son silence.

« Vous aviez peur de quoi, Kathryn ? lui ai-je demandé.

Elle a tout de suite répondu :

« J'avais peur qu'il me fasse du mal. »

Bernard l'a regardée avec de grands yeux.

« Posons la question à Bernard ! ai-je poursuivi. Bernard, aviez-vous l'intention de faire du mal à Kathryn dans la cuisine ?

— Lui faire du mal ? a-t-il dit, ne pouvant cacher sa surprise. Lui faire du mal ? Je ne l'ai jamais touchée de ma vie. J'étais juste plongé dans mes pensées. Si je me souviens bien, j'étais préoccupé par le fait qu'il allait falloir changer le toit de la maison au printemps à cause de la fuite. Et puis je devais sûrement penser à mon boulot.

— Vraiment ! s'est écriée Kathryn. Tu n'étais pas en colère après moi ce jour-là ?

— Non ! Si, bien sûr, j'étais contrarié que tu me critiques, mais tout ce que je voulais faire, c'était prendre le large. Je pensais que ce serait aussi bien d'aller dans le garage faire ce que j'avais à y faire plutôt que de supporter tes chicaneries.

— Oui, ma façon de voir les choses, c'est que tu es toujours en colère contre moi et que, quand tu ne peux plus le supporter, tu finis par exploser.

— Oui, j'explose, mais au bout de deux ou trois heures de harcèlement ! N'importe qui serait en colère à ma place. Je ne suis jamais en colère au départ. »

Cela me paraissait cohérent. Bernard ne semblait pas être un homme violent. J'ai proposé ceci : « Kathryn, j'aimerais que vous fermiez les yeux un petit moment et que vous réfléchissiez davantage à ce qui vous fait peur quand Bernard ne vous répond pas. » Trente secondes après, elle a répondu : « Je ne sais pas, c'est juste le silence. » Elle avait du mal à cerner les choses. « Bien, restez avec cette idée pendant un moment et essayez de vous souvenir de quelque chose à propos du silence dans votre enfance. Fermez les yeux. »

Le silence régnait dans la pièce. Soudain Kathryn, le souffle coupé par la surprise, a ouvert les yeux en disant : « C'est mon père ! Je ne m'en étais jamais rendu compte avant. Ça lui arrivait souvent de sombrer dans une profonde dépression et de rester des semaines sans parler. Quand il était comme ça, je savais qu'il ne fallait pas que je le dérange, parce que si je faisais une seule chose de travers, il me battait. Quand je le voyais sombrer, j'étais prise de panique. Je savais que ça allait être la galère. »

Le père de Kathryn et son mari avaient un trait de personnalité important en commun — ils étaient tous les deux enclins à de longues périodes de silence — et c'est, sans aucun doute, une des raisons pour lesquelles Kathryn avait été attirée par Bernard. Elle avait choisi quelqu'un qui ressemblait à son père pour pouvoir guérir sa peur d'enfant d'être violentée. Elle n'avait épousé ni un bavard ni un extraverti — elle avait trouvé quelqu'un ayant les traits négatifs de son père pour pouvoir recréer son enfance et continuer sa lutte pour s'assurer amour constant et gentillesse. Mais Bernard ne ressemblait au père de Kathryn que de façon superficielle. Il gardait le silence parce qu'il était introverti, et non parce qu'il était dépressif et sujet à la colère. C'étaient les harcèlements continuels de Kathryn qui provoquaient son mari.

J'ai observé ce phénomène chez beaucoup de mes patients. Ils réagissent face à leurs partenaires comme si ces derniers étaient calqués sur leurs parents, même si leurs traits de caractère ne sont pas tous les mêmes. Dans leur besoin irrésistible de refermer ces blessures d'enfance toujours ouvertes, ils projettent sur leurs partenaires le déficit affectif de leurs parents. Puis, en traitant leurs partenaires comme s'ils étaient vraiment tels quels, ils réussissent à provoquer les réactions désirées. Un de mes collègues affirme que soit les gens jettent leur dévolu sur leur *imago match,* soit font une projection, soit encore les provoquent.

Scènes de la vie quotidienne

Jusqu'à présent, dans ce chapitre, nous avons parlé de deux facteurs qui alimentent la lutte pour le pouvoir :

1. Nos partenaires suscitent notre anxiété en perturbant des parties taboues de nous-mêmes.

2. Nos partenaires ont, ou semblent avoir, les mêmes traits négatifs que nos parents.

Maintenant, il y a un troisième et dernier aspect de la lutte pour le pouvoir qui mérite notre attention. Dans le chapitre précédent, j'ai mentionné le fait que beaucoup de nos sentiments de bonheur ressentis dans la phase romantique de l'amour viennent de la projection sur notre partenaire d'aspects positifs de notre imago. En d'autres termes, nous regardons nos partenaires et nous voyons toutes les qualités de notre mère et de notre père ainsi que toutes les nôtres quoiqu'elles soient refoulées. Dans la lutte pour le pouvoir, nous laissons le film se dérouler, seulement nous changeons de bobine et nous commençons à projeter nos traits négatifs refoulés !

Dans le chapitre II, j'ai appelé ces traits désavoués le *moi renié*. J'ai dit que tout le monde avait dans sa nature une part obscure, une part de soi qu'on tente d'ignorer. La plupart du temps, il s'agit de réponses astucieuses aux blessures d'enfance. Les gens acquièrent aussi des défauts en observant leurs parents. Bien qu'il leur soit possible de ne pas aimer certaines choses chez leurs parents, ils les intériorisent par un processus appelé *identification*. Un père qui critique toujours tout et une mère qui a tendance à se rabaisser, par exemple, sont des traits qui se transmettront aux enfants. Mais au fur et à mesure que les enfants deviennent conscients, ils réalisent que ce sont précisément ces traits qu'ils n'aiment pas chez leurs parents et ils font de leur mieux pour les refouler.

Maintenant, c'est là que cela devient intéressant. Non seulement les enfants manifestent eux-mêmes ces défauts — bien que désavoués et donc en dehors de leur champ de conscience — mais, une fois devenus adultes, ils recherchent également ces traits chez un partenaire potentiel, car ces traits négatifs constituent une partie essentielle de leur imago. L'imago n'est pas seulement une image intérieure du sexe opposé ; c'est aussi une description du moi désavoué.

Un cas d'école permet de comprendre ce phénomène psychologique à la fois curieux et complexe. J'ai passé de nombreuses années à travailler avec une jeune femme nommée Lilian. Les parents de Lilian ont divorcé lorsqu'elle avait neuf ans, et sa mère a obtenu sa garde ainsi que celle de sa sœur June, âgée de douze ans. Un an après le divorce, sa mère a épousé un homme qui ne s'entendait pas avec June. Le beau-père criait constamment après elle et la punissait pour un rien. Plusieurs fois par semaine sa rage montait, il expédiait la petite dans sa chambre et la fouettait avec une ceinture. Lilian restait derrière la porte, entendait les coups de ceinture en tremblant de colère et de peur. Elle détestait son beau-père. Toutefois, à sa grande stupeur, quand elle se retrouvait seule avec sa sœur, elle se mettait à la traiter quasiment avec le même dédain. Elle allait jusqu'à utiliser les mêmes mots blessants que son beau-père.

Le fait d'avoir été capable de blesser sa sœur s'est révélé tellement douloureux pour Lilian qu'elle a refoulé ces épisodes. Ce n'est qu'au bout d'une année de thérapie qu'elle a pu se le rappeler et il lui a fallu encore plus longtemps pour me faire suffisamment confiance et m'en parler. Quand elle l'a fait, j'ai pu lui montrer que c'était dans la nature humaine d'absorber et les traits positifs et les traits négatifs de son beau-père. Il exerçait une influence dominante à la maison et elle avait enregistré dans son inconscient que la personne la plus coléreuse était aussi la plus puissante. La colère et le dédain, par conséquent, devaient être un précieux moyen de survie. Progressivement ce trait de caractère s'était faufilé dans la nature foncièrement douce de Lilian.

Quand Lilian a grandi puis s'est mariée, il était inévitable qu'elle tombe amoureuse de quelqu'un qui possédait certaines des caractéristiques de son beau-père, notamment son tempérament coléreux, parce que c'est cet aspect de lui-même qui s'était avéré si menaçant pour elle. En fait, la raison qui l'avait poussée à entreprendre une thérapie était que son mari l'avait physiquement agressée.

Après deux ans de thérapie, elle a pu se rendre compte que la colère qu'elle avait trouvée si détestable chez son beau-père était l'un des facteurs inconscients qui l'avaient attirée vers son mari, et — encore plus alarmant — était aussi une partie reniée de sa propre personnalité. Ce trait particulier de son imago, par conséquent, ne décrivait pas seulement son mari mais également une partie désavouée d'elle-même.

Je vois une tendance similaire dans presque toutes les relations amoureuses. Les gens essaient d'exorciser leurs propres traits négatifs reniés en les projetant sur leurs partenaires. En d'autres termes, ils regardent leurs partenaires et critiquent ce qu'ils n'aiment pas et renient en eux-mêmes. Prendre un trait négatif et l'attribuer à son partenaire est un moyen remarquablement efficace de dissimuler une partie de nous-même qui est loin d'être désirable.

Nous avons maintenant défini les trois sources majeures de la lutte pour le pouvoir. Au fur et à mesure que s'érode lentement l'illusion de l'amour romantique, trois attitudes se retrouvent chez le mari et la femme :

1. Brasser les conduites et les sentiments refoulés de l'autre.
2. Rouvrir chez l'autre les blessures affectives de l'enfance.
3. Projeter chacun ses propres traits négatifs sur l'autre.

Toutes ces interactions sont inconscientes. Tout ce que les gens savent, c'est qu'ils sont en état de confusion, qu'ils sont en colère, anxieux, déprimés et qu'ils ne se sentent pas aimés. Et c'est tout à fait naturel qu'ils blâment leurs partenaires pour tous ces malheurs. Eux, ils n'ont pas changé, eux, ils sont tels qu'ils ont toujours été. Ce sont leurs partenaires qui ont changé !

Les armes de l'amour

Par désespoir, les gens commencent à utiliser des tactiques négatives pour forcer leurs partenaires à leur témoigner davantage d'amour. Ils deviennent avares d'affection et distants. Ils deviennent irritables et critiques. Ils attaquent et ils blâment : « Pourquoi est-ce que tu ne fais pas ceci ? », « Pourquoi est-ce que tu fais toujours cela ? », « Pourquoi est-ce que tu ne fais jamais cela ? » Ils lancent ces attaques verbales dans une tentative désespérée pour que leurs partenaires soient plus chaleureux et réceptifs, et qu'ils expriment des traits positifs, quels qu'ils soient, de leurs imagos. Ils croient que, s'ils font suffisamment souffrir leurs partenaires, ces derniers reviendront aux comportements aimants qu'ils avaient auparavant.

Qu'est-ce qui fait croire aux gens qu'en blessant leurs partenaires ils les amèneront à une conduite plus agréable ? Pourquoi ne se disent-ils pas tout simplement, en bon français, qu'ils ont envie de plus d'affection ou d'attention ou de liberté, ou de faire davantage l'amour, ou de faire quoi que ce soit qu'ils désirent ardemment ? J'ai posé cette question explicitement un jour où je dirigeais un atelier pour couples. Ce n'était pas simplement de la rhétorique. Je n'avais pas la réponse. Mais il se trouvait justement que, quelques minutes plus tôt, j'avais parlé des bébés qui pleurent instinctivement en réponse à la détresse. Tout à coup, j'avais ma réponse.

Une fois de plus, c'était notre vieux cerveau qui était à blâmer. Quand nous étions bébé, nous ne faisions pas de gentils sourires à notre maman pour qu'elle prenne soin de nous. Nous ne disions pas nos malaises avec des mots. Nous ouvrions simplement la bouche en hurlant. Et il ne nous a pas fallu longtemps pour apprendre que, plus on criait fort, plus vite elle arrivait. Le succès de cette tactique s'est imprimé en nous, comme la mémoire de ce qu'il faut faire pour que le monde réponde à nos besoins : « Quand tu es frustré, provoque les gens qui sont autour de toi. Sois le plus déplaisant possible jusqu'à ce que quelqu'un vienne à ta rescousse. »

Cette façon primitive de signaler sa détresse est caractéristique de la plupart des couples englués dans une lutte pour le pouvoir. Mais un exemple plus particulier me vient à l'esprit. Il y a quelques années, je voyais un couple marié depuis environ vingt-cinq ans. Le mari était convaincu que sa femme était non seulement égoïste, mais aussi vindicative. « Elle ne pense jamais à moi », se plaignait-il, énumérant toutes les façons qu'avait sa femme de l'ignorer. Pendant ce temps-là, sa femme était assise sur une chaise et secouait la tête en signe de désapprobation silencieuse. Quand son mari s'est tu, elle s'est penchée et m'a dit d'une voix sincère et convaincue : « Croyez-moi, je fais tout ce que je peux pour lui faire plaisir. J'ai même appris à skier cet hiver, pensant que ça lui ferait plaisir — et Dieu sait si je déteste le froid. Mais apparemment rien ne marche. »

Pour les aider à sortir de l'impasse, j'ai demandé au mari de dire à sa femme une chose bien spécifique qu'elle pourrait faire pour qu'il se sente mieux, une chose pratique, réalisable, quantifiable, une chose qui ferait qu'il se sente plus aimé. Il a balbutié et puis il a marmonné : « Si ça fait vingt-cinq ans qu'on est mariés et qu'elle ne sait toujours pas ce que je veux, c'est qu'elle n'a jamais prêté la moindre attention à moi ! Elle se moque bien de mes besoins ! »

Cet homme, comme chacun de nous, était agrippé à une vision du monde primitive. Bébé, dans son berceau, il percevait sa mère comme une créature géante, penchée sur lui, s'évertuant à découvrir intuitivement ses besoins par intuition. Il était nourri, habillé, lavé, materné, alors même qu'il n'était pas capable d'articuler un seul de ses besoins. Une leçon cruciale, apprise au stade préverbal de son développement, avait laissé une empreinte indélébile dans son cerveau : les autres étaient supposés comprendre ce dont il avait besoin et le lui donner sans qu'il n'ait rien d'autre à faire que pleurer. Alors que cet arrangement fonctionnait plutôt bien lorsqu'il était enfant, à l'âge adulte, ses besoins étaient beaucoup plus complexes. De plus, sa femme n'était pas une mère dévouée penchée sur son berceau. Elle était une égale qui — à sa grande surprise — avait ses propres besoins et ses propres attentes. Et bien qu'elle veuille vraiment le rendre heureux, elle ne savait pas quoi faire. Privée de ce savoir, elle était obligée de jouer aux devinettes : « C'est ça que tu veux ? C'est bien ça ? »

Quand les partenaires ne se disent pas ce qu'ils veulent et s'accusent mutuellement d'avoir raté le coche, ce n'est pas étonnant qu'amour et coopération soient mis en veilleuse. Ils sont remplacés par le stade épouvantable de la lutte pour le pouvoir, stade auquel chaque partenaire essaie de forcer l'autre à combler ses besoins. Bien que leurs partenaires réagissent à ces manœuvres avec une hostilité répétée, ils persévèrent. Pourquoi ? Parce que, dans leur inconscient, ils ont peur de mourir si leurs besoins ne sont pas satisfaits. C'est un exemple classique que Freud appelait la *compulsion de répétition*, la tendance de l'être humain à répéter indéfiniment des conduites inefficaces.

Certains couples ne sortent jamais de ce stade de colère hostile. Ils aiguisent leur aptitude à percer mutuellement leurs défenses et à endommager mutuellement leur psyché. À une fréquence alarmante, la colère tourne à la violence. Selon de récentes études, entre vingt-six et trente millions d'épouses subissent chaque année des violences ; jusqu'à cinquante pour cent des femmes américaines ont été frappées par leur mari.

Les stades de la lutte pour le pouvoir

Quand vous êtes englué dans la lutte pour le pouvoir, la vie vous semble chaotique. Vous n'avez pas de points de repère. Vous n'avez aucune idée de la façon dont cela a commencé ni de la façon dont cela se terminera. Mais avec du recul, on voit que la lutte pour le pouvoir suit un cours prévisible, en parallèle avec les stades bien connus du deuil que vivent les personnes mourantes ou endeuillées. Mais cette mort n'est pas la mort d'une personne réelle ; c'est la mort de l'illusion de l'amour romantique.

Tout d'abord, c'est le choc, cet horrible moment de vérité où le voile se déchire et où une pensée dévastatrice envahit votre état conscient. « Ce n'est pas la personne que j'avais cru épouser. » À cet instant, vous vous imaginez que la vie conjugale sera une continuation de la solitude et des souffrances de l'enfance. La guérison longuement anticipée n'aura pas lieu.

Après le choc, vient le déni. La déception est si grande que vous ne vous autorisez pas à voir la réalité. Vous faites de votre mieux pour voir les défauts de votre partenaire sous un jour positif. Mais, en fin de compte, le déni ne peut être soutenu plus longtemps et vous vous sentez trahi.

Soit votre partenaire a radicalement changé depuis le jour où vous êtes tombé amoureux, soit il vous a complètement trompé sur sa propre nature. Vous souffrez et votre degré de souffrance correspond à l'écart entre vos premières illusions sur votre partenaire et la réalité qui se fait jour.

Si vous surmontez cette phase de colère dans la lutte pour le pouvoir, un peu de venin s'écoule, et vous entrez dans la quatrième phase, celle de la négociation. Ce stade fonctionne à peu près de cette façon : « Si tu arrêtes de boire, ça m'intéressera davantage de faire l'amour. » Ou : « Si tu me laisses plus de journées à faire de la voile, je passerai plus de temps avec les enfants. » Les conseillers conjugaux peuvent, sans le vouloir, prolonger ce stade de la lutte pour le pouvoir s'ils aident les couples à négocier leurs comportements de manière contractuelle, sans aller jusqu'à la racine du problème.

La dernière phase de la lutte pour le pouvoir est celle du désespoir. Quand les couples en arrivent à cette croisée des chemins, ils n'ont plus aucun espoir de trouver le bonheur ou l'amour au sein de leur relation ; la souffrance a duré trop longtemps. C'est à ce moment-là qu'un couple sur deux environ abandonne la dernière lueur d'espoir et demande le divorce. La plupart de ceux qui restent mariés instaurent ce qui s'appelle un mariage « parallèle » et cherchent leur bonheur en dehors de leur relation conjugale. Très peu, peut-être moins de cinq pour cent des couples, trouvent un moyen de résoudre la lutte pour le pouvoir, et parviennent à créer une relation profondément satisfaisante.

*

Dans un souci de clarté, je voudrais résumer mes cinq premiers chapitres de manière très concise. Tout d'abord, nous choisissons nos partenaires pour deux raisons fondamentales :

1. Ils ont à la fois les qualités et les défauts des personnes qui nous ont élevés.

2. Ils compensent les parties positives de nous-mêmes dont nous avons été amputées dans notre enfance.

Nous abordons la relation dans l'idée inconsciente que notre partenaire se substituera à nos parents et compensera toutes les privations de notre enfance. La seule chose à faire pour guérir nos blessures est de former une relation intime et durable.

Au bout d'un moment, nous constatons que notre stratégie ne fonctionne pas. Nous sommes « amoureux », mais incomplets. Nous décidons que la raison pour laquelle nos plans ne fonctionnent pas est que nos partenaires ignorent délibérément nos besoins. Ils savent parfaitement ce que nous voulons, quand et comment nous le voulons, mais, pour une raison quelconque, ils refusent délibérément de nous le donner. Cela nous met en colère et, pour la première fois, nous voyons les défauts de nos partenaires. C'est alors que nous compliquons le problème en projetant sur eux nos propres traits négatifs refoulés. Au fur et à mesure que les conditions se détériorent, nous décidons que la meilleure façon de forcer nos partenaires à satisfaire nos besoins est d'être irritable et désagréable, tout comme nous l'étions au berceau. Si nous crions fort assez longtemps, nous croyons que nos partenaires viendront à la rescousse. Et ce qui empoisonne finalement la lutte pour le pouvoir, c'est la croyance sous-jacente inconsciente que, si nous ne pouvons pas attirer, forcer, ou séduire nos partenaires pour qu'ils prennent soin de nous, nous serons confrontés à la peur la plus grande de toutes — la peur de la mort.

Ce qui n'apparaît pas immédiatement dans ce bref résumé, c'est la chose suivante : il n'y a, en fait, qu'une très petite différence entre l'amour romantique et la lutte pour le pouvoir. À première vue, ces deux premières étapes du mariage paraissent être deux mondes à part. Le ravissement généré par le couple a tourné à la haine, et les bonnes intentions ont dégénéré en bataille où les volontés de chacun s'affrontent. Mais ce qu'il est important de noter, c'est que les thèmes sous-jacents restent les mêmes.

Les deux individus continuent à rechercher une façon de regagner leur complétude originelle et à s'accrocher à la croyance que leurs partenaires les rendront sains et entiers. La différence majeure, c'est que maintenant le partenaire est perçu comme quelqu'un qui retient son amour. Ceci requiert un changement de tactique, maris et femmes commencent à se blesser l'un l'autre, se refusent mutuellement plaisir et rapports intimes, dans l'espoir que leurs partenaires répondent avec chaleur et amour.

Comment sortir de ce labyrinthe de confusion ? Qu'y a-t-il au-delà de la lutte pour le pouvoir ? Dans le prochain chapitre, « Devenir conscient », nous parlerons d'une nouvelle sorte de relation, le mariage conscient, et nous montrerons comment cela aide maris et femmes à commencer à satisfaire les attentes de l'enfance de chacun.

Deuxième partie

LE MARIAGE CONSCIENT

CHAPITRE VI
DEVENIR CONSCIENT

> *Un mariage évolue rarement, pour ne pas dire*
> *jamais, vers une union sans heurt et sans crise. La*
> *naissance de conscience ne naît pas sans douleur.*
> C. G. Jung.

Après notre survol des cinq premiers chapitres, nous pourrions avoir l'impression que le vieux cerveau est responsable de la plupart de nos problèmes conjugaux. C'est notre vieux cerveau qui nous a conduit à choisir des partenaires ressemblant à nos personnes nourricières. C'est notre vieux cerveau qui est la source de nos défenses sophistiquées — les projections, les transferts, les introjections —, obscurcissant la réalité de nous-même et de notre partenaire. Et c'est encore notre vieux cerveau qui est responsable de nos réponses infantiles à la frustration.

Mais le vieux cerveau joue aussi un rôle positif dans le mariage. Bien que certaines de ses tactiques puissent nous nuire, ses directives fondamentales sont essentielles à notre bien-être. Notre pulsion inconsciente cherche à réparer les dégâts émotionnels de l'enfance, ce qui nous permet de réaliser notre potentiel spirituel en tant qu'être humain, de devenir des êtres complets et aimants capables de pourvoir aux besoins affectifs des autres. Et bien que nos projections et transferts nous aveuglent momentanément sur la réalité de notre conjoint, c'est aussi ce qui nous lie à lui (ou à elle) posant les conditions préalables de notre future croissance.

Le problème avec le vieux cerveau, c'est qu'il n'a pas de guide. Il est comme un animal aveugle cherchant son chemin vers le point d'eau. Pour achever les objectifs valables et importants du vieux cerveau, nous avons besoin de recourir au néocortex (ou nouveau cerveau), cette partie de nous qui choisit, exerce la volonté, sait que nos partenaires ne sont pas nos parents, qu'aujourd'hui n'est pas toujours et qu'hier n'est pas aujourd'hui. Nous devons utiliser les aptitudes rationnelles à l'œuvre dans d'autres secteurs de notre vie et les appliquer à nos relations amoureuses. Après avoir forgé une alliance efficace entre les forces instinctives du vieux cerveau et les forces cognitives et discriminatoires du néocortex, nous pouvons commencer à réaliser nos buts inconscients. Grâce au mariage entre l'instinctuel du vieux cerveau et l'intelligence pertinente du néocortex, peu à peu nous laissons derrière nous les frustrations de la lutte pour le pouvoir.

Fusion entre le vieux cerveau et le néocortex

Les relations conjugales seraient-elles différentes si le néocortex jouait un rôle plus actif ? Voici un exemple typique d'interaction entre mari et femme et la façon dont elle pourrait être gérée, d'une part, dans un mariage inconscient typiquement dominé par une réactivité primitive du vieux cerveau, et d'autre part, dans un mariage conscient, où le vieux cerveau est tempéré par la raison du néocortex.

Imaginez-vous, alors que vous dégustez votre petit déjeuner, que votre femme tout à coup vous reproche d'avoir brûlé les gaufres. Votre cerveau reptilien, éternel gardien de votre sécurité, vous pousse instantanément à vous bagarrer ou à fuir. Que la personne qui soudain vous critique soit votre femme, il s'en moque, la seule chose qui lui importe c'est que vous êtes attaqué. Si vous n'intervenez pas de façon consciente, votre réaction sera une réponse cinglante : « J'ai peut-être fait brûler les gaufres, mais toi tu as renversé le sirop ! » Ou bien vous pourriez choisir la fuite en quittant la pièce ou en vous plongeant dans votre journal. Selon votre stratégie, votre partenaire se sentira attaqué ou abandonné et, probablement, redémarrera de plus belle. Un mécanisme perpétuel d'émotions sera déclenché et vous aurez échoué dans le but escompté, à savoir prendre ensemble un petit déjeuner agréable et intime.

C'est précisément le genre de situations dans lequel le néocortex pourrait intervenir pour tempérer la réponse. Une approche (que nous étudierons en détail dans le chapitre suivant) serait de paraphraser les paroles de l'autre d'un ton neutre, reconnaissant la colère mais sans vous précipiter dans votre propre défense. Vous pourriez dire par exemple : « Tu n'es vraiment pas contente que j'aie à nouveau brûlé les gaufres. » Votre partenaire pourrait alors répondre : « Oui, je ne suis pas contente, j'en ai assez de voir toute cette nourriture gâchée chez nous. La prochaine fois, fais plus attention ! » Puis utilisant le tact du néocortex, vous pourriez répondre de la même façon non défensive : « Tu as raison. La nourriture est gaspillée ici. Je vais aller chercher une rallonge et mettre l'appareil à gaufres dans la salle à manger où nous pourrons mieux le surveiller. » Votre partenaire, désarmée par le ton de votre voix et votre capacité à évoquer une autre solution, se calmera probablement et se montrera plus conciliante : « Bonne idée. Et merci de ne pas t'être fâché. Je pense que je suis un peu nerveuse ce matin. Je suis en retard dans mon travail et je ne sais pas comment je vais m'en sortir. » Parce que vous étiez prêt à risquer de répondre de façon créative à sa colère, vous êtes devenu soudain un confident sécurisant et non un adversaire.

Une fois que vous êtes devenu habile dans cette approche non défensive à la critique, vous ferez une découverte importante. Dans la plupart des interactions avec votre épouse, vous êtes en fait plus en sécurité en réduisant vos défenses qu'en les utilisant, parce que votre partenaire devient un allié et non un ennemi. En comptant sur votre nouveau cerveau qui, contrairement à votre vieux cerveau, sait faire la différence entre brûler la gaufre et être attaqué avec le couteau à pain, vous pouvez apprendre à modérer votre réaction instinctive de combat ou de fuite. De façon paradoxale, vous faites même un meilleur travail pour répondre à l'objectif sous-jacent de défense automatique, à savoir de vous garder en sécurité sain et sauf.

Il ne s'agit là que d'un exemple pour montrer que de faire davantage confiance aux capacités d'adaptation et de discernement du néocortex peut vous aider à atteindre vos objectifs inconscients. Élargissons le champ pour avoir une vue plus exacte de ce que j'appelle le *mariage conscient*. Commençons par une définition : un mariage conscient est un mariage qui favorise au maximum la croissance psychologique et spirituelle ; c'est un mariage créé en devenant conscient et en coopérant avec les pulsions fondamentales de l'inconscient, à savoir être en sécurité, être guéri et être complet.

Quelles différences apparaissent lorsque vous devenez conscient ? La liste suivante met en évidence quelques différences essentielles dans nos attitudes et nos comportements.

Dix caractéristiques du mariage conscient

1. *Vous réalisez que votre relation amoureuse a un but caché, à savoir guérir les blessures d'enfance.* Au lieu de tout concentrer sur des besoins et des désirs superficiels, vous apprenez à reconnaître les conflits non résolus de l'enfance. Quand vous passez ainsi le mariage aux rayons X, vos actions quotidiennes prennent plus de sens. Vous commencez à comprendre des aspects jadis obscurs de vos relations et vous avez une meilleure maîtrise de votre vie.

2. *Vous vous créez une image plus précise de votre partenaire.* Au tout début de votre attirance, vous avez commencé à fusionner l'image de votre amoureux(se) avec celle de vos personnes nourricières. Plus tard, vous avez projeté vos traits négatifs sur votre partenaire, embrouillant davantage encore la réalité essentielle de votre partenaire. Au fur et à mesure que vous vous tournez vers un mariage conscient, vous vous débarrassez progressivement de ces illusions et commencez à entrevoir davantage de la vérité de votre partenaire. Vous voyez votre partenaire non plus comme un sauveur, mais comme un autre être blessé, luttant pour sa guérison.

3. *Vous assumez la responsabilité de communiquer vos besoins et vos désirs à votre partenaire.* Dans un mariage inconscient, vous vous accrochez à l'idée infantile que votre partenaire a automatiquement l'intuition de vos besoins. Dans un mariage conscient, vous acceptez le fait que, en vue de vous comprendre mutuellement, vous devez établir des voies de communication claires.

4. *Vous devenez plus intentionnels dans vos relations.* Dans un mariage inconscient, vous avez tendance à réagir sans penser. Vous permettez aux réponses primitives de votre vieux cerveau de contrôler votre comportement. Dans un mariage conscient, vous vous entraînez à vous comporter de façon plus constructive.

5. *Vous apprenez à estimer que les besoins et les désirs de votre partenaire ont autant de valeur que les vôtres.* Dans un mariage inconscient, vous supposez (présumez) que le rôle de votre partenaire dans la vie est de prendre soin de vos besoins de façon magique. Dans un mariage conscient, vous abandonnez cette vue narcissique et vous utilisez de plus en plus d'énergie pour répondre aux besoins de votre partenaire.

6. *Vous embrassez les parties sombres de votre personnalité.* Dans un mariage conscient, vous admettez ouvertement que vous avez, comme tout le monde, des traits négatifs. Progressivement vous acceptez cette partie sombre de votre nature, vous diminuez la tendance à projeter vos traits négatifs sur l'autre, ce qui crée une atmosphère moins hostile.

7. *Vous apprenez de nouvelles techniques pour satisfaire vos besoins et vos désirs fondamentaux.* Pendant le stade de lutte pour le pouvoir, vous cajolez, haranguez et blâmez dans votre tentative de contraindre votre partenaire à satisfaire vos besoins. Lorsque vous dépassez ce stade, vous vous rendez compte que votre partenaire peut vraiment être un moyen/un lieu de ressource pour vous, une fois que vous avez abandonné vos tactiques autodestructrices.

8. *Vous cherchez en vous-même les forces et les aptitudes qui vous manquent.* Une des raisons pour lesquelles vous étiez attiré par votre partenaire, c'est qu'il (ou elle) avait des forces et des aptitudes qui vous manquaient. Par conséquent, être avec votre partenaire vous donnait un sens de complétude illusoire. Dans un mariage conscient, vous apprenez que la seule façon de reconquérir réellement votre complétude est de développer les traits cachés de vous-même.

9. *Vous devenez plus conscient de votre pulsion d'amour, de votre soif de complétude et d'unité avec l'univers.* Un des aspects de votre nature innée est la capacité d'aimer de façon inconditionnelle et de ressentir l'unité avec le monde qui vous entoure. Le conditionnement social et les blessures d'enfance vous ont fait perdre contact avec ces qualités. Dans un mariage conscient, vous commencez à redécouvrir votre nature originelle.

10. *Vous acceptez la difficulté de créer un bon mariage.* Dans un mariage inconscient, vous croyez que la seule façon d'avoir un bon mariage est de choisir le bon partenaire. Dans un mariage conscient, vous réalisez que vous devez être le partenaire idéal. À mesure que vous développez une vue plus réaliste des relations amoureuses, vous comprenez qu'un bon mariage réclame engagement, discipline et courage de mûrir, que le mariage est un travail difficile.

Regardons de plus près le paragraphe 10, le besoin d'accepter les difficultés liées à un bon mariage, parce que aucune des neuf autres idées ne portera de fruits avant d'avoir cultivé votre volonté de grandir et de changer.

Devenir (un) (une) amoureux(se)

Nous avons tous un désir compréhensible de vivre notre vie comme des enfants. Nous ne voulons pas faire l'effort d'élever une vache et de la traire : nous voulons nous asseoir à table et qu'on nous apporte un verre de lait frais. Nous ne voulons pas planter la vigne et nous en occuper : nous voulons sortir par la porte de derrière et cueillir une grappe de raisin. Cette façon illusoire de penser trouve son expression ultime dans le mariage. Nous ne voulons pas accepter la responsabilité d'assouvir nos besoins. Nous voulons tomber amoureux d'un être surhumain et vivre heureux pour toujours. Le terme psychologique correspondant à cette tendance à projeter au-dehors de nous-même la source de nos frustrations et la solution à nos problèmes s'appelle *l'extériorisation,* et c'est la cause de bien des malheurs dans le monde.

Je me souviens d'un jour où un patient que j'appellerai Walter vint à un rendez-vous, l'air triste et les épaules tombantes. Je lui demandai : « Qu'est-ce qui se passe ? Vous semblez très malheureux aujourd'hui.

— Dr Hendrix, me dit-il, effondré sur sa chaise. Je me sens vraiment mal, je n'ai tout simplement aucun ami. »

Je me sentais en empathie avec lui : « Vous devez être bien triste. On est seul quand on n'a pas d'amis.

— Oui, je ne peux pas… je ne sais pas. C'est seulement que je n'ai pas d'amis dans ma vie. Je cherche et je cherche sans en trouver aucun. »

Il continua d'une voix morose et plaintive pendant un moment et je dus réprimer un agacement croissant en face de sa régression à l'état infantile. Il était coincé dans une vue du monde qui ressemblait à quelque chose comme cela : des gens portant sur le front les mots « amis de Walter » parcourent le monde et son travail serait simplement de les chercher jusqu'à ce qu'il les trouve.

« Walter ! lui dis-je en soupirant. Vous comprenez pourquoi vous n'avez pas d'amis ? »

Il se ragaillardit : « Non ! Dites-le-moi.

— La raison pour laquelle vous n'avez pas d'amis, c'est qu'il n'y en a pas "là-bas". »

Ses épaules s'affaissèrent à nouveau.

Je fus impitoyable. « C'est vrai, lui dis-je. Il n'y a pas d'amis "là-bas". Ce que vous voulez n'existe pas. »

Je le laissai « mijoter » dans ce triste état pendant quelques secondes. Puis me penchant en avant sur ma chaise, je lui dis : « Écoutez-moi. Toutes les personnes du monde sont des étrangers. Si vous voulez un ami, il vous faudra sortir pour vous en faire un. »

Walter résistait à l'idée que se faire un ami durable prenait du temps et de l'énergie. Même s'il était une personne responsable et dynamique dans son travail, il s'accrochait à l'idée infantile que tout ce qu'il avait à faire pour établir de l'intimité était de tomber sur la bonne personne. Puisqu'il n'avait pas admis que l'amitié se développe et réclame de la gentillesse, de la sensibilité et de la patience, il avait vécu solitaire.

L'attitude passive de Walter, quant à l'amitié, était encore plus prononcée dans sa vie amoureuse : il ne semblait pas trouver la femme idéale. Sortant d'un divorce douloureux, sa femme, dans un combat amer mais légal, avait obtenu la garde de leur fils, et il cherchait désespérément un nouvel amour.

Le problème essentiel qui avait empoisonné le mariage de Walter était que concepts et idées le piégeaient et qu'il excluait ses émotions. Il cachait sa vulnérabilité derrière son formidable intellect, ce qui empêchait toute intimité véritable. Il avait suivi des séances de thérapie de groupe pendant six mois environ et, à chaque séance, il avait reçu le même message qu'il avait entendu de sa femme, à savoir qu'il ne partageait pas ses émotions, qu'il était distant. Un soir, un membre du groupe réussit finalement à traverser sa barrière de défense : « Quand tu parles de ta douleur, lui dit-il, je ne vois aucune souffrance. Quand tu me serres dans tes bras, je ne sens pas ton étreinte. » Finalement, Walter reconnut que les plaintes de son ex-femme avaient un certain fondement : « Je pensais qu'elle était simplement râleuse et critique, confessa-t-il. Il ne m'est jamais venu à l'esprit qu'en l'écoutant je pouvais apprendre quelque chose à mon sujet. »

Après avoir assimilé cette prise de conscience, Walter s'enthousiasma davantage pour le processus thérapeutique et fut capable de travailler au démantèlement de ses barrières émotionnelles. À mesure qu'il était plus vivant émotionnellement, il devint capable de nouer une relation satisfaisante avec une nouvelle amie. Pendant sa dernière séance, il partagea ses sentiments au sujet de la thérapie : « Vous savez, dit-il, apprendre un simple fait m'a pris deux ans, c'est que pour avoir une bonne relation il faut avoir la volonté de grandir et de changer. Si j'avais su cela il y a dix ans, je vivrais encore avec ma femme et mon fils. »

Walter ne peut être blâmé de croire que le mariage devrait être facile et « naturel ». C'est dans la nature humaine de vouloir une vie sans effort. Quand nous étions nourrissons, nous étions frustrés lorsque le monde nous refusait quelque chose et nous étions satisfaits lorsqu'il nous le donnait. À travers des milliers d'expériences vécues tôt dans la vie, nous nous sommes forgés un modèle du monde et nous nous sommes cramponnés à ce modèle dépassé au détriment même de nos mariages. Nous sommes lents à comprendre que, pour être aimé, nous devons d'abord aimer. Et je ne parle pas en termes sentimentaux. Je ne parle pas d'offrir des fleurs, d'écrire des mots doux ou d'apprendre de nouvelles techniques pour faire l'amour, même si toutes ces choses peuvent être bienvenues dans la relation amoureuse. Pour devenir un amoureux, nous devons d'abord abandonner les tactiques d'autodéfense et les croyances, dont nous avons parlé dans les cinq premiers chapitres, et les remplacer par d'autres plus constructives. Nous devons changer nos idées sur le mariage, sur notre partenaire et, en définitive, sur nous-même.

La peur du changement

Ce qui nous empêche de réaliser les changements que nous devons faire pour aboutir à une relation plus satisfaisante, c'est notre peur du changement. La peur du changement est innée également chez l'être humain. Nous pouvons nous sentir angoissé même quand nous opérons un changement positif, comme avoir une promotion, déménager dans une nouvelle maison ou partir en vacances. Quoi que ce soit cassant nos habitudes, confortables ou pas si confortables, déclenche une alarme dans notre vieux cerveau. Il nous avertit que nous pénétrons sur un territoire dont le relevé topographique n'a pas été fait et que le danger nous guette à chaque virage.

Je vois ce désir de s'en tenir aux sentiers battus même chez les jeunes enfants. Quand notre fille, Leah, avait deux ans et demi, son plus jeune frère Hunter devint trop grand pour son berceau. Et Helen et moi décidâmes qu'il était temps de mettre Leah dans un lit d'enfant afin que Hunter puisse avoir le lit de bébé. Le lit d'enfant était muni d'une barre à mi-hauteur pour l'empêcher de rouler au milieu de la nuit. La moitié du fond n'en avait pas. Le premier matin où Leah se réveilla dans son nouveau lit, j'entendis son appel habituel du matin : « Papa ! Papa ! » Je suis entré dans sa chambre, elle était là, à genoux, ses petites mains accrochées à la barre, et me disant : « Papa ! Prends-moi ! », exactement comme elle le faisait dans son ancien lit avec ses hauts barreaux. J'étais décontenancé par son manque de ressource. Elle aurait pu facilement escalader la barre ou descendre quelques centimètres plus bas dans le lit où il n'y avait pas de barreaux. « Leah, regarde là, ai-je dit avec enthousiasme, tu peux descendre de ton nouveau lit toute seule ! » « Je ne peux pas ! m'a-t-elle répondu en faisant la moue, je suis coincée ! » « Leah, regarde là, insistai-je en tapotant la partie du lit sans barreaux. Tu peux descendre ici ! » Elle restait figée sur place. Finalement j'ai dû grimper dans le lit avec elle pour lui montrer comment faire. Avec mes encouragements, elle fut capable de me suivre, de surmonter sa résistance au changement et de descendre du lit.

L'autre soir en regardant les informations, je vis une démonstration encore plus dramatique de paralysie face au changement. Une chaîne de télévision locale rapportait l'histoire d'un petit garçon né, en 1982, avec une déficience immunitaire sévère et, depuis sa naissance, il avait dû vivre dans une bulle de plastique hermétique aux germes menaçants pour sa vie. Ses parents dévoués étaient tous les jours à côté de lui, mais ils étaient séparés par le plastique et la seule façon de le toucher était d'enfiler de longs gants stériles insérés en permanence dans la bulle.

Peu de temps après son cinquième anniversaire, il reçut avec succès une greffe de moelle osseuse et, après des tests de contrôle élaborés, les médecins jugèrent son système immunitaire suffisamment développé pour lui permettre de quitter son monde stérile. Au jour fixé de sa sortie, la bulle fut coupée, la mère et le père fous de joie lui tendirent les bras. C'était la première fois de leur vie que les parents pouvaient embrasser leur fils et le serrer contre eux. Mais à la surprise de tout le monde, l'enfant se recroquevilla au fond de la bulle. Ses parents l'appelèrent mais il ne voulait pas bouger. Finalement, son père a dû ramper à l'intérieur et le sortir. Quand le petit garçon regarda la pièce autour de lui, il commença à pleurer. Comme il avait vécu toute sa vie dans un espace clos d'un mètre sur deux, la pièce a dû lui sembler énorme. Ses parents le prenaient dans les bras et l'embrassaient pour le rassurer, mais il n'était pas habitué au contact physique et il s'arc-boutait pour échapper à leur étreinte.

La dernière séquence de l'histoire filmée quelques jours plus tard montrait que son sens du confort en dehors de la bulle grandissait. Mais le jour venu de son émancipation, il devint clair que la peur de se confronter à quelque chose de non familier était plus forte que son désir d'explorer le monde.

Ce petit garçon avait vécu cinq ans dans sa bulle. Les couples, qui viennent me voir, ont vécu deux, dix, vingt et même quarante ans dans une relation restrictive, inhibant leur épanouissement. Après tant d'années investies dans des habitudes comportementales, c'est bien naturel qu'ils éprouvent une grande réticence au changement. Après tout je leur demande non seulement de risquer l'angoisse de l'apprentissage d'une nouvelle façon d'être ensemble, mais aussi de se confronter à la souffrance et à la peur qu'ils ont refoulées depuis des décennies et qui sont à l'origine de leurs difficultés.

La Terre promise

Pour vous donner un aperçu des difficultés pour créer un mariage conscient, je voudrais vous conter ma version abrégée de l'histoire de Moïse et de la Terre promise que je considère comme une parabole de la psyché humaine. Voici l'histoire.

Il y a des siècles, les Juifs étaient une tribu importante vivant dans un pays au bord de la Méditerranée. Leur terre connut la sécheresse et, afin de survivre, ils migrèrent vers le sud en Égypte où les greniers étaient pleins de grains. Mais en échange du grain, ils furent obligés de devenir esclaves des Égyptiens, de subir leur traitement cruel et de faire le travail monotone de fabriquer des briques sans paille. Après plus de quatre cents ans de cette misérable existence, un homme du nom de Moïse s'est élevé et s'adressa ainsi aux Juifs : « Mon Dieu ! Vous répétez constamment les mêmes gestes douloureux qui n'aboutissent à rien. Vous avez oublié votre héritage. Vous n'êtes pas les esclaves de la maison d'Égypte, vous êtes les enfants du grand Dieu Yahvé ! Le Dieu de tous les dieux est votre créateur et vous êtes son peuple élu. »

Les Juifs reconnurent le sens des paroles de Moïse et ils prirent conscience de leur emprisonnement mental. Cela les rendit agités et malheureux, comme beaucoup de couples qui viennent me voir pour un entretien.

Leurrés par une vision de la Terre promise, les Juifs suivirent Moïse. Mais ils n'étaient pas préparés aux épreuves du voyage et ils avaient peu de foi en la protection de Dieu. Quand ils arrivèrent au premier obstacle, la mer Rouge, ils se plaignirent avec amertume à Moïse : « Tu nous as fait quitter nos huttes confortables avec la promesse d'une vie meilleure. Maintenant notre chemin est barré par cette énorme mer ! Était-ce parce qu'il n'y a pas de tombes en Égypte que tu nous emmènes mourir dans le désert ? Qu'allons-nous faire ? »

Moïse lui-même ne savait pas trop quoi faire mais il croyait que, s'il avait la foi, un nouveau chemin s'ouvrirait. Pendant qu'il réfléchissait à leur sort, un énorme nuage de poussière apparut à l'horizon. Horrifiés, les Juifs réalisèrent que c'était un nuage soulevé par des milliers de soldats égyptiens les poursuivant pour les ramener en captivité.

À ce moment-là, Moïse leva sa main et un vent d'est puissant ouvrit miraculeusement un passage dans la mer Rouge. En admiration devant un tel miracle, les Juifs rassemblèrent leur courage et, jetant un dernier regard vers l'Égypte, la seule patrie qu'ils aient jamais connue, ils suivirent avec crainte Moïse dans l'abîme des eaux. Des murs d'eau se dressaient sur leur droite et sur leur gauche. Lorsqu'ils furent en sécurité sur l'autre rive, Moïse leva de nouveau la main et les grands remparts d'eau s'effondrèrent noyant tous les Égyptiens dans un torrent impétueux.

Les Juifs n'eurent que peu de temps pour célébrer leur passage sain et sauf. Car, regardant devant eux la nouvelle terre, ils furent déconcertés de réaliser qu'ils étaient arrivés à la limite d'un désert aride et stérile. Une fois de plus, ils poussèrent de grands cris d'angoisse : « Tu as rompu la sécurité de nos vies. Tu nous as poussés à te suivre dans ce long voyage. Nous avons failli être capturés par les Égyptiens. Nous étions sur le point d'être ensevelis par la mer Rouge. Et maintenant nous sommes perdus dans une terre aride sans vivres et sans eau ! »

Malgré leur peur, les Juifs n'avaient d'autre choix que celui de continuer. Ils errèrent pendant des mois dans la terre étrangère, guidés par une nuée pendant le jour et une colonne de feu pendant la nuit. Ils affrontèrent de grandes épreuves mais Dieu fut clément et allégea leur fardeau en accomplissant des miracles. Finalement, les Juifs parvinrent au bout du désert. Par-delà la crête des montagnes, disait Moïse, se trouve la Terre promise. On envoya des éclaireurs reconnaître les lieux. Mais, à leur retour, ils rapportèrent d'autres mauvaises nouvelles : « C'est vrai que la Terre promise déborde de lait et de miel mais elle est déjà occupée ! C'est la terre des Cananéens, créatures gigantesques de plus de deux mètres. » La foule attentive poussa des cris de terreur et, de nouveau, ils aspirèrent à la sécurité qu'ils avaient en Égypte.

C'est alors que Dieu leur parla : « Puisque vous n'avez aucune foi et que vous continuez à regretter l'Égypte, vous allez devoir errer dans le désert pendant quarante ans, jusqu'à la venue d'une autre génération qui n'aura pas le souvenir des temps anciens. C'est alors seulement que vous entrerez dans la Terre promise. » Ainsi les Juifs campèrent-ils dans le désert quarante ans de plus. Des enfants naissaient, des vieillards mouraient. Finalement parut un nouveau chef pour les mener en Israël y entreprendre la lourde tâche d'arracher le pays aux Cananéens.

Que pouvons-nous apprendre de cette histoire familière qui nous aiderait dans notre enquête sur le mariage ? L'une des premières vérités que nous pouvons apprendre, c'est que, pour la plupart d'entre nous, nous vivons notre vie de couple comme si nous étions endormis, engagés dans des échanges routiniers qui nous procurent peu de plaisir. Tels les Juifs en quatre siècles d'esclavage chez les Égyptiens, nous avons oublié qui nous sommes. Selon les mots de Wordsworth, nous venons au monde « nimbés de nuages de gloire », mais le feu a tôt fait de s'éteindre et nous perdons de vue l'idée que nous sommes des êtres complets, spirituels. Nous vivons des vies appauvries, répétitives, peu gratifiantes, et nous blâmons notre partenaire pour notre manque de bonheur.

Cette histoire nous apprend aussi que nous sommes prisonniers de la peur du changement. Quand je demande aux couples de se risquer à de nouveaux comportements, ils se mettent en colère contre moi. Une part d'eux-mêmes préférerait divorcer, briser la famille et diviser les biens plutôt que d'adopter un nouveau style de relation. Comme les Juifs, ils tremblent face à la mer Rouge quand bien même la voie leur est ouverte. Plus tard, quand ils sont dans une période noire, leurs difficultés émotionnelles ressemblent pour eux à des hordes d'Égyptiens à leur poursuite et à des géants de plus de deux mètres. Mais contrairement aux Juifs, l'ennemi se trouve en eux ; ce sont les parties reniées et refoulées de leur être qui menacent de se réveiller.

La dernière vérité tirée de l'histoire de Moïse, c'est que nous attendons que les bienfaits de la vie nous arrivent facilement et sans sacrifice. Tout comme les Juifs voulaient que la Terre promise soit le jardin d'Éden, le don de Dieu à Adam et Ève, nous voulons que le simple fait de nous marier guérisse tous nos maux. Nous voulons vivre un conte de fées où la belle princesse rencontre le prince charmant et où ils vivent heureux jusqu'à la fin des temps. Mais ce n'est que lorsqu'ils virent la Terre promise comme une opportunité, comme une chance de créer une nouvelle réalité, que les Juifs purent y entrer. Et ce n'est que lorsque nous voyons le mariage comme un moyen de changement et de croissance personnelle que nous pouvons commencer à satisfaire nos aspirations profondes, mais inconscientes.

*

Ce chapitre marque un tournant dans notre ouvrage. Jusqu'à présent j'ai décrit le mariage inconscient, un mariage caractérisé par la réactivité du vieux cerveau. Dans la suite du livre, j'expliquerai comment transformer votre mariage en une relation plus consciente qui vous permettra de grandir. Voici un aperçu des chapitres à venir. Le chapitre VII explore un vieux concept, l'engagement, et montre pourquoi c'est une condition nécessaire à la croissance émotionnelle. Le chapitre VIII explique comment transformer votre mariage en une zone de sécurité — un environnement sûr et sécurisant pour retrouver l'intimité de l'amour romantique. Le chapitre IX donne quelques techniques pour rassembler plus d'informations sur votre partenaire et sur vous-même. Le chapitre X développe l'idée paradoxale que la seule façon de satisfaire vos propres besoins d'enfance est de vous engager de tout votre cœur à satisfaire les besoins de votre partenaire. Le chapitre XI étudie la façon dont vous pouvez contenir votre colère afin de l'exprimer sans danger au sein de votre relation. Le chapitre XII est une interview de deux couples déjà bien avancés sur la voie de la création d'un mariage conscient. Enfin, la troisième partie contient une série d'exercices qui vous aidera à faire passer ces notions dans des conduites de croissance. (Il est important de terminer les parties I et II avant de faire les exercices. Vous les saisirez mieux après avoir lu le texte et compris la théorie sur laquelle ils sont basés.)

CHAPITRE VII

FERMER LES ISSUES

Une vie liée à la mienne pour le reste de
nos vies, c'est le miracle du mariage.
Denis de Rougemont.

Quand un couple entre dans mon cabinet pour sa première séance, je ne sais rien ou presque rien d'eux. La seule chose que je sache de manière certaine, c'est qu'ils sont embourbés dans la lutte pour le pouvoir. Ils peuvent en être n'importe où sur ce chemin tortueux. Ils peuvent être de jeunes mariés choqués d'avoir découvert qu'ils n'ont pas épousé le bon partenaire. Il peut s'agir d'un couple d'âge moyen essayant à la fois de gérer le *stress* d'avoir chacun sa propre carrière à mener, d'élever des enfants adolescents, et de vivre une relation qui a dégénéré en une série de conflits. Il peut s'agir d'un couple plus âgé, dont les partenaires n'ont plus de sentiments l'un pour l'autre et qui envisagent un divorce à l'amiable. Mais quelles que soient les circonstances, je peux affirmer qu'ils ont dépassé la phase romantique de leur mariage et qu'ils sont empêtrés dans le conflit.

Il y a des années, mon approche, comme celle de beaucoup de mes collègues, consistait à patauger dès le départ dans les détails de la lutte pour le pouvoir. Au cours des premières séances, je déterminais si les problèmes principaux du couple résidaient dans la communication, le sexe, l'argent, l'attitude parentale, les attentes par rapport aux rôles respectifs, la dépendance à l'alcool ou à la drogue, etc. Au cours des mois suivants, je les aidais à y voir plus clair dans ces problèmes. Une partie importante du processus thérapeutique était de leur enseigner à communiquer leurs sentiments de façon plus directe : « Qu'est-ce que vous avez ressenti quand Marie a dit ça ? » ou « Qu'est-ce que vous avez ressenti quand George a agi comme ça ? » À la fin de chaque séance, je les aidais à négocier un contrat pour définir une ligne de conduite. George, par exemple, acceptait de faire un compliment par jour à Marie, et Marie acceptait d'exprimer sa colère à George de manière directe plutôt que de la refouler en silence. C'était une méthode de résolution plutôt classique chez les conseillers conjugaux.

Les partenaires apprenaient beaucoup l'un sur l'autre dans le temps que nous passions ensemble et ils devenaient plus compétents dans leurs capacités à communiquer. Mais à ma grande consternation, peu d'entre eux semblaient capables de dépasser le stade de la lutte pour le pouvoir. Au lieu de se disputer à propos du problème de base qui les avait poussés à faire une thérapie, ils étaient maintenant en train de se disputer pour savoir qui avait été le premier à violer le contrat. Quelquefois c'était comme si mon rôle de thérapeute se bornait à quantifier et à formaliser leurs conflits.

À mes débuts, mon travail était supervisé et je partageais ma frustration avec mon conseiller. Où est-ce que je me trompais ? Pourquoi mes couples progressaient-ils si lentement ? Tout ce que je semblais faire, c'était leur fournir un nouveau sujet de querelle. Mon conseiller souriait d'un air entendu puis me taquinait de m'être investi à vouloir que mes patients désirent changer. « S'ils voulaient changer, m'assurait-il, ils le feraient. » Peut-être confondais-je mon objectif avec le leur. « Votre rôle, me rappelait-il, consiste à aider les gens à clarifier leurs problèmes, à leur enseigner certaines techniques de relation et à les laisser poursuivre leur chemin. »

Il m'a fallu plusieurs années avant de comprendre que, pour être efficace, un conseiller conjugal ne devait pas s'arrêter à des questions superficielles comme l'argent, les rôles respectifs et les incompatibilités sexuelles. Ces problèmes superficiels cachent des besoins d'enfance non satisfaits et ce n'est ni par des techniques de communication ni par des contrats de comportements que l'on pourra soulever ces questions profondes. Fort de cette compréhension, j'ai commencé à travailler avec les couples de manière plus approfondie, cherchant la source des problèmes sous les épiphénomènes.

Le besoin d'engagement

Puisque chaque mariage est unique, mon approche de chaque couple est un mélange de recette avérée et d'innovation. Parfois une thérapie de couple suit une trajectoire déterminée, mais le plus souvent je dois adapter mes méthodes aux besoins de chaque individu. Si un couple vient me voir à la suite d'une crise — disons, la découverte récente d'une liaison —, je fais le tri et je m'occupe immédiatement de leur choc et de leur souffrance. D'un autre côté, si un mari et une femme arrivent à leur premier rendez-vous complètement inconscients de leur souffrance, je trouve parfois nécessaire de provoquer des conflits. Il leur est difficile de résoudre leurs problèmes sans en être conscients.

Toutefois, dans une des premières séances, je prends sur moi d'établir des règles de base de la thérapie. À quelques variations près, ce seront les règles à utiliser pour faire les exercices à la fin de ce livre. Une des premières règles est que les couples acceptent de venir me voir au moins pendant douze séances consécutives. Sauf urgences véritables, ils doivent organiser leur vie pour venir à tous les rendez-vous sans exception. La raison pour laquelle je demande cet engagement, c'est que je sais par expérience et d'après les statistiques de sondages qu'une majorité de couples abandonne la thérapie entre la troisième et la cinquième séance environ, au moment où des problèmes inconscients commencent à remonter à la surface et les couples à ressentir leur anxiété. Comme nous le savons tous, la bonne vieille méthode pour réduire l'anxiété, c'est de l'éviter. Certains couples déclarent que la thérapie fait empirer les choses et donnent congé à leur thérapeute. D'autres ne trouvent pas le temps d'honorer leurs rendez-vous. C'est parce que cette conduite d'évitement est si commune que j'insiste pour que les couples s'engagent à venir à douze séances. Dans beaucoup de cas, il est bénéfique de prolonger la thérapie au-delà de trois mois, mais j'ai tout au moins l'assurance qu'ils resteront assez longtemps pour surmonter la résistance qu'ils avaient au début. Quand vous travaillerez sur les exercices de ce livre, vous éprouverez peut-être la même réticence à mener le processus à son terme. Vous trouverez certains exercices faciles — amusants même. Mais d'autres vous donneront de nouvelles informations sur vous-même et vous mettront au défi de devenir adulte et de changer. En faisant les exercices les plus difficiles, vous serez tentés de mettre le livre de côté ou d'en modifier les instructions. C'est précisément dans ces moments-là qu'il faudra vous engager pleinement dans le processus. Vous découvrirez que si, avant même de commencer, vous avez pris l'engagement ferme de faire les exercices jusqu'au bout et exactement tels qu'ils sont prescrits, il vous sera plus facile de surmonter votre résistance.

Ma seconde tâche avec les couples est de les aider à définir la vision qu'ils ont de leur relation conjugale. Avant d'entendre le récit de tout ce qu'ils n'aiment pas dans leur mariage, je veux entendre comment ils aimeraient que ce soit. Définir cette vision canalise leur énergie, jusque-là ancrée dans les déceptions passées et présentes, vers un futur qui laisse davantage à espérer. Réaliser cette vision est le but de la thérapie.

La facilité avec laquelle les couples créent cette vision est surprenante — même pour les couples en plein désarroi. Pour les aider à démarrer, je leur demande de faire une liste de points positifs qui décrivent la relation qu'ils aimeraient avoir et dont chaque phrase commence par le mot « nous ». Ils doivent parler au présent comme si le futur était déjà là. Voici quelques exemples : « Nous apprécions d'être en compagnie l'un de l'autre », « nous nous sentons dans une sécurité financière », « nous passons du temps à faire des choses que nous aimons tous les deux. » En une seule séance de travail, ils sont capables de définir leur vision personnelle, d'isoler les éléments communs et de les combiner en une vision partagée de l'avenir.

Une fois cette vision définie, je demande aux couples de la lire tous les jours comme une méditation. Progressivement, selon le principe de répétition, la vision commence à s'imprégner dans l'inconscient.

Renoncer à la fuite

Dès que le travail sur la vision est terminé, normalement à la fin de la deuxième ou de la troisième séance, je demande aux couples de prendre un deuxième engagement, à savoir de rester ensemble jusqu'à la fin des douze premières semaines de thérapie. La raison en est évidente : une thérapie de couple ne peut se faire en dehors du couple. Pendant trois mois, ils ne doivent ni se séparer, ni mettre fin à leur relation de façon plus catastrophique comme par le suicide, le meurtre ou en sombrant dans la folie. (Bien que la séparation et le divorce soient de loin les solutions les plus retenues pour mettre fin à un mariage, une minorité significative de gens a l'impression qu'ils vont sombrer dans la folie, et il y a beaucoup de couples qui ont des fantasmes d'issues plus violentes.) J'appelle la décision de fermer ces quatre issues de secours *le renoncement à la fuite*. Quand vous en serez à la troisième partie, vous verrez que le renoncement à la fuite est l'un des premiers exercices qu'il vous sera demandé d'effectuer.

Celui qui fusionne et celui qui s'isole

Mari et femme réagissent souvent au renoncement à la fuite de manière opposée. De façon typique, l'un des partenaires se sent soulagé, l'autre se sent menacé. Celui qui se sent soulagé est généralement celui qui fusionne dans la relation, celui qui a grandi avec un besoin d'attachement inassouvi. Celui qui se sent menacé est celui qui s'isole, celui qui a un besoin d'autonomie inassouvi. La raison pour laquelle celui qui fusionne se sent soulagé par l'engagement est qu'il y trouve la garantie d'une relation stable, ne serait-ce que pour trois mois — une diminution de sa peur inconsciente d'être abandonné. (Pour celui qui fusionne, cette peur est toujours sous-jacente, mais elle est plus aiguë lorsque la relation est dans le désarroi.) La raison pour laquelle le renoncement à la fuite suscite des appréhensions chez celui qui s'isole, c'est que cet accord ferme une échappatoire importante, réveille sa peur archaïque d'être absorbé. Ainsi le renoncement à la fuite tend-il à apaiser la peur de l'un et à aviver celle de l'autre.

Pendant la durée de cet accord, j'essaie de calmer l'anxiété de celui qui se sent pris au piège. Je rappelle au patient que son engagement n'est que de trois mois, et qu'au terme de cette période il sera libre de s'en aller. La durée étant ainsi établie, la plupart des gens parviennent à faire face. De plus, je leur explique que renoncer à la fuite permettra à l'autre d'être moins envahissant. J'explique à celui qui s'isole : « L'une des raisons pour lesquelles votre partenaire a tellement besoin de votre attention, c'est votre manque de disponibilité affective. Quand vous prenez la décision de rester ensemble et de travailler sur votre mariage, votre partenaire se sent moins poussé à vous courir après. » Ironiquement, en s'engageant à rester dans le couple pendant trois mois, celui qui s'isole augmente alors son espace psychique.

La réponse d'un couple devant la décision de renoncer à la fuite nous donne un aperçu fascinant de la dynamique qui régit les comportements de celui qui s'isole et de celui qui fusionne. Chaque jour de leur vie commune, maris et femmes sont acculés contre une frontière invisible dressée entre eux dans le désir de satisfaire leur double besoin d'attachement et d'autonomie. La plupart du temps, chaque individu est fixé sur l'un de ces besoins : habituellement l'un avance pour assouvir ses besoins d'attachement non satisfaits, tandis que l'autre lui tourne le dos par besoin d'autonomie. Certains couples restent bloqués dans ce pas de danse pendant toute la durée de leur relation. D'autres font l'expérience d'un revirement de situation. Pour de multiples raisons, celui qui d'habitude avance se détourne. Celui qui d'habitude se détourne se retourne, étonné. Où est mon poursuivant ? À la surprise générale, celui qui s'isole découvre subitement un besoin inassouvi d'intimité. Le schéma s'inverse, comme les pôles d'un champ magnétique, et maintenant celui qui s'isolait devient celui qui poursuit. C'est comme si, dans tous les couples, les partenaires avaient un pacte pour entretenir une certaine distance entre eux. Si l'un commence à empiéter sur ce territoire sacré, l'autre doit s'éloigner. Si l'un décide de vider les lieux, l'autre doit le poursuivre. Comme deux aimants dont les charges identiques face à face se repoussent, les couples subissent un champ magnétique invisible qui les maintient à une distance critique.

Les fuites non catastrophiques

Un couple avec lequel je travaillais était passé maître dans l'art d'avancer et de reculer. Une preuve qu'ils réussissaient à éviter toute intimité est qu'ils n'avaient plus aucun rapport sexuel depuis trois ans. Je leur ai donné le « devoir » suivant : passer juste un jour ensemble à faire quelque chose qui leur donne du plaisir à tous les deux. Le lendemain étant un samedi, ils ont consenti à faire une randonnée à la campagne et à dîner au restaurant.

Le lendemain matin, alors qu'ils étaient sur le point de quitter la maison, la femme a suggéré d'inviter un ami commun pour la randonnée. Cela faisait longtemps qu'ils ne l'avaient pas vu, a-t-elle expliqué et, qui plus est, cet ami se réjouissait toujours de quitter la ville. Son mari lui a dit qu'il lui semblait que c'était une mauvaise idée. L'objectif de la journée était de passer du temps ensemble. Pourquoi voulait-elle toujours tout gâcher ? Ils se sont disputés âprement pendant une bonne heure ; finalement le mari a cédé. La femme a appelé l'ami qui a été ravi de venir. En l'attendant, la femme a lu le journal et mis de l'ordre dans la maison, tandis que le mari s'est éclipsé dans son bureau pour s'occuper d'une pile de factures.

L'ami est arrivé et ils sont partis tous les trois en voiture à la campagne. En cours de route, les deux hommes se sont installés à l'avant — sous prétexte qu'ils avaient les jambes plus longues et qu'il leur fallait plus de place —, tandis que la femme s'est assise à l'arrière avec un livre. Pendant la randonnée, l'un, la femme ou le mari, discutait à tour de rôle avec l'ami et l'autre restait en arrière.

Au retour, l'ami est rentré chez lui et le couple a organisé son dîner en ville. Ils ont décidé d'aller dans un restaurant où il y avait un orchestre d'animation. Là, le mari a suggéré de prendre une table juste devant les musiciens pour mieux profiter de la musique. Au cours du dîner, ils ont essayé d'entamer la conversation mais ils y ont vite renoncé parce que la musique était si forte qu'ils ne pouvaient pas s'entendre. Ils ont quitté le restaurant à neuf heures moins le quart pour être à la maison à l'heure afin de voir leur émission préférée. Sitôt rentrés, ils se sont servi un verre machinalement et se sont plantés devant la télévision. La femme est allée se coucher à onze heures (non sans avoir recommandé à son mari de ne pas trop boire), et le mari est resté jusqu'à une heure du matin en sirotant son scotch devant la télévision. Avec une habileté consommée, ils ont réussi à passer toute une journée ensemble sans avoir un moment d'intimité. Bien qu'ils ne s'en soient pas rendu compte, ils étaient en train de vivre un divorce invisible.

Le divorce invisible

À des degrés divers, la plupart des couples qui se trouvent au sein d'une lutte pour le pouvoir suivent un schéma de comportement identique : ils structurent leur vie de telle sorte qu'une véritable intimité est pratiquement impossible. La façon dont ils s'y prennent est souvent ingénieuse. En posant à mes patients une simple question — « De quelle façon votre partenaire vous évite-t-il ? » —, j'ai pu établir une liste de plus de trois cents réponses. Voici une partie de cette liste. Selon mes informateurs, leur partenaire « lit des romans d'amour », « disparaît dans le garage », « s'éternise au téléphone », « idolâtre la voiture », « passe trop de temps avec les gosses », « se porte volontaire dans toutes les associations », « passe trop de temps sur son bateau », « passe du temps chez sa mère », « a une liaison », « évite de me regarder en face », « mémorise chaque mot du *New York Times* », « s'endort sur le canapé », « est accro au sport », « rentre dîner tard », « fantasme en faisant l'amour », « est tout le temps malade et fatigué », « ne veut pas être touché », « boit quatre scotches chaque soir », « passe trop de soirées au *Rotary* », « ment », « refuse de faire l'amour », « a des rapports mais sans tendresse », « passe sa vie sur le court de tennis », « fait de la boulimie », « fait quinze kilomètres de jogging par jour », « passe ses week-ends à la pêche », « fait du shopping », « a son propre appartement », « rêvasse », « refuse de parler », « fume de la marijuana », « est toujours en train de bricoler à la maison », « se masturbe », « joue de la guitare », « a un compte bancaire personnel », « cherche la bagarre », « lit des magazines », « fait des mots croisés », « refuse le mariage », « fréquente les bars »…

Le fait que des issues de secours soient percées par tant de couples dans leur relation soulève une question évidente : pourquoi hommes et femmes passent-ils tant de temps à éviter l'intimité ? Pour deux très bonnes raisons : la colère et la peur. Pourquoi la colère ? Au stade romantique de la relation, les gens trouvent l'intimité relativement facile parce qu'ils sont remplis de l'espoir que leurs désirs seront comblés. Leur partenaire semble être à la fois et la mère et le père et le médecin et le thérapeute, le tout en un. Des mois ou des années plus tard, lorsqu'ils en viennent à réaliser que l'autre lutte pour sa propre survie, non celle du partenaire, ils sont en colère et se sentent trahis. Un accord tacite a été rompu. En représailles, ils érigent une barricade émotionnelle. C'est une manière de dire : « Je t'en veux de ne pas répondre à mes besoins. » Alors ils commencent systématiquement à chercher plaisir et satisfaction de leurs besoins en dehors de leur relation. Comme une vache tend le cou pour brouter de l'herbe verte de l'autre côté de la clôture, ils regardent ailleurs pour se satisfaire. Le mari qui s'attarde au bureau après sa journée de travail, la femme qui passe toute la soirée à lire des histoires aux enfants pendant que le mari regarde la télévision, essaient, chacun de leur côté, de trouver le plaisir qui leur manque dans leur relation.

L'autre raison pour laquelle les couples évitent l'intimité est la peur, en particulier la peur de souffrir. Inconsciemment, beaucoup réagissent face à leurs partenaires comme s'ils avaient affaire à des ennemis. N'importe qui — parents, partenaire ou voisin — est perçu par le vieux cerveau comme source potentielle de satisfaction des besoins, et par conséquent le vieux cerveau catalogue comme source de souffrance quiconque menace de nous priver de cette satisfaction, et tout cela éveille le spectre de la mort. Si votre partenaire refuse de vous materner et de répondre à vos besoins fondamentaux, une partie de vous a peur de mourir et croit que ce serait la faute de l'autre. Lorsqu'une carence affective de base se double d'une agression verbale et dans certains cas de violence physique, le partenaire devient un ennemi encore plus fort. La raison inconsciente pour laquelle certaines personnes évitent leurs partenaires, ce n'est pas la recherche de pâturages plus verdoyants, c'est pour fuir la mort. L'image appropriée n'est donc pas dans ce cas la scène bucolique d'une vache en quête de nourriture mais celle d'un agneau terrifié fuyant un lion.

Dans la plupart des cas, la peur du conjoint est inconsciente. Les partenaires ne sont conscients que d'une certaine anxiété en présence l'un de l'autre et d'un désir d'être avec d'autres personnes, ou d'être engagés dans d'autres activités. À l'occasion, la peur affleure l'état de conscience. Une patiente m'a dit qu'elle ne se sentait en sécurité avec son mari que dans mon cabinet. Il ne l'avait jamais physiquement agressée mais leurs rapports étaient tellement conflictuels qu'elle était convaincue que sa vie était en danger.

Fermer les issues de secours

Pour comprendre pourquoi je demande aux couples de fermer les issues de secours, il serait peut-être utile de saisir ce que j'appelle *issue de secours* et pourquoi il est important de les fermer. Prendre une issue de secours, c'est passer à l'action plutôt que de parler de ses sentiments (passer à l'action signifie que l'on exprime un sentiment, conscient ou inconscient, en acte plutôt qu'en paroles). Que l'issue de secours soit catastrophique, comme de tromper l'autre ou tenter de se suicider, ou non catastrophique, comme de regarder la télévision ou fantasmer sur quelqu'un d'autre en faisant l'amour, prive la relation d'une énergie et d'un investissement qui lui appartiennent.

Quelque justifiables que soient les raisons des conduites d'évitement, au stade initial du processus de guérison, il est important que les couples réinvestissent peu à peu leur énergie dans la relation. Jusqu'à ce qu'ils ferment certaines de leurs nombreuses issues de secours, ils continueront toujours à rechercher le plaisir dans des endroits inappropriés. Et quand leurs besoins relationnels sont déviés sur leurs enfants ou sur leur travail ou sur des dépendances, cela cache ce qui ne va pas dans le mariage. Les éléments constitutifs du problème de fond doivent d'abord être définis avant de pouvoir être résolus.

De façon surprenante, il est plus difficile pour beaucoup de couples de fermer les douzaines de petites issues de secours dans leur relation que cela ne l'est pour eux d'en fermer une catastrophique ; en d'autres termes, il peut se faire qu'ils aient plus de mal à passer moins de temps devant la télévision pendant trois mois qu'à accepter de renoncer à l'option divorce. C'est, en partie, parce que la fermeture des issues de secours plus petites les prive de plaisir. Et aussi longtemps que leur partenaire ne leur donne pas ce qu'ils veulent, ils se montrent réticents à renoncer à des sources de satisfaction établies. Une autre raison qui explique cette résistance, c'est que, au fur et mesure que les partenaires se concentrent de plus en plus l'un sur l'autre, ils doivent souvent faire face à leur déception refoulée, leur colère et leur peur. Ils ont minimisé leur insatisfaction en se distrayant par des activités extérieures. Ils n'ont pas percé ces issues par désinvolture ou par malice, ils l'ont fait pour des raisons importantes : satisfaire à leurs besoins et à leur sécurité.

Pour aider les couples à surmonter leur résistance à devenir plus intimes, je recours au *principe du changement progressif*. L'idée derrière ce concept est qu'il est plus facile d'attaquer une tâche difficile si elle est divisée en petites unités. Les unités sont hiérarchisées selon leur degré de difficulté, et on attaque les plus faciles d'abord; le projet devient encore plus réalisable.

Quand vous parviendrez à la troisième partie, vous trouverez des explications précises pour fermer vos issues de secours.

Pour l'instant, voici une vue d'ensemble du processus. Imaginons deux partenaires piégés dans une relation insatisfaisante. Pour combler le vide de leur mariage, ils ont rempli leur vie de plaisirs de substitution. Concentrons-nous sur les issues de secours de la femme. Outre les responsabilités inhérentes à sa carrière et à l'éducation de ses deux enfants, elle a une vie sociale active, un siège au conseil municipal, une passion pour les exercices physiques, elle prend deux leçons de musique par semaine et c'est une fanatique de romans de science-fiction. Ces activités l'aident à atténuer ses sentiments de désespoir latent mais drainent une énergie vitale hors de la relation conjugale.

Si cette femme décidait de réduire certaines de ses activités, elle devrait d'abord déterminer lesquelles pourraient à juste titre s'appeler des issues de secours. Comme beaucoup de gens, elle trouverait une certaine justification pratiquement à tout ce qu'elle fait. Dans la troisième partie, lorsque vous effectuerez l'exercice du renoncement à la fuite [1], vous ressentirez peut-être la même confusion : qu'est-ce qui différencie une issue de secours d'une activité essentielle ou d'une forme de divertissement valable ? Pour le découvrir, il faut vous poser la question suivante : « Est-ce qu'une des raisons pour lesquelles je fais cela est d'éviter de passer du temps avec mon partenaire ? » La plupart des personnes savent plus ou moins si tel est le cas.

Supposons que cette femme se soit posé cette question et qu'elle ait identifié des activités qu'elle accepterait de réduire ou d'éliminer. Ensuite elle les organiserait en fonction de leur degré de difficulté et choisirait celles qu'il lui serait le plus facile de laisser tomber. Par exemple, elle pourrait décider qu'il lui serait relativement facile d'opérer deux changements : courir trois fois par semaine au lieu de cinq et lire ses romans à l'heure du déjeuner, et non le soir quand elle se retrouve avec son mari. Elle pourrait aussi décider qu'il lui serait difficile mais pas impossible de trouver quelqu'un pour la remplacer au conseil municipal. D'autres changements seraient plus difficiles. Si elle allait de l'avant et opérait ces deux changements faciles, elle libérerait plusieurs heures par semaine qu'elle consacrerait à sa relation conjugale. Ce serait un bon point de départ. D'autres changements, si nécessaire, se feraient plus tard.

Tandis que cette femme éliminerait ses issues de secours,

---

parallèlement son mari travaillerait un processus similaire. Il examinerait lui aussi ses activités, identifierait ses propres issues de secours et commencerait un programme de réduction systématique. Il en résulterait que mari et femme passeraient d'une manière appréciable plus de temps ensemble.

Comme on le constate, la fermeture d'une issue de secours n'est pas un événement spécifique qui survient à un moment particulier. C'est un processus qui prendra du temps, mettra parfois jusqu'à plusieurs mois. La raison en est que c'est par besoin, non comblé dans la relation, qu'une personne emprunte une issue de secours. Au lieu de critiquer son partenaire, il est essentiel que chacun affronte ses propres échappatoires. Cela requiert une volonté d'introspection et d'honnêteté ainsi que le courage d'énoncer les sentiments qui avaient été exprimés par les comportements de fuite. Paradoxalement, ce processus commence à fermer les issues de secours parce qu'il restaure la connexion dans la relation. Une façon de procéder est, pour le partenaire qui fuyait, de prendre rendez-vous avec l'autre pour un dialogue[1]. Ils commencent en disant : « Une façon pour moi de fuir notre couple au lieu de dire ce que je ressens, c'est… penser sérieusement au suicide, fantasmer quand on fait l'amour. » « La raison pour laquelle je fais ça, c'est que… j'ai l'impression que tu ne fais jamais attention à moi ou que tu as un comportement trop passif lorsque nous faisons l'amour. » Et ils continuent à se parler jusqu'à ce qu'ils aient exprimé tous leurs sentiments. Ensuite l'autre fait la même chose jusqu'à ce que tous deux aient verbalisé leurs sentiments refoulés et qu'ils aient demandé des changements appropriés dans leur comportement. Quand cela est fait de façon régulière, le besoin de s'échapper diminue et il est remplacé par de profonds sentiments de connexion.

La façon de réagir à cet accroissement d'intimité varie d'un couple à l'autre. Certains couples aiment avoir davantage de contact. D'autres trouvent que la fermeture des issues de secours leur laisse moins de latitude pour fuir une situation déplaisante. Néanmoins, bien que cela ne corresponde pas au résultat escompté, ils bénéficieront de l'exercice dans la mesure où cela éclaire leur champ conflictuel : ils savent exactement pourquoi ils ont cherché à s'éviter, et cela, c'est un premier pas important dans la thérapie.

---

1. Voir « Le dialogue de couple », p. 144.

Jusqu'à ce que la mort nous sépare

Les couples qui souhaitent me consulter doivent accepter quatre points :
1. Venir à douze séances de thérapie au minimum ;
2. Définir leur vision du couple ;
3. Rester ensemble pendant une période déterminée ;
4. Fermer progressivement leurs issues de secours.

Je leur fais savoir que ces quatre accords distincts les conduiront de façon idéale vers un engagement plus profond : la décision de rester ensemble sur une voie qu'ils suivront jusqu'à la fin de leur vie. Bien que cette décision ne puisse être prise au début de la thérapie, je veux que les couples sachent que, pour obtenir une croissance psychologique et spirituelle maximale, il leur faut rester ensemble non pas trois mois, ni trois ans, ni même trois décennies, mais toutes les années qu'il leur reste à vivre. Pour être résolues, les blessures d'enfance ne se présentent pas en petits paquets bien ficelés. Elles remontent à la surface lentement, les plus superficielles d'abord, généralement. Parfois il faut qu'un problème se représente même plusieurs fois avant d'être identifié comme étant important. Et parfois un besoin psychologique est enfoui si profondément que seule une crise ou une étape particulière de la vie peut le faire surgir. En fin de compte, cela prend toute une vie à un couple pour identifier et guérir la majorité des blessures d'enfance de chacun des deux partenaires.

Dans un monde où la monogamie en série — plusieurs partenaires au cours de la vie mais un seul à la fois — est un mode de vie, l'idée d'un engagement permanent avec un seul partenaire pourrait paraître bizarre et vieux jeu. La question qui prévalait dans les années 50 — « peut-on sauver ce mariage ? » — est devenue maintenant : « Doit-on sauver ce mariage ? » Et des millions de personnes décident que la réponse est non. En fait, ironiquement, beaucoup d'entre elles en sont venues à voir le divorce comme une opportunité de croissance personnelle. Selon cette conception de plus en plus populaire, ce n'est pas dans le mariage que les personnes changent et grandissent, mais lorsque le mariage se désagrège. Les gens s'imaginent que cela leur ouvre les yeux sur leur comportement autodestructeur et leur donne l'opportunité de résoudre leurs problèmes avec un nouveau partenaire. Mais, à moins qu'ils ne comprennent les désirs inconscients à la source des erreurs de comportement dans leur premier mariage et qu'ils n'apprennent comment satisfaire ces désirs avec le nouveau partenaire, le second mariage est voué à s'échouer sur les mêmes récifs. L'impression de croissance et de changement d'un mariage à l'autre est une illusion : il ne s'agit que de la peine provoquée par la substitution d'un type de comportement à un autre.

Ironiquement, plus je me suis investi dans l'étude psychologique des rapports amoureux, plus je me suis rangé du côté des partisans du mariage. J'en suis arrivé à croire que les couples devaient faire tous les efforts nécessaires pour respecter leurs vœux de mariage de rester ensemble « jusqu'à ce que la mort les sépare », non pour des raisons morales mais pour des raisons psychologiques : fidélité et engagement semblent être dictés par l'inconscient.

Dans la Partie III, vous aurez l'occasion d'approfondir votre engagement l'un envers l'autre et d'entamer le processus de croissance et de changement. La durée suggérée pour terminer les seize exercices est de dix semaines. Consacrer deux mois et demi de votre temps pour améliorer votre mariage est peut-être tout ce dont vous avez besoin pour commencer à mettre en œuvre la conception du mariage de vos rêves que vous venez d'élaborer ensemble.

Chapitre VIII

CRÉER UNE ZONE DE SÉCURITÉ

L'amour parfait signifie aimer celui
par qui on est devenu malheureux.
Sören Kierkegaard.

Une fois qu'un couple a pris l'engagement de rester ensemble et de participer à un programme de thérapie conjugale, l'étape qui suit logiquement consiste à aider les partenaires à devenir alliés et non ennemis. Il est vain de prendre deux personnes qui sont en colère l'une contre l'autre et d'essayer de les conduire sur un chemin de croissance spirituelle et psychologique — ils passent trop de temps à se mettre hors jeu mutuellement. Pour progresser de la manière la plus sûre et la plus rapide vers la vision de leur relation idéale, ils doivent devenir deux amis qui s'épaulent.

Mais comment parvenir à ce stade ? Comment des couples peuvent-ils mettre fin à leur lutte pour le pouvoir sans avoir eu la possibilité de résoudre leurs différences fondamentales ? L'amour et la compassion sont supposés arriver à la fin du processus thérapeutique, pas au début.

Les sciences comportementales m'ont aidé à résoudre ce dilemme. J'ai appris que je pouvais influencer ce que les conjoints ressentent l'un pour l'autre en les aidant à recréer artificiellement les conditions de l'amour romantique. Quand deux partenaires se traitent comme ils le faisaient au temps de leur bonheur, ils recommencent à s'identifier l'un l'autre comme source de plaisir, ce qui les rend plus enclins à suivre une thérapie intensive.

La prise de conscience

Il y a des années, j'étais réticent à l'idée d'une approche aussi directe pour obtenir de mes patients qu'ils changent de comportement. Issu d'une tradition psychanalytique, j'ai appris que l'objectif d'un thérapeute était d'aider ses patients à résoudre leurs blocages émotionnels. Une fois établis correctement les liens entre les sentiments qu'ils ont avec leur partenaire et les besoins et les désirs inassouvis de l'enfance, les partenaires sont censés évoluer automatiquement vers un style de relation plus rationnel et plus adulte.

Cette supposition était fondée sur le modèle médical, à savoir que lorsque le médecin guérit une maladie, le patient retrouve la pleine forme. La majorité des écoles de psychothérapie vient de la psychanalyse qui, à son tour, est enracinée dans la médecine du XIXᵉ siècle. Il n'est donc pas surprenant de constater une idée biologique commune. Mais des années d'expérience avec les couples m'ont convaincu que le choix d'un modèle médical ne convenait pas aux thérapies de couple. Quand un médecin guérit une maladie, le corps répond à un programme génétique. Chaque cellule du corps, à moins d'être endommagée ou malade, contient pour cela toutes les informations nécessaires à son bon fonctionnement. Mais il n'y a pas de code génétique qui gouverne le mariage. Le mariage est imposé à la biologie par la culture. Dans la mesure où il manque aux gens des directives concernant la vie sociale, ils peuvent se sentir piégés dans des relations malheureuses après des mois, voire des années, de thérapie. Leurs blocages émotionnels se sont déplacés et ils perçoivent la cause de leurs difficultés, mais ils restent cramponnés à leurs comportements.

Comme beaucoup de thérapeutes, je suis arrivé à la conclusion que j'allais avoir à jouer un rôle actif pour aider les couples à remodeler leur relation. Percevoir les blessures d'enfance est un élément crucial de la thérapie, mais ce n'est pas suffisant. Les gens ont besoin d'apprendre à éliminer des comportements contre-productifs et de les remplacer par d'autres, plus efficaces.

Un amour attentionné

Une approche comportementale s'est avérée particulièrement utile dans la résolution du problème que j'ai mentionné au début du chapitre, à savoir rétablir rapidement au sein du couple amour et bonne volonté. Dans son livre, *Helping Couples Change : a Social Learning Approach to Marital Therapy,* le psychologue Richard Stuart propose aux couples un exercice pour les aider à se sentir plus aimants l'un envers l'autre tout simplement en s'engageant dans des conduites plus aimantes. Appelé *jours d'amour attentionné*, l'exercice demande aux maris et femmes d'établir une liste positive et spécifique des façons dont leurs partenaires peuvent leur faire plaisir. Par exemple, un homme écrira : « J'aimerais que tu me masses les épaules un quart d'heure pendant qu'on regarde la télévision tous les deux » ou « j'aimerais que tu m'apportes le petit déjeuner au lit le dimanche. » Maris et femmes doivent s'accorder l'un à l'autre un certain nombre de ces comportements d'amour attentionné, sans considération de ce qu'ils ressentent l'un pour l'autre. Stuart a découvert que lorsque l'exercice était réussi, cela générait « des changements appréciables dans les détails des interactions quotidiennes du couple durant les sept premiers jours de la thérapie, une base solide sur laquelle on peut bâtir d'autres changements éventuels ».

Pour voir si oui ou non cette approche comportementale était vraiment opérationnelle, j'avais décidé d'en faire l'essai sur Harriet et Dennis Johnson. J'avais choisi les Johnson parce qu'ils étaient aussi malheureux l'un avec l'autre que n'importe quel autre couple parmi mes patients. L'une des angoisses principales de Harriet était que Dennis la quitte. Dans un effort désespéré pour retenir son attention, elle flirtait ouvertement avec d'autres hommes. À sa consternation, Dennis répondait à ses comportements volages de la même façon qu'il réagissait à tout ce qu'elle faisait, avec une réserve stoïque. Au cours d'une séance, il a mentionné qu'il était même en train d'essayer de se faire à l'idée qu'un jour elle pourrait le tromper. Son calme inébranlable exaspérait sa femme qui essayait tout ce qui était en son pouvoir pour pénétrer ses défenses afin qu'il fasse plus attention à elle. Les rares fois où elle était parvenue à le faire sortir de ses gonds, il avait réagi de la façon typique de celui qui s'isole et il avait quitté la maison. La plupart de leurs disputes se terminaient par le départ retentissant de Dennis au volant de son « Audi » pour trouver la tranquillité.

Pour préparer le terrain des exercices, j'ai demandé à Harriet et à Dennis comment ils se comportaient l'un envers l'autre aux premiers temps de leur amour. À les écouter, j'avais le sentiment étrange qu'ils parlaient de deux personnes différentes. Je ne pouvais imaginer Harriet et Dennis faisant de longues randonnées à bicyclette le dimanche, quittant leur travail pour se retrouver au cinéma et s'appelant au téléphone deux ou trois fois par jour.

« Que se passerait-il, leur ai-je demandé une fois revenu de ma stupéfaction, si vous retourniez à la maison aujourd'hui et vous mettiez à refaire ces mêmes choses ? Et si vous vous traitiez de la même manière que lorsque vous vous faisiez la cour. »

Ils m'ont regardé les yeux écarquillés.

« Je crois que je me sentirais très mal à l'aise, a dit Dennis après un temps de réflexion. Je n'aime pas agir différemment de ce que je ressens. Je me sentirais malhonnête. Je n'ai plus les mêmes sentiments qu'autrefois envers Harriet, alors pourquoi est-ce que je la traiterais comme si c'était le cas ? »

Harriet était d'accord : « J'aurais l'impression de jouer un rôle, a-t-elle dit. Nous ne sommes peut-être pas heureux mais, au moins, nous tâchons d'être honnêtes l'un envers l'autre. »

Ayant compris que cette expérience les aiderait à sortir de leur impasse, ils ont été d'accord pour essayer en dépit de leurs objections initiales. Je leur ai expliqué l'exercice en détail. Ils devaient rentrer chez eux, établir leur liste et accepter de faire pour l'autre de trois à cinq de ces choses par jour. Ces comportements devaient être vus comme des cadeaux. Il s'agissait d'une occasion de se faire mutuellement plaisir et non d'une monnaie d'échange. Et le plus important était de ne pas tenir de comptes. Chacun ne devait se préoccuper que des dons qu'il offrait. Ils ont quitté le cabinet en promettant de faire l'exercice honnêtement.

Au début du rendez-vous suivant, Dennis a fait le compte rendu de l'expérience : « Je pense que vous avez vraiment mis le doigt sur quelque chose, Dr Hendrix, a-t-il dit. Nous avons fait ce que vous nous avez demandé, et aujourd'hui je me sens beaucoup plus optimiste quant à l'avenir de notre couple. »

Je lui ai demandé de m'en dire davantage.

« Le lendemain de notre dernier rendez-vous, je circulais au hasard dans la ville et j'étais de mauvaise humeur, a déclaré Dennis. Je n'arrive même pas à me rappeler ce qui m'avait déprimé à ce point-là. Quoi qu'il en soit, je me suis dit que ce moment en valait bien un autre pour faire ce que vous nous aviez demandé, alors je me suis arrêté pour acheter des fleurs à Harriet. C'était une de ses requêtes sur la liste. Là, en grinçant des dents, j'ai choisi des marguerites parce que je me suis rappelé qu'elle les aimait. Le vendeur m'a demandé si je voulais une carte pour écrire un mot, et j'ai dit "pourquoi pas ?" Je me rappelle m'être dit : "Étant donné qu'on paye le Dr Hendrix une fortune pour améliorer les choses, autant les faire jusqu'au bout." Je suis rentré à la maison et sur la carte j'ai écrit : "Je t'aime." Il a marqué une pause. Ce qui m'a surpris, Dr Hendrix, c'est qu'en donnant les fleurs à Harriet, j'ai réalisé que je l'aimais vraiment.

— Et quand j'ai lu la carte, a ajouté Harriet, j'en ai eu les larmes aux yeux. Il y avait si longtemps qu'il ne m'avait pas dit qu'il m'aimait. »

Ils ont continué à décrire tous les autres efforts entrepris pour se faire plaisir mutuellement. Elle lui avait fait du bœuf braisé et des galettes de pommes de terre, son dîner favori. Il avait bien voulu se blottir contre elle dans le lit avant de s'endormir au lieu de lui tourner le dos. Elle avait ressorti ses pelotes de laine et ses aiguilles et avait commencé à lui tricoter un gilet. Tandis qu'ils racontaient ces événements, il me semblait y avoir remarquablement peu de tension entre eux. Quand ils ont quitté le cabinet, j'ai remarqué que Dennis aidait Harriet à enfiler son manteau et qu'elle lui a dit en souriant : « Merci chéri. » C'était une petite chose, mais c'était le genre d'échanges affectueux qui avait tant manqué dans leur relation.

J'ai demandé à Dennis et à Harriet de continuer à se prodiguer des marques de tendresse mutuelle et, à chaque rendez-vous, ils me rendaient compte des progrès de leur relation. Non seulement ils se témoignaient davantage de gentillesse, mais ils étaient aussi plus ouverts pour explorer les origines de leur mécontentement. Ils ont passé moins de temps dans mon cabinet à se plaindre l'un de l'autre, et plus de temps à explorer leurs problèmes d'enfance, là où leurs malheurs présents avaient pris racine.

L'exercice de Stuart s'étant avéré aussi utile à Dennis et Harriet, je m'en suis inspiré pour un *exercice de romantisation* [1], parce que cela restaure de manière effective les interactions dépourvues de conflits de l'amour romantique. J'ai demandé à mes autres patients de faire l'exercice de romantisation et, presque sans exception, quand les partenaires augmentaient le nombre d'actes d'amour l'un envers l'autre, même si cela paraissait artificiel, ils commençaient à se sentir plus en sécurité et plus aimants. Cela intensifiait le lien affectif entre eux et il en résultait un progrès plus rapide dans leur thérapie.

J'expliquerai plus en détail l'exercice de romantisation dans

---

1. Voir exercice 9, *Recréer l'amour romantique*, p. 248.

la Partie III. Quand vous suivrez scrupuleusement les instructions, vous constaterez vous aussi une amélioration immédiate dans le climat de votre relation. L'exercice n'est pas conçu pour résoudre les conflits qui sont profondément ancrés en vous, mais il rétablira des sentiments de sécurité et de plaisir, fondements nécessaires pour augmenter l'intimité.

Pourquoi cet exercice simple est-il si efficace ? La raison évidente est que, au travers de la répétition quotidienne de comportements positifs, le vieux cerveau commence à percevoir le partenaire comme « quelqu'un qui comble mes besoins affectifs ». Aux blessures douloureuses se superposent des actions positives et le partenaire n'est plus perçu comme quelqu'un de mortifère mais comme une source de vie. Ceci ouvre la voie de l'intimité, ce qui n'est possible que dans un contexte de plaisir et de sécurité.

Mais d'autres raisons plus subtiles font que l'exercice fonctionne si bien. L'une d'elles, c'est qu'il aide les gens à se défaire peu à peu de la croyance infantile que l'autre lit dans leurs pensées. Pendant la phase romantique de l'amour, les gens croient à tort que leurs partenaires savent exactement ce qu'ils veulent. Quand l'autre ne satisfait pas un désir secret, ils pensent que c'est pour les priver de plaisir délibérément. Cela les pousse à vouloir le priver de plaisir également. L'exercice de romantisation évite cette descente en spirale et réclame que les partenaires se disent exactement ce qui leur ferait plaisir, diminuant ainsi leur confiance dans la télépathie.

Une autre conséquence de cet exercice est qu'il s'oppose à la mentalité de la lutte pour le pouvoir, celle de rendre coup pour coup. Quand les couples participent à la romantisation, on leur demande de se faire plaisir mutuellement, indépendamment l'un de l'autre ; ils doivent donner chaque jour des marques d'attention, sans se soucier de ce que l'autre a fait. Cela remplace la tendance naturelle au donnant-donnant : tu me fais cette gentillesse et je t'en ferai une en retour. La plupart des mariages fonctionnent comme des transactions commerciales, dont la monnaie d'échange serait le comportement amoureux. Mais cette sorte d'« amour » ne plaît pas au vieux cerveau. Si John masse les épaules de Martha dans l'espoir qu'elle le laisse aller à la pêche toute la journée, un détecteur sensoriel placé dans son cerveau par la nature dira à Martha : « Attention, ce n'est pas gratuit ! Il n'y a pas de raison d'apprécier ce cadeau parce qu'il faudra que je le paye plus tard. » Inconsciemment, elle rejette l'attention de

John sachant qu'il a fait ça pour lui et non pour elle. La seule forme d'amour que le vieux cerveau acceptera est un amour désintéressé : « Je vais te masser les épaules parce que je sais que tu aimerais ça. » Le massage est donné en « cadeau ».

Ce besoin de cadeaux vient tout droit de l'enfance. Quand nous étions nourrissons, l'amour était gratuit. Pendant les premiers mois de notre vie du moins, quand nous étions caressés, bercés, portés dans les bras ou nourris, c'était sans contrepartie. Et maintenant que nous sommes adultes, une partie verrouillée en nous-mêmes continue à désirer ardemment cette forme d'amour. Nous voulons être aimés et dorlotés sans rien avoir à faire en échange. Quand notre partenaire nous donne des marques d'attention indépendamment de nos actions, notre besoin d'amour inconditionnel semble satisfait.

Un troisième bénéfice de l'exercice est d'aider les partenaires à voir que ce qui plaît à l'un est le résultat de son tempérament et de son expérience de la vic, et peut être totalement différent de ce qui plaît à l'autre. Souvent maris et femmes pourvoient à leurs propres besoins et désirs sans s'occuper de ceux de l'autre. Par exemple, une femme avec laquelle j'ai travaillé a fait beaucoup d'efforts pour organiser une surprise-partie pour les quarante ans de son mari. Elle a invité tous ses amis, a cuisiné ses plats préférés, a emprunté une pile de disques de *rock and roll* des années 60 et a organisé des animations. Pendant la fête, son mari a fait comme s'il s'amusait bien, mais quelques semaines plus tard, au cours d'une séance de thérapie, il a trouvé le courage de dire à sa femme que, au fond de lui, il s'était senti malheureux : « Je n'ai jamais aimé ce tralala autour de mon anniversaire, lui a-t-il dit. Tu le sais bien. Et surtout pas pour mes quarante ans. Ce que je voulais, c'était passer une soirée tranquille en famille avec toi et les enfants. Peut-être avec un gâteau maison et quelques cadeaux. C'est toi qui aimes ces grandes fêtes bruyantes ! »

Sa femme avait appliqué la règle d'or : « Fais aux autres ce que tu aimerais qu'on te fasse » un peu trop à la lettre. Elle avait, sans le vouloir, donné pour son mari une fête qui correspondait à ses goûts à elle, et non aux siens à lui. L'exercice de romantisation contourne ce problème en enseignant aux couples « faites aux autres ce qu'ils désirent qu'on leur fasse ». Cela transforme des comportements aléatoires en actes intentionnels destinés à satisfaire les désirs spécifiques de son partenaire.

Le dernier bénéfice de l'exercice de romantisation, c'est que lorsque les couples font régulièrement ces gestes intentionnels, non seulement ils améliorent l'aspect superficiel de leur relation mais ils commencent aussi à guérir de vieilles blessures. J'en ai un exemple dans mon histoire personnelle. Ma femme, Helen, et moi, pratiquons scrupuleusement les mêmes exercices que ceux que je demande à mes patients de faire, et l'exercice de romantisation en est un que nous avons fait tant de fois qu'il est devenu partie intégrante de notre couple : c'est quelque chose que nous faisons sans y penser. Une des choses que je demande à Helen de faire pour moi, c'est de « faire la couverture » avant que nous nous couchions. Cela remonte à une expérience que j'ai faite il y a quarante ans.

Après la mort de ma mère, j'ai été recueilli par ma sœur, Maize Lee. Elle n'avait que dix-huit ans à cette époque et était mariée depuis peu, mais elle a merveilleusement pris soin de moi. Une des choses qui me touchaient le plus, c'est qu'elle trouvait toujours le temps d'aller dans ma chambre avant que j'aille au lit pour « faire ma couverture » et poser sur ma table de nuit un verre de jus d'orange ou de lait. Aujourd'hui, quand Helen ouvre les draps avant que je grimpe dans le lit, je me rappelle Maize Lee et tout ce qu'elle a fait pour moi, et je me sens vraiment très aimé. À un niveau profond, ce geste simple recrée le lien vital parent-enfant. Je me sens de nouveau en sécurité et les blessures de mon enfance guérissent dans une relation adulte qui est devenue une zone d'amour.

La liste de surprises

Après avoir présenté l'exercice de romantisation à de nombreux couples, j'ai commencé à constater un étrange phénomène : au bout de quelques mois, le côté positif de cet exercice semblait s'estomper. Les couples suivaient fidèlement mes instructions mais ils n'éprouvaient plus le plaisir profond qu'ils avaient eu au début de l'exercice. Je me suis demandé si je ne devrais pas introduire le concept du *renforcement sélectif*. Ce concept, l'un des principes des sciences comportementales, est l'idée qu'un stimulus plaisant perd son efficacité s'il est répété de façon régulière et prévisible. En revanche, les récompenses aléatoires créent un climat d'incertitude et d'attente qui augmente l'impact de la récompense. Ce concept a été découvert fortuitement par un groupe de scientifiques qui dressait des animaux de laboratoire en leur donnant des petits morceaux de nourriture pour les récompenser. Un jour, le distributeur n'a pas fonctionné et les animaux n'ont pas été récompensés pour leurs efforts. Le jour suivant, l'appareil était réparé et l'horaire régulier de distribution rétabli. À la surprise des entraîneurs, les animaux étaient encore plus fortement motivés. En fait, un horaire aléatoire de récompenses améliorait leur performance.

Le phénomène de renforcement sélectif s'observe facilement dans la vie de tous les jours. La plupart des maris et femmes se font des cadeaux pour des occasions spéciales comme Noël ou des anniversaires. Ces cadeaux sont tellement habituels qu'ils sont presque considérés comme un dû. Bien que les présents soient appréciés, ils n'ont pas le même impact émotionnel qu'un cadeau surprise. Un béhavioriste dirait que la raison pour laquelle les cadeaux convenus ne sont pas aussi excitants, c'est parce que « le système psychoneurologique est désensibilisé au plaisir prévisible et répétitif ». Le même principe s'applique à l'exercice de romantisation. Quand les couples s'enferment toujours dans les mêmes comportements attentionnés — comme se masser le dos mutuellement avant d'aller au lit ou s'offrir un bouquet de fleurs tous les samedis —, ils commencent à en tirer moins de plaisir. Il faut une touche d'inattendu pour continuer à piquer leur intérêt.

Pour ajouter un élément de suspens, j'ai créé l'idée de la liste de surprises, laquelle représente un ensemble de gentillesses allant au-delà de ce que le conjoint a demandé. On compose la liste en étant attentif aux désirs et aux rêves de l'autre. Une femme qui aurait dit en passant à son mari qu'elle aimait une robe aperçue dans une vitrine se réjouirait de la retrouver suspendue dans son placard — à sa taille. Un homme qui aurait exprimé son intérêt pour Gilbert et Sullivan pourrait ouvrir son courrier et y trouver un mot d'amour de sa femme et deux billets pour un spectacle de Gilbert et Sullivan. Après que les couples ont ajouté des plaisirs inattendus de ce genre-là à leurs conduites attentionnées quotidiennes, les effets bénéfiques de l'exercice ont continué à progresser.

Faire les fous ensemble

Avec le temps, j'ai ajouté une touche finale à l'exercice de romantisation. J'ai demandé aux couples non seulement de se faire des gentillesses et des surprises, mais aussi d'avoir des activités amusantes intenses chaque semaine. Celles-ci doivent être spontanées, pratiquées à deux comme les chatouilles, les massages, chahuter, se doucher ensemble, bondir ou danser. Les sports de compétition comme le tennis ne sont conseillés qu'à condition de pouvoir y jouer sans tension.

La raison pour laquelle j'ai intégré cet élément supplémentaire, c'est que la plupart des activités écrites sur la liste des comportements d'amour attentionné se trouvaient être des activités d'adultes, relativement passives ; ils avaient oublié comment faire les fous ensemble. Après avoir noté cette tendance, j'ai fait un sondage parmi tous mes patients et j'ai découvert que, en moyenne, ils passaient à peu près dix minutes par semaine à jouer et à rire ensemble. L'amélioration de cette sombre statistique est devenue l'une de mes priorités, parce que je savais que, lorsque des partenaires ont des fous rires ensemble, ils s'identifient comme étant une source de plaisir et de sécurité l'un pour l'autre, ce qui intensifie leur lien affectif. Quand le vieux cerveau enregistre un courant d'énergie positive, il sait que cette activité est liée à la vie et à la sécurité, et les conjoints commencent à se connecter l'un à l'autre à un niveau inconscient plus profond.

La peur du plaisir

Ayant ajouté les notions *liste de surprises* et *faire les fous ensemble*, j'avais maintenant un outil efficace pour aider les couples à commencer la thérapie sur une note positive. Mais, comme tout ce qui vise à la croissance personnelle, cette idée simple était souvent accueillie avec réticence. On peut s'attendre à un certain degré de résistance. Quand un mari et une femme se traitent en ennemis depuis cinq ans, cela leur semblera étrange de recommencer à s'écrire des mots d'amour. L'exercice sera ressenti comme artificiel et forcé (et, bien sûr, il l'est), et, pour le vieux cerveau, tout ce qui n'est ni routinier ni accoutumé ne semble pas naturel. La seule façon d'atténuer cette résistance automatique au changement est de répéter une nouvelle conduite suffisamment pour qu'elle commence à devenir familière et, par conséquent, sécurisante.

Cependant, la résistance a une source plus profonde qui est, paradoxalement, la peur du plaisir. À un niveau conscient, on se met en quatre pour chercher le bonheur. Pourquoi alors en avons-nous peur ? Pour comprendre cette réaction, nous devons nous rappeler à quel point nous avons du plaisir à nous sentir pleins de vie et profondément heureux. Quand nous étions enfants, notre énergie vitale n'avait pas de borne et nous vivions dans une joie intense. Mais cette vitalité a été limitée et redirigée pour faire de nous des êtres sociaux. Notre plaisir a été entravé par exigence de sécurité et de conformité aux normes sociales ainsi que pour éviter de perturber les normes de répression de nos éducateurs. À partir du moment où ces limites nous ont été imposées, parfois de façon punitive, nous avons commencé à associer paradoxalement le plaisir à la douleur. Si nous avons éprouvé du plaisir sous certaines formes ou peut-être de manière intense, nous avons été ignorés, réprimandés ou punis. À un niveau inconscient, ce stimulus négatif a déclenché la peur de la mort. En fin de compte, nous avons limité notre propre plaisir pour être en mesure de réduire notre anxiété. Nous avons appris qu'il était dangereux de vivre pleinement.

Cependant, selon l'étrange logique des enfants, nous n'avons blâmé ni nos parents ni la société pour l'association du plaisir à la douleur, cela nous est simplement apparu comme étant notre lot. Nous nous sommes dit : « Si mes parents ont limité mon plaisir, c'est que je ne le méritais pas. » D'une manière ou d'une autre, il était plus sécurisant de croire que nous étions foncièrement indignes plutôt que de penser que nos parents étaient incapables de répondre à nos besoins affectifs ou avaient délibérément entravé notre bonheur. Peu à peu, nous avons développé un dispositif d'interdits contre le plaisir.

Les gens qui ont été fortement réprimés ont tendance à trouver l'exercice de romantisation particulièrement difficile. Ils ont du mal à formuler leurs demandes et ils sabotent les efforts que fait leur partenaire pour les satisfaire. Par exemple, un de mes patients, un homme qui avait peu d'estime de soi, a écrit sur sa liste qu'il désirait que sa femme lui fasse un compliment par jour. C'était facile à faire pour sa femme parce qu'elle pensait qu'il avait beaucoup de qualités admirables. Mais quand elle essayait de lui faire un compliment par jour, il la contredisait immédiatement ou expliquait pourquoi le compliment était sans valeur. Si elle venait à dire quelque chose comme « j'aime bien la façon dont tu as parlé à notre fils Robbie, l'autre soir », il annulait par une autocritique : « Oui, bon. Je devrais le faire plus souvent. Je ne passe jamais assez de temps avec lui. » Entendre un compliment créait une tension intérieure incompatible avec l'image qu'il avait de lui-même. Il était si fortement déterminé à maintenir cette opinion négative de lui-même que j'ai dû lui apprendre à répondre systématiquement aux réflexions gentilles de sa femme par un simple « merci » et rien de plus.

J'ai eu, parmi mes patients, un homme dont la résistance à l'exercice de romantisation s'est manifestée différemment : il semblait tout simplement incapable de comprendre les directives. « Dr Hendrix, m'a-t-il dit après la deuxième séance qui avait été consacrée à l'explication de l'exercice, je ne pige toujours pas. Maintenant, je fais quoi ? » J'ai recommencé mes explications, m'assurant que c'était bien clair. Je savais, cependant, que son manque de compréhension cachait une incapacité à demander quelque chose d'agréable. Pour l'aider à surmonter son blocage émotionnel, je lui ai dit que, même si le fait de demander à sa femme de lui dire des choses agréables ne profitait en apparence qu'à lui, c'était aussi une façon pour sa femme d'apprendre comment devenir plus aimante — ce qui était vrai. Dans ce contexte, où il s'est senti moins égoïste, il a vite compris l'exercice. Il a été capable de faire une trêve avec le démon intérieur qui lui disait qu'il était indigne d'être aimé. Il a sorti un stylo et, au bout de quelques minutes, il avait une liste de vingt-six choses qu'il aimerait qu'elle fasse pour lui.

Celui qui s'isole a souvent des difficultés à faire cet exercice. Il veut coopérer mais il est incapable de penser à quelque chose que l'autre ferait pour lui ; il semble n'avoir ni besoins ni désirs. Ce qu'il fait en réalité, c'est qu'il se cache derrière un bouclier psychique érigé pendant l'enfance pour se protéger de parents autoritaires. Ces personnes ont compris très tôt dans leur vie qu'une façon de maintenir leur autonomie face à des parents envahissants était de garder leurs pensées et leurs sentiments pour eux. En privant leurs parents de ces informations précieuses, ils les empêchaient un peu d'envahir leur espace. Avec le temps, beaucoup de ces personnes qui s'isolent font l'acte ultime de dissimulation en se cachant à eux-mêmes leurs propres sentiments. En fin de compte, mieux vaut ne rien savoir.

Ainsi que je l'ai déjà mentionné, il arrive souvent que les personnes qui s'isolent recréent sans le vouloir les luttes de leur enfance en épousant quelqu'un qui fusionne et qui a un besoin inassouvi d'intimité. De cette façon, elles perpétuent ce conflit qui les a minées dans l'enfance — non pas une répétition inutile du passé ni une dépendance névrosée à la souffrance, mais un acte inconscient visant à résoudre des besoins humains fondamentaux. Quand un couple composé d'une personne qui s'isole et d'une personne qui fusionne fait cet exercice, il en résulte une dichotomie prévisible. Celui qui s'isole formule péniblement une ou deux requêtes, tandis que celui qui fusionne écrit frénétiquement une longue liste de « je veux ». Pour l'observateur ordinaire, il semble que celui qui s'isole ait une autosuffisance avec peu de besoins et que celui qui fusionne ait des désirs illimités. De fait, le besoin d'amour et d'attention est identique chez les deux partenaires. Simplement, il se trouve que l'un d'entre eux en est plus conscient que l'autre.

Quelle que soit la raison pour laquelle une personne oppose une résistance à cet exercice, ma prescription est la même : « Continuez à faire l'exercice tel qu'il est décrit. Même s'il engendre de l'angoisse, continuez. Insistez avec encore plus de persévérance qu'avant. Tôt ou tard votre anxiété disparaîtra. » Avec assez de temps et assez de répétitions, le cerveau peut s'adapter à une réalité différente. La personne qui a une faible estime d'elle-même se construit progressivement une identité plus positive. Celui qui s'isole a une chance de découvrir que partager des désirs secrets ne compromet pas son indépendance. La peur de conduites nouvelles fait place aux plaisirs qu'elles stimulent et elles commencent à s'associer à la sécurité et à la vie. Cet exercice de comportements d'amour attentionné devient un outil confortable et fiable de croissance personnelle.

Changer de comportement

L'exercice de romantisation et d'autres exercices du même genre [1] que vous lirez dans les chapitres à venir m'ont convaincu que le développement de la sagesse et le changement de comportement sont des alliés puissants. Cela ne suffit pas, pour un homme et une femme, de comprendre les motivations inconscientes du mariage. La compréhension à elle seule ne guérit pas les blessures d'enfance. Et il n'est pas non plus suffisant d'introduire des changements de comportement dans une relation ; à

---

1. Voir exercice 10, *La liste des surprises*, p. 250, et exercice 11, *Rire de bon cœur ensemble*, p. 250.

moins de comprendre les raisons de ces comportements, les couples ne font l'expérience que d'un épanouissement limité. L'expérience m'a enseigné que la thérapie la plus efficace était celle qui combinait les deux écoles de pensée. À mesure que vous comprenez davantage vos motivations inconscientes et que vous mettez cet acquis en pratique, vous pouvez créer une relation plus consciente et finalement plus gratifiante.

Chapitre IX

CONNAÎTRE L'AUTRE,
SE CONNAÎTRE SOI-MÊME

Et vous connaîtrez la vérité,
Et la vérité vous affranchira.
Jean 8 : 32.

Bien que nous admettions tous que nos partenaires aient leurs propres points de vue et que leurs perceptions soient valables, au niveau émotionnel nous acceptons mal cette simple vérité. Nous aimons croire que notre façon de voir le monde est le monde tel qu'il est. Quand nos partenaires ne sont pas d'accord avec nous, nous sommes tentés de penser qu'ils sont mal informés ou qu'ils déforment la réalité. Comment peuvent-ils se tromper à ce point ?

Certaines personnes sont particulièrement ancrées dans leur propre vision du monde. C'était particulièrement le cas d'un de mes patients qui s'appelait Gene. Directeur d'une entreprise florissante, il était très brillant et habitué à dominer son entourage par son intelligence. Il éclipsait complètement son épouse, Judy, une femme gentille, au grand cœur, qui s'asseyait à côté de lui la tête baissée et les épaules voûtées, telle une enfant punie.

Durant les premières séances de thérapie, l'un de mes objectifs fut de donner des forces à Judy pour qu'elle trouve le courage d'exprimer ses opinions à un mari imposant. (Dans les manuels de psychologie, cela s'appelle *instauration de l'équilibre thérapeutique*). Habituellement à peine ouvrait-elle la bouche que Gene fondait sur elle et réfutait ce qu'elle venait de dire. « C'est un mensonge, ce n'est absolument pas vrai », tempêtait-il. Ensuite il se lançait dans la défense de son point de vue. Sa conclusion était invariablement la même : « Ce n'est pas uniquement mon avis, Dr Hendrix. Il se trouve que c'est la pure vérité. » Et je voyais bien qu'il croyait vraiment que son point de vue était le seul valable, qu'il était le seul à avoir prise sur la réalité.

Inutile pour moi d'essayer de le convaincre qu'il manquait d'ouverture d'esprit ; il aurait détourné la conversation pour en faire un débat d'expert et nul doute qu'il aurait gagné. Cependant, au début de notre huitième séance, une idée a surgi dans mon esprit. Judy venait juste d'avancer une opinion à propos d'une rencontre récente entre Gene et son père. Gene, son beau-père et elle étaient sortis dîner tous les trois et son beau-père avait dit à Gene quelque chose qui avait blessé son orgueil. Judy avait le sentiment que le père de Gene avait essayé d'adresser à son fils une critique constructive tandis que Gene avait le sentiment que son père avait été malveillant et cruel. « Une fois de plus, tu as tort, Judy, lui a-t-il rétorqué, tu es aveugle ou quoi ? »

J'ai interrompu leur conversation. Je leur ai demandé de mettre de côté leur divergence d'opinion pour un temps et d'écouter une cassette de musique classique que j'avais dans mon bureau, un enregistrement de la *Sonate pour violon en la,* de Franck. J'ai mis la cassette dans l'appareil et je les ai invités à écouter la musique en notant bien toutes les images qui leur venaient à l'esprit. Ma demande les a surpris et j'ai senti une certaine impatience chez Gene : comment allaient-ils pouvoir résoudre leur problème en écoutant de la musique ? Toutefois Gene avait maintenant suffisamment confiance en moi pour me laisser conduire la séance de thérapie. Il s'est dit qu'il devait y avoir une bonne raison pour expliquer une requête aussi inattendue.

Nous nous sommes installés tous les trois pour écouter la musique. J'ai arrêté la cassette après le second mouvement et, sachant fort bien que je marchais en terrain miné, je leur ai demandé ce qu'ils pensaient de la musique.

Gene a parlé le premier.

« Quel beau morceau, a-t-il dit. C'était très lyrique. J'ai particulièrement aimé le violon dans le premier mouvement. » Il a fredonné quelques mesures et j'ai été impressionné par sa capacité à mémoriser les notes et à les restituer dans le ton. Entre autres qualités, il avait apparemment l'oreille absolue. « Quelle mélodie magnifique, a-t-il poursuivi. Je ne saurais pas dire pourquoi, mais l'image qui m'est venue est celle de l'océan. Quelque chose dans cette musique m'a rappelé une sonate de Debussy. Même si Franck est moins impressionniste, il a la même sensualité. Ce doit être l'héritage français. »

Je me suis tourné vers Judy et lui ai demandé son avis.

« C'est drôle, a-t-elle murmuré d'une voix si faible qu'il m'a fallu tendre l'oreille pour l'entendre, j'ai perçu cette musique différemment. » Elle s'est enfoncée dans le fauteuil de cuir, sans vouloir en dire davantage. Comment aurait-elle pu se mesurer à la critique érudite de son mari ?

« Dites-moi ce que vous avez vu là-dedans, Judy, ai-je insisté. J'aimerais savoir à quoi ça vous a fait penser vous aussi.

— Eh bien, a-t-elle dit en s'éclaircissant la voix, cette musique m'a fait l'effet d'une tempête. Particulièrement la partie de piano. Tous ces accords… j'ai eu l'image de nuages noirs et de vent, et d'un ciel assombri.

— Chérie, qu'est-ce qui te fait penser que c'était si dramatique ? a demandé Gene du ton de supériorité qu'il réservait à sa femme. Je me suis presque endormi. C'était tellement apaisant. Écoute de nouveau plus attentivement, Judy, et tu verras ce que je veux dire. Cela doit être un des morceaux les plus lyriques jamais écrits. Vous n'êtes pas d'accord, Dr Hendrix ? (Comme beaucoup de gens, il passait pas mal de temps à essayer de rallier son thérapeute à sa façon de voir les choses.)

— Oui, Gene, je suis d'accord, ai-je admis pour l'obliger. J'ai ressenti une douceur dans la musique, une qualité romantique parfois très apaisante. » Puis me tournant vers Judy : « Mais je suis aussi d'accord avec vous, Judy. Il y avait des passages qui semblaient avoir un côté vraiment passionné et dramatique. Je crois que je suis d'accord avec vous deux. »

Gene s'est mis à tapoter des doigts les accoudoirs du fauteuil.

« J'ai une idée, ai-je dit. Pourquoi ne pas écouter de nouveau la cassette, mais cette fois, j'aimerais que chacun de vous essaye d'envisager le point de vue de l'autre. Gene, je veux que vous recherchiez la tension dramatique ; et vous, Judy, voyez si vous pouvez trouver les touches poétiques plus légères. »

J'ai rembobiné la bande et ils ont écouté le morceau pour la deuxième fois. De nouveau je leur ai demandé leur opinion. Cette fois-ci, Gene et Judy ont tous deux entendu dans la sonate des qualités qui leur avaient d'abord échappé. Gene a fait une observation intéressante. La première fois qu'il avait écouté la sonate, il avait été instinctivement attiré par le violon. Et quand il s'est forcé à faire plus attention au piano, il a pu voir pourquoi Judy et lui avaient eu des réactions initiales si différentes.

« Oui, il y a une grande tension dans la musique, a-t-il concédé, particulièrement dans les arpèges de piano au début du deuxième mouvement. C'est un beau passage qui m'avait échappé la première fois. Je devais avoir l'esprit ailleurs. Je peux comprendre qu'on ait pu ressentir la musique comme une tempête. »

Entre-temps Judy avait pu comprendre la première impression de Gene. La musique lui avait semblé moins oppressante la deuxième fois. « Il y a de jolis passages calmes, a-t-elle dit. En fait, tout le premier mouvement est assez retenu. »

En écoutant la musique du point de vue de l'autre, ils avaient appris que la sonate était un morceau plus riche qu'aucun d'eux ne l'avait perçu tout d'abord. Il y avait des passages sereins et des passages dramatiques ; c'était complexe, à facettes multiples.

« Je me demande ce qui se passerait si on pouvait demander aux musiciens leurs impressions, s'est demandé Gene, et ensuite parler à un musicologue ? Je parie que chacun ajouterait beaucoup à la musique. La sonate acquerrait de plus en plus de profondeur. »

J'étais on ne peut plus content de la tournure que prenait la conversation. J'avais fait le bon pari.

« C'est exactement ce que j'espérais, lui ai-je dit. C'est le but de cet exercice. Si chacun de vous regardait les choses avec la même ouverture d'esprit, vous réaliseriez deux choses : la première, c'est que chacun de vous a un point de vue valable ; la seconde, c'est que la réalité est plus large et plus complexe que vous n'en aurez ni l'un ni l'autre jamais connaissance. Le mieux que vous puissiez faire c'est avoir une certaine impression du monde — en y ajoutant de plus en plus de "photos" qui vous rapprochent de la vérité. Mais une chose est certaine : si vous respectez les points de vue de l'autre, en réalisant qu'ils enrichissent les vôtres, vous serez capable de prendre des photos de plus en plus nettes et précises. »

Observant cette nouvelle ouverture d'esprit, j'ai incité Gene et Judy à reprendre la discussion concernant les propos échangés entre Gene et son père. Gene a pu entrevoir l'idée que la critique de son père partait d'un bon sentiment. Peut-être avait-il été aveugle aux bonnes intentions de son père de la même manière qu'il l'avait été pour la partie de piano de la sonate de Franck. Judy, à son tour, a mesuré plus justement l'ampleur de la tension qui existait depuis longtemps entre le père et le fils. Quand elle s'est remémorée la conversation du dîner dans ce contexte tendu, elle a compris pourquoi son mari avait paru démoli par ce qui lui semblait, à elle, être une remarque ordinaire bien intentionnée. Et voilà qu'ils avaient soudainement une vision binoculaire et non plus monoculaire.

Des sources cachées de connaissance

Lorsque vous acceptez la nature limitée de votre perception et devenez plus réceptif à la vérité de votre partenaire, tout un monde s'ouvre à vous. Au lieu de voir les différences de points de vue de votre partenaire comme une source de conflits, vous réalisez qu'elles sont une source de connaissance : « Qu'est-ce que tu vois que je ne vois pas ? », « qu'est-ce que tu as appris qu'il me reste encore à apprendre ? » Le mariage vous donne l'occasion de continuer à évoluer dans votre propre réalité et dans celle de l'autre. Chacune de vos interactions contient un grain de vérité, une part de sagesse, un regard sur votre moi caché et votre complétude. En augmentant vos connaissances, vous créez l'amour véritable, un amour fondé sur votre vérité et celle de votre partenaire, et non plus sur une illusion romantique.

Au chapitre VI, nous avons parlé d'un certain nombre de connaissances spécifiques à approfondir. Vous devez prendre davantage conscience de ce que vous attendiez secrètement du mariage, de vos traits de caractère désavoués, du monde intérieur de votre partenaire et du potentiel de guérison de vos blessures d'enfance au sein de votre relation. Comme vous pouvez le voir dans notre bref regard sur la relation de Judy et Gene, l'acquisition de cette information dépend dans une large mesure de la bonne volonté que vous mettez à valoriser les points de vue de l'autre et à en apprendre quelque chose. Dès lors que chacun d'entre vous affiche un désir d'élargir sa conception personnelle du monde, les détails de la vie quotidienne deviennent une mine de renseignements.

Les critiques verbalisées ou non de votre partenaire représentent un terrain particulièrement riche d'où extraire ces renseignements cachés : « Tu ne rentres jamais à l'heure », « je ne peux jamais compter sur toi », « si tu pensais à moi pour changer ? », « tu es tellement égoïste. » Sur le moment, vous croyez que c'est une description exacte de votre partenaire. Mais à la vérité ce sont souvent des descriptions de parties de vous-même.

Considérez le couple type suivant pour comprendre comment

un reproche continuellement répété augmente nos connais-sances.

Imaginons une femme critiquant sans cesse son mari parce qu'il manque d'organisation. « Tu es toujours désorganisé ! Je ne peux jamais compter sur toi ! »

Quand son mari lui demande de citer des exemples concrets, elle rétorque : « Tu n'es pas fichu de planifier des vacances. Tu oublies toujours quelque chose d'essentiel quand on va camper. Tu ne te rappelles jamais l'anniversaire des enfants. Et tu laisses toujours le bazar quand tu fais la cuisine. »

Il n'est pas étonnant que cet homme oppose automatiquement à ces critiques en bloc un déni total suivi d'une contre-attaque : « Ce n'est pas vrai. Tu exagères. C'est toi qui es plus désorga-nisée que moi ! »

Comment cet argument virulent peut-il se transformer en ren-seignements utiles ? Tout d'abord, le mari apprendrait quelque chose sur lui-même s'il acceptait que la critique de sa femme contient un élément de vérité. Beaucoup de gens sont forts pour repérer les points faibles de leurs partenaires. Malheureusement, ils présentent cette information de valeur comme une accusa-tion, réveillant immédiatement les défenses du partenaire. Si cet homme était capable de mettre de côté sa réaction défensive, il verrait qu'il y a en fait bien des aspects de sa vie mal organisés ; ce qui le blesse dans la critique, c'est qu'elle est vraie. S'il pou-vait accepter la véracité des remarques de sa femme, il prendrait mieux conscience de l'un de ses traits de caractère désavoués. Cela éliminerait son besoin de projeter ce trait sur sa femme et lui fournirait les données nécessaires à sa croissance personnelle et à son changement.

On peut exprimer sous forme de principe général cette obser-vation selon laquelle la critique cache des renseignements.

Principe n°1 : *La plupart des critiques que vous adresse votre partenaire ont un fondement réel.*

Qu'est-ce que ce couple apprendrait d'autre du scénario ci-dessus ? Si la femme avait l'esprit ouvert, elle apprendrait des choses importantes sur ses propres blessures d'enfance. Elle le ferait d'une manière simple. D'abord, elle écrirait sa critique sur un bout de papier : « Tu es toujours si désorganisé ! » Elle répon-drait ensuite aux questions suivantes : « Qu'est-ce que je ressens quand mon partenaire agit de la sorte ? Quelles pensées me traversent l'esprit ? Quel sentiment plus profond sous-tend mes pensées et mes sentiments ? Ai-je jamais eu ces pensées et ces sentiments lorsque j'étais enfant ? »

À travers cette analyse simple, elle serait en mesure de déterminer si, oui ou non, les comportements de son mari réveillent en elle des souvenirs marquants. Supposons que l'exercice aide cette femme à découvrir que ses propres parents étaient toujours mal organisés et avaient peu de temps ou d'énergie pour prêter attention à ses besoins. Il n'est pas étonnant que, lorsque son mari agit de cette manière, elle ressente la même peur que naguère. Par conséquent, enfoui dans la critique qu'elle adresse à son mari, se trouve le cri plaintif de l'enfant : « Pourquoi n'y a-t-il personne pour prendre soin de moi ? » Ceci nous amène à un deuxième principe général.

Principe n°2 : *Beaucoup de vos critiques émotionnelles répétées envers votre partenaire sont une façon cachée d'exprimer vos besoins inassouvis.*

On tirera un autre renseignement d'une telle critique, un renseignement qui exige habituellement un grand débat intérieur. Il est possible que la critique de la femme envers son mari soit valable aussi pour elle. En d'autres termes, quand elle reproche à son mari d'être désorganisé, elle l'est tout autant. Pour savoir si c'est vrai, elle pourrait se poser cette question d'ordre général : « Dans quelle mesure ma critique envers mon mari est-elle vraie pour moi également ? » Elle ne devrait pas perdre de vue que sa façon d'être désorganisée peut être totalement différente de celle de son mari. Elle est capable, par exemple, de maintenir une cuisine impeccable et d'être géniale pour organiser les vacances — là où il a des problèmes —, mais d'avoir des difficultés pour organiser ses priorités au travail ou gérer le budget familial. Dans cette nouvelle optique, elle serait à même de déterminer si oui ou non elle avait tenté d'exorciser une partie négative d'elle-même, en l'extériorisant, la projetant sur son partenaire, puis la critiquant. Si elle découvrait que c'était le cas, elle aurait le renseignement lui permettant de distinguer ses propres traits négatifs de ceux de son mari — « Je suis désorganisée de cette façon-ci ; mon partenaire l'est de cette façon-là. » En termes psychologiques, elle « récupérerait » ce trait de caractère négatif et « retirerait » ses projections. Jésus l'a dit de façon plus poétique : « Enlève la poutre que tu as dans l'œil pour voir la paille qui est dans l'œil de ton frère. » Cela nous mène à une troisième observation concernant la critique.

Principe n°3 : *Certaines de vos critiques émotionnelles répétées envers votre partenaire peuvent être une description exacte d'une partie désavouée de vous-même.*
Souvent, quand une critique récurrente n'est pas une description d'une partie désavouée de soi, elle est une description d'un autre aspect inconscient, le *moi perdu*. Si cette femme scrutait sa conduite et se découvrait superbement bien organisée dans tous les aspects de sa vie, la critique envers son mari serait peut-être un désir inconscient qu'il soit moins bien organisé, plus décontracté, souple et spontané. Quand elle reproche à son mari une conduite insouciante, c'est peut-être qu'elle jalouse inconsciemment sa liberté. Quand les partenaires se critiquent mutuellement d'être trop pleins de vie, trop sexy, trop enjoués, trop absorbés par le travail, ils sont souvent en train d'identifier des sphères sous-développées ou réprimées dans leur psyché. Nous en arrivons ainsi à notre quatrième et dernier principe.

Principe n°4 : *Certaines des critiques envers votre partenaire pourraient vous aider à identifier votre moi perdu.*
Au prochain chapitre, dans un exercice nommé *stretching*[1], je montrerai comment utiliser la connaissance tirée de vos critiques mutuelles et la convertir en un processus de croissance personnelle efficace.

Comprendre le monde de votre partenaire

Examiner les critiques que vous faites à votre partenaire s'avère un excellent moyen de mieux vous connaître. Et comment mieux connaître le monde de votre partenaire ? La réponse est : en améliorant vos canaux de communication. Depuis le début de votre relation, votre partenaire passe des heures et des heures à exprimer ses pensées, ses sentiments, ses désirs, mais vous n'enregistrez qu'une partie de ces informations. Pour approfondir votre connaissance de la réalité subjective de votre partenaire, vous avez besoin de vous entraîner à communiquer de façon plus efficace.

---

1. Voir exercice 12, *Se dépasser*, p. 251.

Pour y parvenir, il est utile d'avoir quelques notions de sémantique : bien que votre partenaire et vous-même parliez la même langue, chacun de vous donne aux mots un sens particulier. Ayant grandi dans des familles différentes avec des expériences différentes, vous avez acquis un lexique personnel. Voyons par exemple ce que ces mots tout simples, « on va faire une partie de tennis ? », peuvent signifier dans deux familles différentes. Dans la famille A, cela signifie implicitement : « On attrape la première raquette venue, on va à pied au parc le plus proche et on échange des balles jusqu'à ce que l'un de nous en ait assez. » Les règles sont secondaires ; c'est l'exercice physique qui compte. Mais, dans la famille B, « on va faire une partie de tennis » a un sens complètement différent. Cela veut dire : réservons un court intérieur dans un club privé, prenons nos raquettes à deux cents dollars, et faisons une partie compétitive sans concession jusqu'à ce que le meilleur gagne. » Mark, élevé dans la famille A sera déconcerté par l'agressivité et la détermination de Susan, élevée dans la famille B.

Pour Marc et Susan, la connotation de la phrase « il faut qu'on discute de ça » fournirait un exemple moins trivial. Le fait est que, dans la famille de Susan, « il faut qu'on discute de ça » signifie : « Tous les adultes sont assis autour de la table et discutent leurs points de vue différents de façon calme et pondérée jusqu'à ce qu'ils s'entendent sur un plan d'action. » Dans la famille de Mark, les mêmes mots signifient : « C'est un sujet qu'on va aborder brièvement et qu'on mettra en veilleuse jusqu'à nouvel ordre. » L'approche moins formelle de la famille de Mark sous-entend la philosophie selon laquelle même les problèmes les plus graves se résolvent d'eux-mêmes. Quand Susan propose à Mark de « parler » des mauvaises notes de leur fils à l'école, Mark dit quelques phrases et allume la télévision, ce qui la rend furieuse. Mark, à son tour, tombe des nues quand Susan claque la porte et ne revient pas avant plusieurs heures. Qu'est-ce qu'il a fait ? Ce qu'il a fait : il a cru que sa femme parlait le même langage que lui.

Outre les problèmes de langage particuliers à chacun, il y a d'autres barrages de communication. Le mécanisme le plus courant est sans doute le déni : vous refusez simplement de croire ce que dit votre partenaire. Je pense à un cas que j'ai vu récemment. Joseph et Amira sont venus à l'un de mes ateliers. Joseph est un journaliste âgé de quarante ans, Amira une actrice de téléfilms âgée de vingt-cinq ans. Ils sont tous deux charmants et accomplis. Le samedi soir, à peu près à la moitié du séminaire, la source majeure de leur conflit a commencé à apparaître. Dans un moment de discussion, Joseph a exprimé son désir profond de fonder une famille : « Je vais être assez vieux pour être grand-père avant même d'être père », s'est-il lamenté. Mais Amira désirait attendre. Sa carrière démarrait juste et elle ne voulait pas s'arrêter avant l'âge de trente-cinq ans pour avoir un bébé. Elle s'est défendue en précisant qu'avant de se marier elle avait dit à Joseph qu'elle ne voulait pas fonder une famille tout de suite. « Pour moi, c'était très clair et je le lui ai répété maintes et maintes fois. Mais il ne m'écoutait pas. J'aurais dû porter un tee-shirt avec écrit en gros : "Je ne suis pas prête pour avoir un enfant." » Joseph a reconnu qu'Amira lui avait clairement expliqué son point de vue, mais il s'était convaincu qu'elle ne pensait pas ce qu'elle disait. « J'étais sûr qu'elle se racontait des histoires. Comment être actrice dans un roman-feuilleton pouvait-il être plus important qu'être mère ? » C'était si urgent pour lui d'avoir des enfants qu'il avait balayé les priorités de sa femme.

Nous avons tous un certain nombre de points sensibles enfouis dans nos relations, là où ce que nous attendons de notre partenaire entre en conflit avec la réalité. Quand le comportement de nos partenaires s'oppose à notre propre intérêt, nous avons tout un arsenal pour nous aider à maintenir nos illusions. Nous pouvons les condamner : « Tu es méchant, (ingrat, insensible, grossier, stupide, rancunier, ignare, vulgaire, rétrograde) de penser ça. » Nous pouvons les « éduquer » : « C'est pas vraiment ce que tu penses, ce que tu penses vraiment, c'est… » Nous pouvons les menacer : « Si tu ne changes pas d'avis, je… » Nous pouvons les ignorer : « Hum… Très intéressant. Comme je le disais… » Ou nous pouvons les analyser : « La raison pour laquelle tu as ces idées et ces sentiments insupportables, c'est que, il y a des années, ta mère… » Dans toutes ces réponses, ce que nous sommes en train de faire, c'est essayer d'amoindrir la perception que l'autre a de lui-même et de la remplacer par des illusions qui nous arrangent. Malheureusement, c'est exactement ce qui est arrivé à notre partenaire dans son enfance. Ses parents lui ont répété sur tous les tons : « Tes sentiments ne sont pas tous valides. Seuls certains de tes sentiments et de tes comportements sont autorisés. » Au lieu d'aider nos partenaires à réparer ces dégâts émotionnels, nous ajoutons d'autres blessures.

Le dialogue de couple

Le *dialogue de couple* est un exercice en trois parties[1] qui est une base indispensable à l'élaboration d'un mariage conscient. Premièrement, cela focalise votre attention sur les mots mêmes qu'emploie votre partenaire. La plupart d'entre nous écoutons rarement ce que disent les autres. Alors que nous devrions écouter, nous répondons à l'impact de ce que nous venons d'entendre. En d'autres termes, nous sommes à l'écoute de nos propres réactions. Quand vous réussissez à vous focaliser sur les paroles de votre partenaire, vous augmentez vos chances d'en comprendre le sens. Deuxièmement, quand vous vous engagez dans un dialogue avec votre partenaire et que vous écoutez attentivement ses paroles en cherchant à en comprendre le sens, vous découvrez que vous vivez avec quelqu'un d'autre dont l'expérience intérieure est la plupart du temps différente de la vôtre. Selon Martin Buber, philosophe juif du début du XXᵉ siècle, votre relation à l'autre, initialement de la forme « moi et ça », devient « moi et toi ». Il est essentiel de réaliser que vous vivez avec une autre personne qui n'est pas un prolongement de vous-même. Ne pas le reconnaître constitue la principale source de conflits entre vous. Enfin, la pratique régulière du dialogue de couple, particulièrement quand vous êtes en conflit, crée un lien émotionnel profond entre votre partenaire et vous-même. Quand ce dialogue atteint cette profondeur, cela devient une expérience spirituelle.

Les trois parties du dialogue de couple s'appellent *le miroir*, *la validation* et *l'empathie*.

• LE MIROIR

Commençons par la première étape, celle du miroir, une technique de communication directe couramment utilisée dans les thérapies de couple. Quand l'un de vous a quelque chose d'important à dire, vous exprimez votre pensée ou votre sentiment par une courte phrase commençant par « je ». Par exemple : « Je n'ai pas de plaisir à cuisiner pour toi tous les soirs alors que tu n'as pas l'air d'apprécier tous les efforts que je fais. » Votre partenaire reformule la phrase avec ses propres mots et vous demande ensuite s'il

---

1. Voir exercice 7, *Le dialogue du couple*, p. 244.

a bien compris le message : « Si j'ai bien compris, ça t'est pénible de me faire le dîner tous les soirs si je n'en suis pas reconnaissant. C'est bien ça ? » Vous répétez le processus jusqu'à ce que votre partenaire comprenne tout à fait ce que vous voulez dire.

Puis votre partenaire va plus loin dans la conversation, demandant si vous n'avez rien d'autre à ajouter à ce sujet, avec l'expression usuelle : « Avez-vous autre chose que vous aimeriez me dire à ce sujet ? » Vous ajoutez alors autre chose au message que votre partenaire paraphrase et confirme. « Je passe au moins une heure à faire le dîner et je fais tout ce que je peux pour que ce soit bon et bien présenté. C'est décourageant pour moi quand tu manges sans rien me dire. » Vous poursuivez ce processus jusqu'à ce que vous soyez satisfaite d'avoir dit tout ce que vous aviez à dire et que votre partenaire vous ait bien entendue. Dans mon travail avec les couples, j'ai découvert que cet « autre chose ? » était l'une des clés de la réussite. Quand vous vous sentez encouragé à bien dire tout le fond de vos pensées ou de vos sentiments, vous donnez à votre partenaire assez d'informations pour commencer à comprendre votre point de vue. Ne partager qu'une ou deux phrases fournit rarement suffisamment de données.

Bien que l'étape du miroir soit un processus relativement simple, cela va tellement à l'encontre de ce que font les partenaires quand ils se parlent que cela requiert beaucoup de pratique. Voici un exemple des problèmes courants que les gens rencontrent dans le miroir. La conversation suivante a eu lieu dans un Atelier Imago, quand j'ai demandé à un couple de volontaires de parler d'un problème difficile comme ils l'auraient fait chez eux. Greg et Sheila, des jeunes qui ne vivaient ensemble que depuis quelques mois, ont accepté. Greg a commencé :

> « GREG : Sheila, ta fumée me dérange vraiment et j'aimerais que tu fasses plus attention quand tu fumes près de moi. »

Étant donné que je n'avais pas encore expliqué à Sheila et à Greg l'exercice du miroir, Sheila a suivi son instinct et s'est défendue automatiquement :

> « SHEILA : Tu savais bien que je fumais lorsque tu m'as demandé de vivre avec toi. Tu l'as accepté au début. Pourquoi est-ce que tu me critiques toujours ? Tu devrais m'accepter comme je suis. Tu sais bien qu'en ce moment j'essaye de moins fumer. »

Greg, en pilotage automatique, a monté d'un ton. La conversation prenait l'allure d'un match de tennis.

« GREG : Je reconnais que tu fais des efforts pour fumer moins. Mais je trouve intéressant que, quand on vient ici et qu'il y a un panneau : "interdit de fumer" dans la salle à manger, tu le respectes. Mais à la maison, je me sens imprégné de cette odeur de tabac qui pénètre partout.

SHEILA : Bon, mais ici je ne suis pas chez moi. Et dans ma propre maison, j'estime avoir le droit de fumer. »

Sheila avait prononcé cette phrase avec une certaine force et elle avait reçu quelques applaudissements du groupe. Le score était de zéro à quinze. Il était temps que j'intervienne.

« HENDRIX : D'accord, reprenons ça depuis le début et voyons si nous pouvons transformer l'affrontement en exercice de communication. Greg, voudriez-vous répéter votre première phrase ?

GREG : Je suis vraiment content que nous bâtissions un foyer ensemble, mais pour ce qui est de la cigarette, je n'avais pas réalisé à quel point ça allait être difficile pour moi quand nous nous sommes mis ensemble,

HENDRIX : D'accord. Maintenant j'aimerais que vous simplifiiez cette phrase pour qu'elle soit plus facile à comprendre.

GREG : Voyons… Ta cigarette me dérange. Je n'y avais pas pensé au début, mais ça me dérange.

HENDRIX : Bien. Sheila, je voudrais que vous reformuliez ce que Greg vient de dire en essayant de refléter ses sentiments et ses pensées, sans le critiquer ni vous défendre. Ensuite j'aimerais que vous demandiez à Greg si vous l'avez bien compris.

SHEILA : Je suis vraiment désolée que ma cigarette nuise à…

HENDRIX : Non, je ne vous demande pas de vous excuser. Seulement de refléter ce que Greg vient de dire, et de lui montrer que vous comprenez et que vous acceptez ses sentiments.

SHEILA : Est-ce qu'il pourrait répéter ce qu'il a dit ?

GREG : Ta cigarette me dérange. Je n'y avais pas pensé au début, mais ça me dérange.

HENDRIX : Maintenant, essayez de refléter ça chaleureusement en montrant que vous êtes réceptive.

SHEILA : Je crois que je préférerais m'arrêter de fumer *(le groupe éclate de rire)*.

HENDRIX : Respirez un grand coup et pensez qu'une de vos habitudes l'incommode. Plutôt que de prendre ça comme une critique de votre habitude, pensez au désir que vous avez concernant son bien-être. À tort ou à raison, il se sent incommodé et vous n'y êtes pas insensible. Je sais que c'est dur à faire devant tous ces gens et je sais que c'est quelque chose qui vous tient à cœur.

SHEILA : Ce que je pourrais faire…

HENDRIX : Non, n'essayez pas de résoudre le problème ! Vous devez simplement paraphraser son message avec toute l'émotion qui est derrière, pour qu'il sache que vous comprenez ce qu'il ressent.

SHEILA : *(Elle respire profondément.)* D'accord. Je crois que je comprends maintenant. Ça t'incommode vraiment que je fume. Tu n'avais pas réalisé à quel point ça t'incommoderait avant qu'on vive ensemble. Maintenant ça te gêne beaucoup. C'est bien ce que tu es en train de dire ?

HENDRIX : Parfait. J'ai pu entendre dans votre voix un reflet de ce que Greg ressent. Vous êtes d'accord, Greg ? Est-ce qu'elle comprend bien ce que vous voulez dire ?

GREG : Oui ! C'est exactement ce que je ressens. Quel soulagement! C'est la première fois qu'elle a vraiment fait l'effort de m'écouter. »

Comme le montre la réaction de Greg, il y a une satisfaction énorme dans le simple fait d'être entendu, de savoir que votre message a été reçu exactement comme il a été envoyé. C'est un phénomène rare dans la plupart des mariages. Après avoir fait cette démonstration pour le groupe, j'ai renvoyé les couples dans leurs chambres pour qu'ils s'entraînent à émettre et à recevoir des phrases simples. Invariablement ils reviennent dans le groupe en disant que c'était une expérience nouvelle et stimulante. C'est un luxe tellement inattendu de recevoir de votre partenaire toute son attention.

• LA VALIDATION

Une fois que les couples sont compétents pour faire le miroir, je les encourage à passer à la deuxième étape du dialogue de couple : la validation. Dans la validation, ils apprennent à respecter la logique de l'autre. En substance, ils se disent l'un à l'autre : « Ce que tu dis a de la valeur pour moi. Je peux voir pourquoi tu penses comme ça. »

J'ai eu une première expérience inoubliable de l'efficacité de la validation quand j'étais jeune. En 1960, je travaillais à Louisville, dans le Kentucky, dans un hôpital psychiatrique auprès de malades schizophrènes. J'avais reçu très peu de formation. En gros, on m'avait dit : « Vas-y et fais comme tu peux pour établir des relations avec eux. » Avec le temps on m'a guidé davantage, mais durant les premières semaines j'ai pataugé. L'un des premiers patients avec qui j'ai tenté de faire connaissance était un homme émacié, dans la cinquantaine, que j'appellerai Léonard. Une chose dont je me souviens, c'est que c'était un fumeur invétéré. Mais la raison pour laquelle il m'a marqué toutes ces années, c'est qu'il se prenait pour Jésus.

« Salut Léonard, lui ai-je dit la première fois qu'on me l'a présenté. Je m'appelle Harville.

— Je suis Jésus, m'a-t-il répondu calmement en tirant sur sa cigarette, pas Léonard. »

J'ai été déconcerté, mais j'ai caché ma réaction. « Oh ! ai-je dit, j'ai étudié la théologie, j'ai donc une conception différente de Jésus. Mais je suis content de vous rencontrer. »

Au fil des jours, je me suis senti attiré par Léonard, principalement parce que sa conviction inébranlable d'être Jésus me fascinait. Je n'ai pas cherché à le dissuader parce que je me rendais compte que cela n'aurait servi à rien. J'ai juste étudié sa logique. En fin de compte, Léonard s'est senti assez bien avec moi pour commencer à me parler de voix intérieures qu'il entendait. Quand j'ai découvert exactement ce que les voix lui disaient et que ces voix étaient aussi réelles pour lui que les mots qui sortaient de ma bouche, il est devenu compréhensible pour moi qu'il se prenait pour Jésus. Je m'empresse d'ajouter que, moi, je ne pensais pas qu'il était Jésus, mais je pouvais voir pourquoi, lui, il pensait qu'il l'était. Cela se comprenait dans son monde à lui.

Un jour, je me suis décidé à appeler Léonard Jésus. Cela ne me paraissait pas être un blasphème. En fait, cela me semblait être une forme de respect. Pourquoi ajouter encore davantage de conflit dans sa vie quand sa tête était déjà un champ de bataille ? S'il pense, lui, qu'il est Jésus, je vais faire pareil.

Quand je l'ai rencontré ce matin-là, je lui ai dit : « Salut Jésus ! » À ma grande surprise, il m'a répondu : « Je ne suis pas Jésus. Je suis Léonard. » J'ai hésité un moment, puis j'ai bafouillé : « Mais pendant des semaines vous m'avez dit que vous étiez Jésus !

— Oui, a-t-il reconnu, mais mes voix me disent maintenant qu'avec vous je n'ai plus besoin d'être Jésus. »

Grâce à la validation, il avait fait un pas vers la raison. Au début de mon travail avec les couples, l'exercice de communication s'arrêtait au miroir. Je ne leur demandais pas de poursuivre en validant la logique des messages de l'autre. Avec l'expérience, j'ai commencé à réaliser que la validation était une étape vitale dans le processus.

Je me rappelle la première fois que j'ai demandé à un couple d'ajouter la validation au miroir. Il y a des années de cela, aussi certains détails sont-ils flous. Si je me souviens bien, les deux personnes, que j'appellerai Rita et Doug, avaient la quarantaine. Rita était institutrice et je pense que Doug travaillait dans une compagnie d'assurances. Leur problème central était leur incapacité à établir un lien affectif. Quand Rita essayait de parler de quelque chose d'important avec son mari, Doug répondait à contrecœur et puis, côté affectif, il s'éclipsait. Au fil du temps, j'ai appris qu'une des raisons pour lesquelles il se dérobait, c'est qu'il se sentait critique vis-à-vis d'elle et qu'il essayait d'éviter de la reprendre constamment. Mais, ce qui se comprend, sa réticence à répondre à Rita rendait celle-ci furieuse. Pour établir un semblant de cette relation à laquelle elle aspirait désespérément, elle élevait la voix et exagérait ses propos jusqu'à ce que finalement il réponde. En écrivant ceci, je revois presque la réaction de Doug aux colères de Rita. Au début, sa respiration était courte. Il se mettait à rougir. Puis il croisait les bras et s'écartait d'elle. Si Rita persistait assez longtemps, Doug finissait par réagir. Malheureusement, sa réponse, quand elle venait, était froide et accusatrice et ne servait qu'à mettre de l'huile sur le feu.

Pour les aider à casser ce moule, je leur ai appris l'exercice du miroir. Cela les a considérablement aidés en obligeant Rita à réduire son flot de paroles et Doug à rester en contact. Mais l'exercice n'a pas produit le genre de résultats que j'avais l'habitude d'obtenir. La communication entre eux s'est beaucoup améliorée, mais il y a eu peu de progrès dans leur sentiment d'être liés l'un à l'autre. En désespoir de cause, je me rappelle, un jour, m'être tourné vers Rita et lui avoir demandé : « Qu'est-ce que vous attendez de Doug qu'il ne vous a pas donné ? » Sa réponse fut immédiate : « Je veux qu'il me dise que mes paroles ont de la valeur. Que je ne suis pas dingue ! » J'ai eu un déclic. Rita ne voulait pas seulement être entendue. Elle voulait que sa façon de penser soit validée. Elle voulait que son mari lui dise que sa vision du monde était sensée. Je me suis tourné vers Doug pour lui demander s'il était prêt à ajouter une autre étape à l'exercice du miroir. Après avoir paraphrasé Rita correctement, accepterait-il de lui dire qu'il trouvait cela sensé. Doug a réfléchi un long moment, puis a demandé : « Mais si ce n'est pas le cas ? » J'ai précisé qu'il n'avait pas besoin d'être d'accord avec Rita ni d'abandonner son propre point de vue pour valider le sien, il avait juste besoin de suspendre sa vision du monde pour un instant et de faire un effort sincère pour voir celle de Rita. Après un temps de réflexion, Doug a accepté d'essayer.

Rita a dit quelque chose — j'ai oublié quoi — et Doug l'a paraphrasé. Toutefois au lieu d'attendre que j'indique la partie suivante de l'exercice, Rita s'est précipitée : « Eh bien, tu es d'accord, Doug ? »

Pour une fois, Doug a dégainé aussi vite qu'elle. « Non, s'est-il rebellé. Je ne suis pas d'accord. »

Rita a insisté : « Mais est-ce que tu me trouves sensée ? Est-ce que ce que je dis veut dire quelque chose pour toi ? Est-ce que tu penses que je suis folle ?

— Non, je ne pense pas que tu sois folle, dit Doug, mais je ne suis pas du tout d'accord avec toi. »

Rita s'est levée de sa chaise et lui a saisi les poignets : « Alors, ce que je viens de dire veut dire quelque chose pour toi ?

— Oui, a reconnu Doug, quand je vois ça de ton point de vue, ce que tu dis a du sens. Je vois simplement les choses différemment. »

Je n'oublierai jamais la réaction de Rita. Elle est tombée à genoux devant Doug et s'est mise à pleurer. « C'est tout ce que je voulais entendre, a-t-elle dit. C'est la première fois que j'entends ça, de toi ou de n'importe qui d'autre ! Je ne suis pas dingue ! Ce que je dis a du sens ! » Enfin, quelqu'un acceptait sa façon de voir.

Aujourd'hui encore, cela m'impressionne de voir toute l'agressivité dont nous sommes capables pour défendre notre réalité personnelle. Cela doit être lié à l'angoisse de la perte de soi. Si je vois les choses à ta façon, je serai forcé d'abandonner la mienne. Si je ressens ce que tu ressens, cela invalide ce que, moi, je ressens. Si ce que je dis, moi, est vrai, alors ce que tu dis, toi, doit être faux. Il ne peut y avoir qu'un centre de l'univers et ce centre doit être moi. Mais si je rassemble mon courage pour suspendre un moment ma vision du monde et réussis à entrevoir une fraction de ta réalité, il se produit quelque chose de miraculeux. Tout d'abord, un sentiment de sécurité nous enveloppe. Maintenant que ta façon de voir le monde n'est plus contestée, tu commences à baisser la garde. En même temps, tu es davantage prêt à reconnaître une portion de ma réalité. Maintenant que j'ai bien voulu abandonner ma position centrale, tu es plus disposé à abandonner la tienne. À notre surprise, un pont-levis commence à descendre sur ses gonds rouillés, et toi et moi vivons notre première expérience d'intimité.

• L'EMPATHIE

L'empathie est la troisième étape du dialogue de couple. Il est tout naturel que l'empathie suive immédiatement la validation. Si vous écoutez attentivement votre partenaire, si vous comprenez entièrement ce qu'elle ou il dit et si vous parvenez à élargir votre propre vision du monde pour affirmer la logique qui est à l'œuvre derrière ses mots, vous êtes prêt à faire un pas de plus et à devenir empathique : « Étant donné que tu vois les choses ainsi, je comprends que tu te sentes blessé. » Pour certaines personnes, la validation de leur façon de penser est plus importante que la validation de leurs sentiments. Mais pour d'autres, l'empathie est la clef de leur guérison. Une fois que quelqu'un d'autre reconnaît et valide leurs blessures à vif, elles commencent à se sentir aimées et entières.

Je n'aime pas dire cela parce que c'est un stéréotype, néanmoins, d'après mon expérience, les femmes tendent à valoriser l'empathie plus que les hommes. Du moins au début. Quand on y réfléchit, cela se comprend. Dans notre société, en fait dans presque toutes les sociétés, on admet que les femmes expriment leurs émotions plus librement que les hommes. Bien que cela commence à changer, beaucoup d'hommes continuent à penser que c'est un manque de virilité de montrer leurs émotions, particulièrement les sentiments tendres ou la peur et la faiblesse. Donc, si au départ nous, les hommes, nous sentons déjà mal à l'aise pour exprimer nos sentiments, on peut difficilement s'attendre à ce que nous appréciions l'empathie de notre partenaire si, par hasard, nous laissons échapper une émotion. Nous préférerions qu'elles ignorent cette erreur du moment et se concentrent plutôt sur notre logique indéfectible.

D'un autre côté, beaucoup de femmes ont eu des expériences opposées. La société leur a davantage permis de conserver leur intégrité affective, mais elles ont dû vivre avec des hommes relativement dénués de sentiments. Non seulement leurs partenaires manquent d'empathie envers elles, mais à la limite ils préféreraient ignorer complètement le fait même qu'ils aient des sentiments. « Mais pourquoi est-ce que tu ne peux pas être plus logique ! »

Quand les couples maîtrisent les trois étapes du processus, à savoir le miroir, la validation et l'empathie, les différences entre les sexes commencent à diminuer. Un homme, relativement inhibé au départ, commence à valoriser l'empathie autant que sa partenaire féminine. La raison en est que la reconnaissance et la validation des sentiments de l'autre lui permettent de reconnaître ses propres sentiments. Parallèlement une femme initialement instable sur le plan affectif le deviendra moins. Étant donné qu'elle n'a plus besoin d'amplifier ses sentiments pour les faire comprendre à un partenaire insensible, elle les exprime désormais avec moins de force. C'est particulièrement vrai pour la colère. Cela me surprend toujours de voir à quelle vitesse la colère de l'un se dissipe une fois clairement perçue et admise par l'autre.

Comme on l'imagine, la difficulté d'avoir de l'empathie pour votre partenaire dépend beaucoup des circonstances. C'est très facile d'avoir de l'empathie quand les deux partenaires réagissent de la même manière au même événement. Supposons que vous et moi venions de vivre un grand tremblement de terre. Nous nous en sommes sortis sans blessures, et nous sommes soulagés de voir que notre maison est toujours debout. Mais pendant quelques minutes effrayantes nous avons pensé mourir. « J'ai eu tellement peur ! », s'exclame votre partenaire. Vous répondez immédiatement : « Oui, j'ai vu, et moi aussi ! » Du fait que vous avez eu la même réaction au même événement, il n'y a pas eu de dépassement de soi. Ce que tu ressens, je le ressens. Nous sommes une seule et même personne.

Maintenant, compliquons un petit peu les choses. Imaginons que votre partenaire ait vécu le tremblement de terre, mais que, vous, vous soyez parti pour vos affaires à huit cents kilomètres de là. Votre partenaire vous joint au téléphone, vous décrit l'horrible événement et se plaint : « C'était abominable ! J'ai eu la peur de ma vie. » Bien que vous n'ayez pas vécu le tremblement de terre vous-même, vous n'avez pas de mal à vous imaginer que vous auriez été paniqué. « Je l'imagine facilement », répondez-vous presque aussitôt.

Les problèmes apparaissent lorsque deux personnes réagissent assez différemment à des événements similaires. Par exemple, votre partenaire a peut-être peur de prendre l'avion tandis que vous vous endormez sans problème au décollage et à l'atterrissage. Cela ne sera pas facile pour vous d'avoir de l'empathie pour la peur de votre partenaire, parce que vous n'en avez jamais fait l'expérience vous-même. « Tu n'as qu'à respirer profondément, lui dites-vous. Pense à autre chose et ça passera. » Et, pour tout dire, c'est ce que vous souhaitez. Cette peur semble tellement infondée.

Le pire des cas, c'est sans doute quand votre partenaire a de fortes émotions négatives, et que vous, pauvre de vous, semblez les avoir déclenchées… « Je suis tellement en colère que tu aies dit à Janice qu'elle pouvait aller au cinéma quand tu savais très bien que je lui avais déjà dit de rester à la maison pour ranger sa chambre ! Tu fais toujours ça ! » Ou bien : « J'étais si humiliée de te voir flirter avec Pat devant tous nos amis. Tu sais parfaitement que ça me rend folle de jalousie ! » Votre réponse instinctive est de vous défendre et de contre-attaquer. Mais plus la situation est stressante, plus l'exercice est difficile, plus grande sera la récompense. Si vous parvenez à bloquer votre instinct et réussissez le miroir, la validation et l'empathie sous les assauts les plus forts de votre partenaire, vous serez un exemple vivant de mariage conscient.

Aussi utile que puisse être le dialogue de couple, les gens réagissent pratiquement tous de la même façon : « Doit-on vraiment parcourir toutes ces étapes pour communiquer sur le fond ? » La réponse à cette question précise est non. Si tout ce que vous recherchez, c'est une communication effective, alors le miroir peut s'avérer suffisant. Mais si vous voulez passer de la communication à la communion, alors vous avez besoin d'inclure les trois étapes. Ceci étant dit, je ne veux pas minimiser la somme de temps que cela demande et le côté artificiel du dialogue de couple. Il y a des moments où vous vous rebellerez contre la structure imposée et où vous voudrez revenir à vos vieilles habitudes. Je me rappelle le fils d'un de mes amis, un superbe joueur de base-ball âgé de dix-sept ans. En fait, il était si bon qu'il a été sélectionné par un club pour suivre un entraînement spécial, avant même de sortir du lycée. Toutefois à la consternation du garçon, son nouvel entraîneur a voulu qu'il change pratiquement tout dans sa façon de lancer et de frapper la balle. Il lui a donné une série d'exercices pour l'aider à fortifier certains muscles et à en étirer d'autres, et on lui a dit de frapper cent balles par jour en prenant des positions inhabituelles pour lui. Par moments, il lui arrivait d'être au bord des larmes parce qu'il avait l'impression de devoir abandonner tout son savoir-faire au base-ball.

Ainsi en est-il du dialogue de couple. Cela vous demande d'abandonner certaines habitudes profondément enracinées et d'adopter une façon de parler structurée. Souvent vous allez le ressentir comme quelque chose qui n'est pas naturel. Mais au fur et à mesure que vous en ressentirez les bienfaits, vous opposerez moins de résistance. Finalement — et cela peut prendre des années — , vous aurez transformé votre relation si bien que vous n'aurez même plus besoin de faire l'exercice. Quand ce jour arrivera, vous aurez un rapport de communion, pas seulement de conversation.

L'atelier Imago

Une fois que les couples ont appris le dialogue de couple, je leur présente un exercice d'introspection qui consiste à induire des images les aidant à mieux reconnaître leurs blessures d'enfance. L'exercice fini, je leur demande d'en parler entre eux en utilisant le dialogue de couple. C'est un moyen efficace pour que les partenaires commencent à se voir tels qu'ils sont vraiment, des êtres blessés en quête de complétude spirituelle.

Avant que l'exercice ne commence, je demande aux couples de fermer les yeux et de se détendre. Je mets souvent de la musique douce pour éviter les distractions. Quand ils sont suffisamment détendus, je leur demande d'essayer de se souvenir de la maison de leur enfance, en remontant aussi loin que possible. Quand la vision commence à prendre forme, je leur dis de se revoir enfant, en train de chercher leurs parents dans la maison. La première personne qu'ils rencontrent est leur mère ou quelque autre personne maternante ayant le plus influencé les premières années de leur vie. Je leur dis qu'ils sont subitement dotés d'un pouvoir magique et qu'ils peuvent voir les traits positifs et négatifs de la personne en question avec beaucoup de clarté. Je leur propose de noter ces caractéristiques et de s'imaginer qu'ils disent à leur mère ce qu'ils ont toujours attendu d'elle et qu'elle ne leur a jamais donné.

De la même manière, ils rencontrent leur père ou quelqu'un qui représente l'image paternelle ou toute autre personne ayant exercé une influence profonde sur eux dans les premières années de leur vie. Quand ils ont rassemblé tout ce qu'ils ont pu comme renseignements sur ces personnes clefs, je les ramène doucement au présent, leur demande d'ouvrir les yeux puis de mettre ces informations par écrit.

Je suis souvent surpris du nombre d'informations acquises au cours de ce simple exercice. Par exemple, un jeune homme a réalisé pour la première fois en faisant l'exercice à quel point il se sentait seul et isolé lorsqu'il était petit. Il avait refoulé ces renseignements cruciaux parce qu'il ne les comprenait pas. Comment aurait-il pu se sentir seul dans une famille de quatre enfants, avec un père pasteur, et une mère, maîtresse de maison exemplaire ? Cependant, au cours de l'exercice, il avait cherché et cherché son père partout dans la maison sans jamais le trouver. Quand il avait rencontré sa mère, la première question qu'il lui avait posée avait été : « Pourquoi es-tu toujours si occupée ? Tu ne vois pas que j'ai besoin de toi ? » Ce qu'il avait entrevu l'avait aidé à comprendre sa dépression chronique. « Jusque-là, a-t-il dit, ma tristesse a toujours été un mystère pour moi. »

Une fois cet exercice d'introspection terminé, les gens disposent des renseignements nécessaires pour construire leur imago, c'est-à-dire les images construites intérieurement et qui les ont guidés lorsqu'ils sont tombés amoureux de leur partenaire. Tout ce qu'ils ont à faire, c'est de regrouper les qualités et les défauts des personnes clefs de leur enfance et surligner les traits qui les ont le plus affectés. Ce sont précisément ces traits-là qu'ils recherchaient chez leur partenaire.

Quand ce travail est terminé, je demande aux partenaires de partager entre eux ce qu'ils ont appris. Je leur demande de s'écouter l'un l'autre avec beaucoup d'attention, sans chercher à interpréter les remarques du partenaire, sans extrapoler, sans les comparer aux leurs ni les analyser. Les seuls commentaires autorisés sont de faire le miroir pour indiquer leur degré de compréhension. En faisant cet exercice, maris et femmes entrevoient les blessures qu'ils essaient de guérir, lesquelles sont à l'origine des conduites névrosées, incompréhensibles ou compulsives. Cela crée un climat de plus grande compassion.

Les cinq premiers exercices de la Partie III [1] ont pour but de vous aider à rassembler des renseignements sur votre passé et de vous donner une meilleure idée de la façon dont les manques de votre enfance influent sur votre relation. Mais une fois que vous avez appris à ouvrir les yeux, toutes les interactions, dites ou non dites, entre votre partenaire et vous-même, peuvent devenir une précieuse source d'informations.

---

1. Voir exercice 1, *La relation conjugale de vos rêves*, p. 238 ; exercice 2, *Les blessures d'enfance*, p. 240 ; exercice 3, *La construction de l'imago*, p. 240 ; exercice 4, *Les frustrations d'enfance*, p. 241 ; exercice 5, *Le profil du partenaire*, p. 242.

CHAPITRE X

ÉTABLIR VOTRE PROGRAMME

L'un des profonds secrets de la vie est que tout ce qui vaut vraiment la peine d'être fait c'est ce que l'on fait pour les autres.
Lewis Carroll.

Jusqu'à présent dans ce livre, j'ai décrit les étapes initiales de la création d'un mariage conscient. J'ai évoqué la nécessité de restreindre les échappatoires pour consacrer davantage d'énergie à votre relation. J'ai parlé d'augmenter les interactions agréables dans le couple pour établir une plus grande intimité. Et j'ai indiqué plusieurs moyens d'accroître la connaissance de votre partenaire et de vous-même. Il est temps maintenant d'envisager la guérison de blessures d'enfance plus profondes. Dans ce chapitre, je décrirai comment transformer vos frustrations récurrentes en voies de croissance personnelle. Dans le chapitre suivant, j'exposerai la technique à adopter dans des conflits plus explosifs.

Quand un couple a passé plusieurs semaines à pratiquer l'exercice de romantisation décrit au chapitre VIII, les partenaires éprouvent un regain de sentiments positifs et ils commencent à se lier l'un à l'autre, à peu près comme aux premiers moments de l'amour romantique. Dans le même temps qu'ils s'habituent à ce climat plus intime et réconfortant, un événement décourageant survient : des conflits émergent, ceux-là mêmes qui les avaient poussés à démarrer une thérapie. Les voilà une fois de plus empoisonnés par les mêmes questions troublantes, les mêmes incompatibilités foncières. Tout se passe comme si l'exercice de romantisation n'avait ressuscité l'amour romantique que pour le désintégrer de nouveau dans un jeu de pouvoir.

La raison pour laquelle les bons sentiments ne durent pas est la suivante : l'accroissement des interactions agréables favorise une fois de plus, chez le mari et chez la femme, l'identification de l'autre à quelqu'un qui a tout, à la personne idéale qui va, comme par magie, restaurer leur complétude. Après la colère et l'arrêt du jeu de pouvoir, ils se tournent de nouveau l'un vers l'autre pour trouver le salut. Et, une fois de plus, ils découvrent avec déplaisir que ni l'un ni l'autre n'a les compétences voulues ni la motivation pour répondre aux besoins profonds de l'autre. En fait, beaucoup de gens arrivent à la conclusion troublante que ce qu'ils veulent le plus recevoir de leur partenaire est ce que leur partenaire est le moins capable de leur donner.

Que faire pour résoudre ce dilemme central ? La question m'a tourmenté dans les premières années de ma carrière. Étant donné ces deux faits — d'une part, nous entrons dans nos relations amoureuses avec des cicatrices d'enfance, d'autre part, sans le savoir, nous choisissons des partenaires qui ressemblent aux gens qui nous ont élevés, ceux-là mêmes qui ont contribué initialement à nos blessures d'enfance —, il semble que le mariage soit là pour répéter et non pour réparer nos misères d'enfance.

Il y a des années, au cours d'une conférence-débat que j'animais, j'ai vu le côté pessimiste avec force et clarté. Dans une de mes présentations, j'expliquais que la sélection d'un partenaire était vouée à l'échec et une femme a levé la main pour demander : « Dr Hendrix, peut-être que la façon d'éviter de rouvrir les blessures d'enfance serait d'épouser quelqu'un par qui on ne se sent pas attiré ? Comme ça, on ne finirait pas avec quelqu'un qui a les mêmes défauts que nos parents. » Tout le monde a ri, mais en même temps je n'avais pas de meilleure solution à offrir. Les mariages arrangés au hasard, par un intermédiaire ou sur ordinateur, ont une meilleure chance de réussite que ceux qui sont basés sur le processus inconscient de sélection. Notre tendance à choisir des partenaires pourvus des qualités et des défauts de nos parents semble dès le départ condamner le mariage traditionnel. Mon seul conseil aux couples était de mieux connaître les raisons qu'ils avaient de s'épouser et d'accepter la réalité pure et dure. Connaissance, introspection, compréhension et acceptation — je n'avais pas d'autre consolation à offrir.

En ce temps-là, je recevais les mêmes conseils de mon propre thérapeute : « Vous devez accepter le fait que votre mère n'avait pas assez d'énergie pour vous, Harville, me disait-il. Et votre femme ne peut pas, elle non plus, vous donner ce que vous voulez. Elle ne peut pas combler le vide de vos premières années.

Vous devez mettre un terme à votre nostalgie. » Autrement dit :
« Ce que tu n'as pas eu dans ton enfance, ce n'est pas maintenant
que tu vas l'avoir. Grandis et va de l'avant. » J'essayais d'accepter ce qu'il me disait mais, au fond de moi, je savais bien que je
ne voulais pas laisser les choses en plan. Quelque chose en moi
me disait que j'avais un droit inaliénable de grandir dans la sécurité et l'amour. En observant mes patients, je voyais qu'ils s'accrochaient à leurs besoins avec la même ténacité. Ils pouvaient les
réprimer ; ils pouvaient les nier ; ils pouvaient les projeter sur
l'autre. Mais ils ne pouvaient renoncer définitivement à leurs
besoins d'enfance.

J'ai fini par consulter un autre thérapeute, quelqu'un de plus
optimiste en ce qui concerne la résolution des blessures d'enfance. Il croyait qu'il était possible de combler le vide de l'enfance en s'aimant soi-même. Une de ses techniques pour
m'aider à surmonter mon intense désir d'affection était que je
m'imagine la scène avec ma mère dans la cuisine que j'ai évoquée plus haut. Nous commencions par un exercice de relaxation profonde, puis il me disait : « Harville, imaginez-vous petit
garçon désirant l'attention de votre maman. Elle vous tourne le
dos devant la cuisinière. Souvenez-vous comme vous voulez
qu'elle vous prenne dans ses bras. Appelez-la. Vous la voyez
venir vers vous avec un grand sourire et vous prendre dans ses
bras. Elle vous serre contre elle maintenant. Croisez les bras sur
votre poitrine. Vous le voyez, ce petit garçon ! Il est juste là
devant vous et il veut un câlin. Prenez-le, serrez-le contre vous
et donnez-lui de l'amour. Maintenant faites entrer ce petit garçon dans votre poitrine. Mettez-le à l'intérieur de vous. »

Il croyait que, si je réussissais à créer une image vivante de
moi-même aimé par ma mère, je pourrais progressivement combler mon besoin d'amour maternel. Son approche a semblé
fonctionner un moment ; après chaque séance, je me sentais
moins seul, plus aimé. Mais le sentiment disparaissait progressivement et je ressentais de nouveau un grand vide.

La raison pour laquelle cette approche ne réussissait pas, c'est
qu'elle était sabotée par le vieux cerveau. Dans notre petite
enfance, nous étions incapables de subvenir à nos propres besoins
physiques et affectifs : la douleur et le plaisir venaient du monde
extérieur comme par magie. Quand le biberon ou le sein apparaissait, notre faim était satisfaite. Quand nous étions blottis dans
des bras, nous nous sentions apaisés. Quand on nous laissait seuls

à pleurer dans notre berceau, nous étions en colère et nous avions peur. Quand nous avons grandi, notre vieux cerveau est resté figé dans cette représentation passive du monde : que nous nous sentions bien ou que nous nous sentions mal, nos sensations sont conditionnées par les actes d'autrui ; nous ne pouvions prendre soin de nous-même ; les autres devaient le faire pour nous. La part blessée de moi-même ne pouvait accepter que l'amour vienne de moi parce que j'avais extériorisé ma source de salut.

Guérir par le mariage

Je me suis peu à peu résigné à l'idée que la guérison affective devait venir de l'extérieur de soi. Mais fallait-il qu'elle vienne du conjoint ? Ne pouvait-elle venir d'amis proches ? À l'époque où j'étais séduit par cette possibilité, je dirigeais plusieurs groupes de thérapie et j'avais l'occasion d'observer le potentiel de guérison offert par l'amitié. Des liens étroits se développent souvent entre membres de groupes de thérapie et j'encourageais cette affection et ce soutien. Au cours d'une séance ordinaire, je pouvais facilement demander à Susan, archétype maternel, de prendre sur ses genoux Marie, qui avait été élevée sans affection par une mère névrosée, de la caresser et de la laisser pleurer. Marie était apaisée par cet exercice, mais pas guérie. « J'ai bien aimé le câlin, a-t-elle dit, mais Susan n'est pas la bonne personne. Ce n'est pas du câlin de Susan dont j'ai besoin. C'est de celui de quelqu'un d'autre. »

Après de nombreuses expériences comme celle-là, j'ai conclu que l'amour que nous recherchons ne vient pas simplement d'une personne avec laquelle on a une relation intime et sécurisante, mais d'une personne qui est notre imago, une personne tellement semblable à nos parents que notre inconscient fusionne leurs images. Cela paraît être la seule façon d'effacer les douleurs d'enfance. Nous pouvons apprécier les câlins et les attentions des autres, mais les effets ne sont que temporaires. C'est comme la différence entre le sucre et l'aspartam. Nos papilles gustatives sont trompées par les édulcorants artificiels, mais notre corps n'en tire aucune valeur nutritive. De la même manière exactement, nous avons soif d'être aimés par ceux qui nous ont élevés ou par quelqu'un de tellement similaire à eux qu'à un niveau inconscient nous les avons fusionnés.

Mais cela m'a ramené au dilemme initial. Comment nos partenaires peuvent-ils nous guérir s'ils ont certains des traits négatifs de ceux qui nous ont élevés ? Ne sont-ils pas les derniers à pouvoir apaiser nos douleurs affectives ? Si la fille d'un père distant et préoccupé de lui-même choisit inconsciemment un bourreau de travail pour mari, comment son mariage peut-il satisfaire son besoin de contact et d'intimité ? Si le fils d'une mère dépressive et sexuellement refoulée choisit d'épouser une femme déprimée et frigide, comment peut-il retrouver sa sensualité et sa joie de vivre ? Si une fille, dont le père est mort quand elle était petite, se met en couple avec un homme qui refuse de l'épouser, comment peut-elle se sentir aimée et en sécurité ?

Une réponse prenait forme dans mon esprit. C'était la seule conclusion logique. Pour que les gens guérissent, me suis-je dit, leurs partenaires doivent changer. Il allait falloir que le mari bourreau de travail veuille bien rediriger une partie de son énergie vers sa femme. Il allait falloir que la femme dépressive et frigide redécouvre son énergie et sa sensualité. Il allait falloir que l'amoureux réticent abatte les frontières de son intimité. Ce n'est qu'à ces conditions-là qu'ils seraient capables de donner régulièrement à leur partenaire l'affection que ce dernier avait recherchée toute sa vie.

C'est à ce moment-là que j'ai vu le processus de sélection inconsciente sous un nouveau jour. Certes, bien souvent ce dont un partenaire a le plus besoin, c'est précisément ce que l'autre est le moins capable de lui donner. Mais c'est aussi sur ce terrain-là que cet autre a besoin de grandir ! Par exemple, si Marie a été élevée par des parents avares d'affection, elle a vraisemblablement choisi un mari, Georges, qui est mal à l'aise dans les contacts physiques ; inévitablement, le besoin d'enfance inassouvi chez Marie se heurte au fait que Georges est incapable d'y répondre. Mais si Georges, s'efforçant de satisfaire les besoins de Marie, voulait bien surmonter sa réticence à être affectueux, non seulement les besoins de contacts physiques de Marie seraient assouvis mais Georges retrouverait sa propre sensualité. En d'autres termes, ses efforts pour guérir sa partenaire lui permettraient de redécouvrir une part essentielle de lui-même ! Le processus de sélection inconsciente a réuni deux êtres qui peuvent soit se détruire, soit se guérir, selon leur volonté de grandir et de changer.

De la théorie à la pratique

J'ai commencé à me concentrer sur la recherche d'une méthode pratique qui exploite le potentiel de guérison du mariage. La question, jusqu'ici sans réponse, était la suivante : comment faire pour encourager les personnes à dépasser leurs limites en vue de répondre aux besoins de leur partenaire ? J'ai décidé d'élaborer un exercice avec certains éléments de la romantisation. Un des partenaires ferait une liste de demandes auxquelles l'autre serait libre de répondre ou non. Dans ce cas, cependant, les requêtes porteraient sur des changements de conduite difficiles, non sur de simples interactions plaisantes. En fait, pratiquement toutes les demandes devraient s'articuler autour d'un point de conflit. Par exemple, les personnes demanderaient à leurs partenaires de se montrer plus sûrs d'eux ou plus tolérants, ou moins manipulateurs. En résumé, ils demanderaient à leurs partenaires de corriger leurs défauts les plus frappants.

Dans l'exercice de romantisation, il faudrait que ces demandes soient précises, quantifiables et réalisables. Dans le cas contraire, le conjoint ne disposerait pas assez de renseignements pour pouvoir changer, et il y aurait trop de risques d'incompréhension et de fuite. Là aussi, comme dans l'exercice de romantisation, celui du stretching (« dépassement de soi ») s'attache à l'idée d'un cadeau et non d'un contrat. L'inconscient, sans quoi, rejetterait ce changement de conduite. C'était très important. Si l'un des partenaires faisait un petit changement et attendait que l'autre en fasse autant — « j'essayerai d'être moins dominateur si tu essayes d'être plus affectueuse avec moi » — tout le processus dégénérerait rapidement en jeu de pouvoir. Les vieilles animosités se réveilleraient et il n'y aurait pas de guérison possible. Les gens doivent apprendre à se dépasser et à développer leur capacité d'aimer, non parce qu'ils attendent de l'amour en retour mais parce que leurs partenaires méritent d'être aimés.

Dans le cadre général du nouvel exercice mis en place, j'ai commencé à préciser les détails. Comment les gens allaient-ils déterminer avec précision les conduites qu'ils aimeraient demander à leurs partenaires ? Maris et femmes peuvent être prompts à se plaindre et à se critiquer les uns les autres, mais il est rare qu'ils soient capables de formuler, de façon positive et spécifique, ce qu'ils attendent les uns des autres. Et comment le savoir, alors qu'ils n'en ont pas encore conscience ? Cela prendrait des mois, voire des années, d'une thérapie intensive.

Il y avait heureusement une solution plus facile qui était d'analyser leurs critiques. Comme nous l'avons vu dans le chapitre précédent, il est possible de se faire une idée assez précise des besoins d'enfance inassouvis simplement en analysant les reproches mutuels répétés au sein des couples. Les détails — qui a fait quoi et quand — sont absents, mais la matière brute affleure, prête à être extraite. Les mois ou les années passés ensemble ont érodé les accidents de terrain les plus légers et les plus superficiels et ont mis à nu les pics acérés de leurs besoins les plus fondamentaux : « Jamais tu ne... ! », « il faut toujours que tu... ! », « est-ce qu'un jour tu vas te décider à... ! » Au cœur de chaque accusation se cache une demande de combler leurs besoins d'enfance inassouvis — affection, affirmation de soi, protection, liens affectifs. Donc, pour établir leur liste de demandes comme le veut cet exercice, les partenaires devraient mettre en évidence les désirs cachés dans leurs frustrations récurrentes. Ils transformeraient ensuite ces désirs en des demandes de conduites spécifiques adressées au partenaire, lesquelles seraient destinées à satisfaire ces besoins d'enfance inassouvis. Cette liste de demandes positives et bien ciblées pourrait devenir le programme de formation continue de leur relation.

Établir le programme

Voici un exemple pris dans un atelier pour couples que j'ai animé récemment et qui montre comment fonctionne cet exercice. En premier lieu, j'ai demandé à un volontaire d'exprimer son principal grief envers son partenaire. Melanie, une jolie blonde vêtue d'une robe de couleurs vives, a levé la main. Elle nous a fait part de ce qui a d'abord paru être un reproche superficiel envers son mari, Stewart : « Stewart a une mémoire abominable, a-t-elle dit. Ça semble aller de mal en pis Je l'asticote sans arrêt pour qu'il prenne des cours de mémoire. »

Stewart, un intellectuel à moustaches, assis à côté d'elle, a réagi au quart de tour et s'est défendu d'une voix excédée : « Melanie, je suis avocat. Je dois mémoriser des centaines de pages de dossiers. J'ai une excellente mémoire. »

Sans laisser à Melanie le temps de répéter sa critique, je lui ai demandé ce qui la dérangeait le plus dans ce manque de mémoire de Stewart. Elle a réfléchi un moment : « Je crois que c'est quand il oublie de faire quelque chose que je lui ai demandé de faire. Comme la semaine dernière, quand il a oublié que nous avions prévu de déjeuner ensemble. Une autre chose qui m'a contrariée, c'était à une soirée, il y a quelques jours où il a oublié de me présenter à ses amis. Je me suis sentie complètement idiote.

— Derrière vos frustrations et votre contrariété, quels sentiments plus profonds, comme la tristesse, la colère ou la peur, ressentez-vous ? »

Au fond, je la dirigeais dans un processus identique à celui que j'avais décrit antérieurement dans l'atelier, à savoir l'identification d'un besoin d'enfance inassouvi caché derrière la critique.

« Eh bien, quand il fait ça, je ne me sens pas aimée. J'ai l'impression qu'il se moque pas mal de moi. Je me sens rejetée. Alors, je crois que ce que j'aimerais, c'est qu'il me montre que je compte pour lui. Qu'il pense à moi. Que j'ai autant d'importance pour lui que son travail. »

À ce stade, j'aurais pu demander à Melanie d'essayer de comprendre quelles blessures d'enfance Stewart ravivait en elle en étant aussi insensible à son égard : ses parents l'avaient-ils traitée de la même manière ? Mais elle n'avait pas besoin de savoir cela pour tirer parti de cet exercice. Tout ce qu'elle avait à faire, c'était identifier une frustration récurrente sous diverses formes, découvrir son désir caché derrière cette frustration et faire une demande positive de changement de conduite ciblé pour satisfaire ce désir.

« Maintenant, Melanie, ai-je poursuivi, j'aimerais que vous fassiez une liste de comportements spécifiques qui vous aideraient à vous sentir plus aimée. Voudriez-vous indiquer concrètement à Stewart comment il pourrait devenir une force plus positive dans votre vie ? »

Elle a marqué un temps de réflexion et a dit qu'elle était d'accord. Ensuite, j'ai donné à Melanie, à Stewart et au reste du groupe quelques indications détaillées sur l'exercice du streching et chaque couple est allé le faire dans un coin tranquille. Mes instructions étaient d'identifier un reproche répété, de comprendre quel désir se cachait derrière ce reproche et de faire une liste de comportements précis et réalistes qui les aideraient à satisfaire leur désir. Maris et femmes devaient ensuite examiner la liste de l'autre et classer chaque demande en fonction du degré de difficulté concernant la réalisation. Je leur ai dit que prendre connaissance de ces demandes ne les obligeait nullement à y répondre. Le but de l'exercice était d'instruire leurs partenaires afin que, si ces derniers voulaient se dépasser et changer de comportements, ils aient des directives précises. Toute suggestion d'obligation ou d'attente réduirait l'exercice à un marchandage et il était probable que cela se terminerait par un ressentiment et un échec.

Quand le groupe s'est de nouveau réuni, Melanie s'est proposée pour partager sa liste. Voici quelques-unes de ses demandes :

« J'aimerais que tu te libères une soirée par semaine pour que nous puissions sortir ensemble.

J'aimerais que tu me présentes à tes amis quand je te retrouverai au bureau pour déjeuner jeudi prochain.

J'aimerais que, pour mon prochain anniversaire, tu m'offres un cadeau spécial que tu auras acheté et enveloppé toi-même.

J'aimerais que tu me téléphones une fois par jour, juste pour bavarder.

J'aimerais que tu penses à reculer ma chaise ce soir au dîner.

J'aimerais que tu réduises tes heures de travail pour ne pas avoir à travailler le samedi et le dimanche.

J'aimerais que tu me donnes un coup de fil si tu rentres à la maison avec plus d'un quart d'heure de retard le soir.

J'aimerais que tu n'aies plus de chambre à part pour que nous puissions dormir ensemble toutes les nuits. »

Selon mes instructions, Stewart avait lu les demandes de Melanie, les avait classées en fonction de leur difficulté, et en avait choisi une qu'il pouvait honorer assez facilement. En fait, il a annoncé au groupe qu'il allait commencer l'exercice le soir même en reculant la chaise de Melanie au dîner. Il y avait un contraste évident entre sa première réponse défensive au reproche de Melanie concernant sa mémoire défaillante et cette réponse enjouée à ces demandes spécifiques. Du fait qu'il comprenait que ces demandes concernaient l'un des besoins d'enfance inassouvis de Melanie, du fait qu'il lui était permis de les classer en fonction de leur degré de difficulté et qu'il était libre d'en choisir certaines pour y répondre, il a trouvé relativement facile de coopérer avec elle.

Ce qui montre que la liste de Melanie comportait des potentiels de croissance personnelle pour Stewart, c'est qu'il lui semblait très difficile de répondre à certaines demandes. Par exemple, il pensait qu'il lui serait très difficile de ne plus faire chambre à part : « J'ai un besoin profond d'avoir un espace à moi, a-t-il dit. Ça me serait difficile d'abandonner ça. Je ne suis pas prêt à le faire pour l'instant. »

Cela ne m'a pas étonné que ce soit précisément ce que Mélanie désirait le plus : le plus grand désir d'un des partenaires est souvent celui auquel l'autre oppose le plus de résistance. « Je ne me sens pas vraiment mariée si nous ne dormons pas dans le même lit, a-t-elle dit. Je me suis endormie en pleurant toute une semaine quand tu as changé de chambre ! J'ai vraiment horreur de ça ! »

J'ai rappelé à Melanie qu'il était important qu'elle informe son mari de son grand désir qu'il dorme dans la même chambre qu'elle, mais que cela n'obligeait pas ce dernier à le faire. Son seul pouvoir légitime dans leur relation était de faire connaître ses besoins à Stewart et qu'elle-même change sa façon d'agir pour combler les besoins de Stewart.

Des changements complexes

Après en avoir terminé avec la liste de Melanie, Stewart a offert de communiquer la sienne. Lui aussi avait identifié un reproche récurrent, isolé le désir caché derrière ce reproche et fait une liste de demandes de conduites spécifiques pour combler ce désir. Son principal reproche envers Melanie, c'est qu'elle le jugeait trop. Il lui semblait qu'elle était tout le temps en train de le critiquer. C'était pénible pour lui parce qu'il avait des parents qui le jugeaient aussi, a-t-il reconnu. Puis il a ajouté avec un sourire en me jetant un coup d'œil : « D'après tout ce que j'ai appris au cours de cet atelier, c'est probablement une des raisons pour lesquelles j'ai été attiré par elle. »

L'une des demandes spécifiques de Stewart était que Melanie lui fasse un compliment par jour. Melanie a avoué que, certains jours, ce serait difficile à faire : « Je ne pense pas être exagérément critique, a-t-elle dit avec sincérité. Je pense que le problème vient de ce que Stewart fait des tas de choses irresponsables. Le problème de base, ce n'est pas mon attitude, c'est son comportement ! » La principale raison pour laquelle il lui serait difficile de faire un compliment par jour à Stewart, c'est que les critiques qu'elle lui adressait risquaient alors d'apparaître sans fondement. Elle considérait qu'elle donnait un reflet exact du caractère de Stewart et non qu'elle en faisait une critique incessante. Stewart avait mis le doigt sur l'un des traits négatifs désavoués de Melanie.

L'un des avantages du stretching, cependant, était que Melanie n'avait pas besoin d'être d'accord avec l'opinion que Stewart avait d'elle pour que fonctionne le processus de guérison. Tout ce qu'elle avait à faire, c'était de bien vouloir répondre à sa demande de lui faire un compliment par jour.

En agissant ainsi, elle prendrait davantage conscience des qualités de son mari et, finalement, elle réaliserait à quel point elle s'était érigée en juge et critique. En fin de compte, Melanie comme Stewart bénéficieraient tous deux de l'exercice. Stewart serait capable de jouir de compliments qu'il méritait et Mélanie d'accepter et de transformer un trait négatif désavoué. Dans le processus de guérison de son mari, elle deviendrait elle-même une personne plus complète et plus aimante.

Quand les couples pratiquent régulièrement cet exercice pendant plusieurs mois, ils découvrent qu'ils en tirent un autre bénéfice : l'amour qu'ils témoignent à l'autre panse et guérit leurs propres blessures, blessures dont ils n'avaient même pas conscience. Stewart et Melanie ont continué de travailler avec moi en séances privées pendant plus d'une année. Au bout de six mois environ après l'atelier, Stewart a finalement surmonté sa résistance à faire chambre commune avec Melanie. L'idée ne lui plaisait pas, mais voyant combien c'était important pour elle, il a décidé d'essayer pendant un mois.

La première semaine, il a eu du mal à dormir et il s'en est voulu d'avoir accepté. Dans sa propre chambre, il était libre d'ouvrir la fenêtre pour avoir de l'air frais quand il voulait et d'allumer la lumière pour lire quand il ne pouvait pas dormir. Maintenant il se sentait pris au piège.

Au bout de la deuxième semaine, il pouvait dormir mais il avait toujours le sentiment de s'être compromis. La troisième semaine, il s'est aperçu qu'il y avait des bons côtés à partager le lit. Pour commencer, Melanie était beaucoup plus heureuse. Et ensuite, ils faisaient plus souvent l'amour : c'était plus facile lorsqu'il n'y avait pas à prendre rendez-vous. Au bout de la quatrième semaine d'essai, il a décidé qu'il pouvait s'accommoder du nouvel arrangement : « Je me suis fait à l'idée qu'elle dorme à côté de moi maintenant, a-t-il admis. Je ne suis peut-être pas l'ermite que je croyais être. »

La relation de Melanie et de Stewart a continué de s'améliorer et, au cours d'une séance, quelques mois plus tard, Melanie a dit que les choses allaient tellement bien entre eux qu'elle n'avait plus besoin que Stewart dorme à ses côtés pour la rassurer : « Je sais que tu aimes avoir ta chambre, a-t-elle assuré. Je préférerais que tu restes avec moi, mais je pense ne plus en avoir besoin. » Grâce au stretching, il avait pu lui assurer suffisamment qu'il l'aimait et l'estimait, si bien qu'elle avait pu laisser tomber sa demande. Mais, à sa grande surprise, Stewart n'a pas été d'accord : « Je me sentirais seul dans ma chambre, a-t-il dit. je ne saurais plus quoi faire. »

Que se passait-il ici ? En un certain sens, en comblant le besoin qu'avait Melanie de plus d'intimité, Stewart était en train de découvrir un de ses propres besoins cachés. Dans mes conversations avec Stewart, j'ai appris que son père et sa mère n'avaient pas exprimé facilement leur amour — ni physiquement, ni verbalement. Stewart avait affirmé que cela ne le dérangeait pas. « Je savais qu'ils m'aimaient, a-t-il dit. Mais ils le montraient de façon différente. » En d'autres termes, sa façon de s'adapter à ce manque d'affection avait été de décider qu'il n'en avait pas besoin. « Je me rappelle quand j'allais chez mes copains, m'a-t-il raconté, que leurs parents étaient plus affectueux avec moi que les miens. Une dame voulait même toujours me câliner et m'embrasser. Elle me mettait mal à l'aise. J'étais plus habitué aux façons de faire de mes parents. »

Quand ils étaient jeunes mariés, une chose en Melanie qui l'avait attiré, c'était sa nature affectueuse, mais finalement il avait trouvé son besoin d'intimité excessif et il avait pris des distances, tout comme il s'était éloigné des adultes qui lui avaient manifesté trop d'affection quand il était enfant. Mais ayant mieux compris quels étaient ses problèmes et désireux d'être plus conscient dans sa relation, il avait été capable de surmonter sa résistance et de répondre aux besoins de Melanie. Dans ce processus, il avait découvert son propre besoin refoulé d'affection, caché jusqu'alors, et il avait pu le combler.

J'ai observé cette double guérison tant de fois dans mon travail avec les couples que je peux maintenant dire avec certitude que la plupart des maris et femmes ont des besoins identiques, reconnus chez l'un, mais déniés chez l'autre. Quand les partenaires qui ont les besoins déniés sont capables de surmonter leur résistance pour combler les besoins manifestes de l'autre, une partie de leur inconscient interprète les comportements affectueux comme s'ils leur étaient destinés. L'amour de soi se développe en apprenant à aimer l'autre.

Pour comprendre pourquoi la psyché fonctionne ainsi, revenons à nos considérations sur le cerveau. Le vieux cerveau ne sait pas que le monde extérieur existe ; il ne fait que répondre aux symboles générés par le cortex. Privé d'une connexion directe avec le monde extérieur, le vieux cerveau s'imagine que tous les comportements sont dirigés vers lui. Par conséquent, lorsque vous choisissez d'être plus généreux et plus aimant envers l'autre, votre vieux cerveau suppose que ces gentillesses vous sont destinées.

• LES BÉNÉFICES

En résumé, Melanie et Stewart ont tiré trois bénéfices importants de l'exercice du stretching :

1. Le partenaire qui a demandé des changements de comportement a pu combler certains besoins d'enfance.

2. Le partenaire qui a fait les changements a retrouvé des aspects de son moi perdu.

3. Le partenaire qui a fait les changements a comblé, en lui, des besoins refoulés identiques à ceux de l'autre.

Le résultat de toute cette croissance a été une très grande augmentation des sentiments positifs entre Melanie et Stewart. Chacun d'eux s'est senti mieux dans sa peau parce qu'il a comblé des besoins fondamentaux de l'autre. En même temps, chacun d'eux s'est senti mieux avec l'autre parce que l'autre l'a aidé à combler ses propres besoins. Cela les a incités à dépasser leur résistance pour adopter des comportements positifs et affectueux. Par ce processus qui les pousse à découvrir leurs besoins et à les transformer en faisant des demandes positives réalisables, ils ont transformé leur mariage en une source inépuisable de croissance personnelle.

• LA RÉSISTANCE

Ce changement bénéfique induit toujours de la résistance. L'une des intuitions de Freud était que chaque désir s'accompagne de la peur qu'il ne se réalise. Lorsque votre partenaire vous traite comme vous l'attendiez depuis très longtemps, vous éprouvez un étrange mélange de plaisir et de peur. Vous aimez ce que fait votre partenaire, mais une part de vous sent que vous ne le méritez pas. En fait, une part de vous-même croit qu'en acceptant le comportement positif vous transgressez un puissant tabou. J'ai déjà parlé de cette réaction commune lorsque j'ai parlé du tabou qui s'oppose au plaisir, mais dans le cas de l'exercice du stretching, votre résistance sera encore plus forte.

Un exemple permet de clarifier la nature de cette résistance. Supposons que vous ayez été élevé par des parents qui étaient prompts à vous critiquer. Maladroitement, pour vous aider à mieux réussir, ils pointaient chacun de vos défauts. Ils pensaient que le fait de pointer vos défauts vous inciterait à les corriger. Cependant, tout ce qu'ils réussissent à faire, c'est à entamer votre confiance en vous-même. Quand vous êtes enfin parvenu à surmonter cette influence négative et avez agi avec une certaine assurance, ils vous ont dit : « Arrête de faire le malin ! » Vous avez été piqué au vif par leur réflexion, mais étant enfant, vous n'aviez d'autre choix que de vous soumettre à leurs injonctions. Toute autre réaction aurait été dangereuse pour votre survie. Quand vous vous êtes marié, vous avez, sans le vouloir, choisi quelqu'un qui a perpétué les conduites destructives de vos parents, et, une fois de plus, vous vous êtes senti attaqué.

Supposons que, pour une raison quelconque, votre partenaire se mette à vous traiter plus gentiment. Au début, c'est pour vous un facteur d'épanouissement. Mais peu à peu, une petite voix intérieure murmure : « Tu n'as pas droit au respect. Ça ne t'est pas permis. Si tu continues sur cette voie, tu ne survivras pas. Ton existence est entre les mains des autres et ils ne te permettront pas de devenir un être complet ! » Pour faire taire cette voix, vous trouvez des moyens de saper les comportements de votre partenaire. Vous provoquez peut-être des querelles délibérément ou vous devenez suspicieux quant à ses motivations. Paradoxalement vous cherchez des moyens pour vous priver précisément de l'amour et de la reconnaissance que vous désirez désespérément.

La résistance à la satisfaction d'un besoin profond est plus répandue qu'on ne pourrait le croire. La plupart de mes patients qui arrêtent leur thérapie prématurément le font, non parce qu'ils sont incapables de changer, mais parce qu'ils ne peuvent pas faire face à l'anxiété qui accompagne ces changements positifs.

La façon de surmonter cette peur est, une fois de plus, de continuer le processus. J'encourage mes patients à persévérer dans l'exercice du stretching jusqu'à ce que cette angoisse devienne plus tolérable. Avec le temps, ils apprennent que les tabous qui avaient entravé leur croissance sont des fantômes du passé et n'ont pas de pouvoir réel dans leur vie présente.

Je travaillais avec un homme qui faisait un excellent travail de stretching pour adopter de nouveaux comportements. En réponse aux demandes de sa femme d'être plus disponible pour elle et les enfants, il était en train de réorganiser peu à peu son emploi du temps. Il avait cessé d'apporter du travail à la maison pour le week-end, et s'arrangeait pour rentrer à la maison autour de six heures presque tous les soirs. Mais quand sa femme lui a demandé d'être un père plus actif, il s'est heurté à sa propre résistance. Il est venu à mon bureau un jour et a explosé : « Dr Hendrix, si je dois changer une seule chose de plus, je vais cesser d'exister ! Je ne vais plus être moi-même ! Je vais y laisser ma personnalité ! »

Changer comme le désirait sa partenaire signifiait pour lui que ce « moi » qui lui était familier devait disparaître. Le P.-D.G. pressé et prospère allait devoir se changer en un père plus détendu et plus aimant. Inconsciemment, ce changement équivalait pour lui à la mort. Je lui ai assuré que, s'il continuait ses changements de comportement, il se sentirait anxieux de temps en temps, mais qu'il n'allait pas mourir. Il n'allait pas disparaître s'il changeait ses comportements, ses valeurs ou ses croyances. Il était beaucoup plus que toutes ces choses réunies. En fait, s'il changeait certaines de ses conduites les plus restrictives et certaines de ses croyances, il deviendrait plus complètement la personne qu'il était — l'être entier, spirituel et affectueux qu'il avait été lorsqu'il était enfant. Il développerait la part tendre et aimante de sa personnalité qu'il avait repoussée dans ses efforts à exceller dans le monde des affaires. Sa famille en bénéficierait et, en même temps, lui, il deviendrait un être plus complet.

Je lui ai conseillé, pour triompher de sa peur de la mort, de continuer à pratiquer les activités qui suscitaient sa peur. « Au début, vous aurez vraiment l'impression que vous allez mourir, lui ai-je dit. Tout au fond de vous, une voix va vous dire : arrête ! C'est trop ! Je vais mourir ! Je vais mourir ! » Mais si vous continuez de changer, finalement votre vieux cerveau se recyclera et la voix se calmera. « Je vais mourir ! Je vais mourir...

Je vais mourir ? Mais je ne meurs pas ! » Au bout du compte, l'angoisse de la mort ne sera plus un facteur d'inhibition dans votre quête de croissance personnelle.

L'agapè

Quand l'exercice de stretching est intégré dans votre relation de couple, le fait de trouver la guérison au sein du mariage ne vient plus d'une attente inconsciente, c'est un fait quotidien. Le mariage comblera votre désir caché d'être guéri et complet. Mais cela ne se fera pas comme vous le souhaitez, facilement, automatiquement, sans préciser vos attentes, sans rien demander ni donner en retour. Vous devez contrôler la réactivité de votre vieux cerveau et la remplacer par des actes plus conscients et intentionnels. Vous devez cesser d'attendre que le monde extérieur prenne soin de vous et commencer à prendre en main votre guérison. Et de manière paradoxale, le bon moyen d'y parvenir, c'est de concentrer votre énergie sur la guérison de votre partenaire. C'est quand vous dirigez votre énergie en dehors de vous-même et vers votre partenaire qu'une guérison psychologique et spirituelle s'amorce en profondeur.

Quand l'exercice de stretching deviendra votre méthode habituelle pour remplacer les critiques et les conflits, vous aurez franchi une nouvelle étape dans le cheminement vers un mariage conscient. Vous aurez dépassé le stade de la lutte pour le pouvoir et le stade de l'éveil pour accéder à celui de la transformation. Votre relation sera alors fondée sur une affection et un amour attentionné ; la forme d'amour que le mot grec *agapè* traduit le mieux. *Agapè* est un amour qui transcende le « moi », qui dirige Éros, la force vitale, hors de vous et vers votre partenaire. De la même façon qu'une étape succède à une autre étape, les souffrances du passé s'effacent lentement et vous ferez tous deux l'expérience de votre complétude.

Chapitre XI

CONTENIR SA RAGE

Les cieux ne connaissent de pire rage que celle de l'amour tourné en haine
Ni l'enfer de furie comparable à celle d'une femme méprisée.
William Congreve.

Certains couples ne se disputent jamais. « C'est bien agréable chez nous », disait Marla, une femme approchant la trentaine, aux traits fins et réguliers. Elle était maquillée légèrement et ses cheveux, d'un blond naturel, étaient noués en catogan. C'était la deuxième séance de consultation pour Marla et son mari, Peter, un homme qui présentait bien également. « Nous n'élevons pas la voix, a continué Marla, nous ne nous critiquons pas... » Elle a marqué une pause, a regardé Peter, et elle a ajouté en souriant tristement : « Du moins, pas ouvertement. »

Pour ce que je savais d'eux — les connaissant depuis peu de temps — je partageais l'opinion de Marla. Peter et elle semblaient bien s'entendre. Ils avaient beaucoup de contacts spontanés, de sourires, se tenaient par la main, s'écoutaient avec attention, chacun accordant à l'autre un temps de parole égal pendant la séance (ce qui arrive rarement) et chacun s'efforçant de comprendre le point de vue de l'autre. Néanmoins, sous ce calme superficiel et ces comportements compréhensifs, il existait un abîme de désespoir.

Ils étaient venus chercher de l'aide parce qu'ils étaient dans une impasse sur le plan relationnel. Peter était figé dans le rôle du vilain qui ne pouvait rien faire de bien, et Marla jouait la sainte aimante et généreuse. « Je fais quelque chose de stupide, disait Peter, et Marla me pardonne. Je refuse une responsabilité, et elle la prend à ma place. Voilà comment on fonctionne : moi, je suis difficile à vivre ; elle, elle est merveilleuse. Je déteste ça. »

Seul, ce mot « déteste », bien que prononcé d'une voix calme et sans passion, trahissait une tension entre eux, même s'ils n'en parlaient pas ouvertement.

Si nous faisions une courbe de tous les couples pour représenter le degré d'expression de leur colère, Marla et Peter seraient à l'extrême gauche. Plus au centre, viendraient les couples qui se critiquent, qui crient et se querellent. Plus à droite, on placerait ceux qui se battent de temps en temps. À l'extrême droite du graphique, seraient les couples désespérément en conflit au point de s'agresser physiquement. La plupart de mes patients se situent vers le milieu. Ils ont des moments d'hostilité, mais ils expriment leur colère par des mots et des actes d'agression passive, non par la violence physique. Je reviendrai à l'histoire de Marla et Peter ultérieurement dans ce chapitre. Mais je veux d'abord expliquer plus en détail les différentes manières dont les couples expriment leur colère.

Chez mes patients, il y a peu de cas d'agression physique, aussi ceux auxquels j'ai eu affaire restent-ils gravés dans ma mémoire. Un matin, à neuf heures, un couple dans la quarantaine — Stephen et Olivia — est venu à mon cabinet pour un rendez-vous pris à la hâte. Contrairement à son habitude, Stephen était passif tandis qu'Olivia était pâle et très tendue. J'ai remarqué qu'elle avait un bleu au visage. Ils se sont assis sans mot dire. Quand je leur ai demandé ce qui se passait, Stephen a commencé à décrire une horrible bagarre qu'ils avaient eue la veille au soir. Selon lui, c'était de la faute d'Olivia : « Nous étions en train de parler d'argent. J'essayais d'expliquer à Olivia la pression financière énorme sous laquelle je me trouve. Je voulais qu'elle comprenne que je suis en train de m'écrouler sous le poids petit à petit. Je croyais avoir sorti le drapeau blanc pour demander de l'aide. »

Il a regardé au plafond, a pris une respiration profonde avant de continuer : « Pendant que je parlais, Olivia a croisé les bras et m'a regardé avec mépris — elle a une façon de me regarder avec les yeux mi-clos qui me fait sortir de mes gonds. Puis elle m'a dit que, si j'étais tellement angoissé, je n'avais qu'à trouver un boulot mieux payé, qu'elle en avait par-dessus la tête de m'entendre me plaindre du manque d'argent. Avant de comprendre ce que je faisais, je me suis retrouvé en train de la gifler. Elle m'a frappé à son tour et nous nous sommes empoignés. Nous sommes tombés par terre et elle a commencé à me tirer les cheveux et à me mordre. J'ai continué à la taper. Nous ne pouvions plus nous contrôler. »

Stephen et Olivia avaient eu de nombreuses bagarres verbales dans leurs treize années de mariage, mais c'était la première fois qu'ils en étaient arrivés aux mains. Ils ne s'attendaient pas à une telle violence et se trouvaient tous deux en état de choc.

Pour la plupart des couples, des épisodes aussi explosifs sont rares. En général, il est beaucoup plus courant que maris et femmes refrènent leur rage et l'évacuent peu à peu en s'adressant des critiques corrosives. Tel était le cas d'Élisabeth et Frank, un couple que j'ai vu plus tard, le même jour que Stephen et Olivia. Par coïncidence, ils s'étaient aussi querellés le jour précédent, mais ils s'en étaient tenus à des mots âpres. Ils s'étaient disputés à propos d'une maison qu'ils avaient l'intention de faire construire. De son propre chef, Élisabeth avait fait appel à un décorateur d'intérieur pour l'aider à régler quelques détails dans la cuisine, pensant que c'était son domaine à elle. Son mari avait été furieux qu'elle ne l'ait pas consulté au préalable. Ce n'était pas une question d'argent — ils étaient aisés. Ce qui avait déclenché la rage en lui, c'est qu'elle ait agi sans son consentement.

Pendant la séance, Élisabeth a fait une réflexion qui a retenu mon attention parce qu'elle soulignait le caractère destructeur de la critique. Me décrivant ce qu'elle avait ressenti lors de l'attaque verbale de son mari, elle a dit : « Ses mots de colère se sont déversés sur moi comme un torrent. Quand il a eu fini, je me suis sentie meurtrie comme si j'avais été battue. » Son mari ne l'avait pas touchée, mais sa psyché s'était sentie blessée comme s'il l'avait fait. Il avait lâché sa rage non en la giflant mais avec un fusil chargé de critiques et d'hostilité. Dans son inconscient, Élisabeth avait ressenti une douleur et une peur comparables à celles d'Olivia, qui, elle, avait été battue physiquement.

La rage est plus difficile à détecter lorsqu'elle prend l'apparence de la dépression. Pendant environ un an, j'ai travaillé avec un couple que j'appellerai Barbara et Allen. Allen était professeur de lycée, et Barbara, femme au foyer. Ils étaient venus me voir parce qu'ils s'inquiétaient de la dépression chronique de Barbara. Ces dernières années, elle avait manqué d'énergie, avait eu peu d'intérêt pour le sexe et avait été malade la plupart du temps. Dès la première séance, Allen avait admis qu'il se désintéressait d'elle à cause de sa dépression. Cependant, ce n'est que quelques semaines plus tard qu'il avait avoué être sur le point d'avoir une aventure avec un autre professeur, une femme attirante, disponible et sociable ; il n'attendait que l'occasion.

Un jour, en fin de séance, Barbara et Allen ont réalisé quelque chose d'un seul coup. Juste avant de partir, Barbara a regardé sa montre et a dit qu'elle voulait parler d'une chose qui la troublait. Elle a marqué une pause pour rassembler son courage. Elle m'a regardé en évitant le regard d'Allen. « J'ai fait un rêve vraiment horrible la semaine dernière, a-t-elle dit. J'ai besoin de vous en parler. J'ai rêvé que je venais seule à une consultation avec vous, Dr Hendrix. Dans mon rêve, vous m'avez demandé quelle était la chose que personne ne devait savoir. La seule chose que je ne pouvais dire à personne. Et ce que je vous ai répondu, c'est que, au plus profond de mon cœur… je voulais tuer Allen. »

Elle a pris une courte respiration, comme si quelqu'un l'avait frappée à l'estomac. « Immédiatement après ce rêve, je me suis réveillée. J'étais effrayée et pleine de confusion. Dieu sait que je ne veux pas tuer Allen ! Je l'aime. Je serais démolie sans lui ! S'il vous plaît, aidez-moi à comprendre ce rêve. »

Barbara était en train d'apprendre ce que je suspectais depuis quelque temps : elle était très en colère sans le savoir. Elle cachait cette colère à Allen et à elle-même en la transformant en dépression. Mais afin de refouler sa rage, elle avait aussi dû étouffer sa sexualité, elle avait perdu l'appétit, ainsi que son plaisir à jouer du piano, son intérêt pour des idées nouvelles — tout ce qui sollicitait son énergie vitale l'effrayait.

J'ai découvert au bout d'un certain temps qu'elle avait aussi peur de sa colère parce qu'elle l'avait inconsciemment associée avec l'abandon. Enfant, elle avait joué le rôle de la « gentille petite fille », en contraste avec sa sœur aînée, laquelle se montrait agressive et rebelle. Sa sœur aînée avait été durement punie pour sa conduite, et Barbara avait peur d'être punie elle aussi, si elle laissait libre cours à sa colère. Alors elle a dissimulé sa rage, à ses parents d'abord, ensuite à elle-même. Par conséquent, elle ne vivait qu'une demi-vie, à moitié dans l'ombre. Cette adaptation, qui lui avait bien rendu service dans l'enfance, était maintenant en train de détruire son mariage.

Le pouvoir destructeur de la colère

Ces histoires illustrent un point important. La colère, sous toutes ses formes, détruit une relation. Quand la colère est exprimée, la personne qui en subit les assauts se sent brutalisée, avec ou sans violence physique ; le vieux cerveau ne fait pas la distinction entre les armes. Qui plus est, par le travail étrange de l'inconscient, la personne qui exprime sa colère se sent elle-même agressée car, au niveau le plus profond, le vieux cerveau perçoit toute action comme étant dirigée contre lui. Tout comme la bonne volonté dont nous faisons preuve envers notre partenaire est perçue comme si c'était pour nous-même, l'animosité que nous projetons nous revient droit au cœur. Quand nous blessons notre partenaire, invariablement, nous nous blessons nous-même. Dans les termes prophétiques de la Bible : « Tout ce que tu fais aux autres te reviendra. » Lorsque les deux partenaires se sentent attaqués, il y a un impact négatif immédiat dans la relation. Seule la diplomatie permet de réinstaurer la paix. Il ne peut y avoir d'intimité tant qu'il n'y a pas de sécurité. Le vieux cerveau ne laisse pas traverser ses lignes de défense.

Comme nous venons de le voir, la colère refoulée a des répercussions tout aussi négatives. Alors que les manifestations de la rage provoquent des dommages instantanés, la colère refoulée finit souvent par vider un mariage de sa substance. La dépression et le manque d'énergie de Barbara poussaient son mari à chercher ailleurs la satisfaction de ses désirs.

J'ai une expérience personnelle du pouvoir destructeur de la colère refoulée, car j'ai vécu dans un état de dépression latente les trente-trois premières années de ma vie et cette dépression s'est avérée être l'un des facteurs les plus importants dans la dissolution de mon premier mariage. La raison pour laquelle j'étais déprimé était que je n'étais pas en contact avec ma propre douleur et ma propre colère. Avec le recul du temps, je m'étonne d'avoir perdu mes deux parents sans en ressentir beaucoup de douleur émotionnelle. Quand ma mère est morte subitement d'un accident vasculaire cérébral, je n'ai même pas pleuré. Je me souviens d'avoir été loué par mes frères et sœurs d'être un « garçon si courageux ». Utilisant une logique d'enfant, j'ai fait de ce compliment une directive : « Tu es apprécié quand tu ne ressens pas ta douleur. » J'ai bien appris la leçon : adulte, je me suis dit, en pensant à mon enfance, que j'avais eu de la chance d'avoir perdu mes parents parce que cela m'avait donné l'occasion de quitter la ferme et d'aller vivre en ville avec mes sœurs où j'ai reçu une meilleure éducation.

Ce mythe a eu son utilité. Tout d'abord, il m'a permis de passer les premières années de ma vie dans une sorte d'anesthésie agréable, sans sentir la douleur de l'abandon. Je considérais avoir eu de la chance ; je ne me voyais pas comme un petit orphelin, et par conséquent, je perdais peu de temps à me lamenter sur mon sort. Mais mes émotions refoulées ont engendré le désastre de mon premier mariage. Coupé d'une partie essentielle de moi-même, je ne percevais pas mon élan vital. J'avais peu de qualités chaleureuses, maternelles ou tendres envers moi-même ou envers les autres. Inconsciemment, je me tournais vers ma femme pour obtenir ce qui m'avait manqué. J'avais soif de profonds contacts émotionnels et physiques qu'elle était incapable de me donner — en partie à cause de carences dans sa propre enfance, en partie parce qu'elle me trouvait rébarbatif, froid, gâté, avec trop de besoins sans jamais être satisfait. C'était un cercle vicieux. Plus je demandais, plus elle refusait.

L'un des moments les plus révélateurs dans notre relation se situe après la mort de son père. Nous étions seuls dans la chambre et le choc de sa mort venait juste de la frapper et elle pleurait, pleurait, pleurait. J'avais beaucoup de mal à lui témoigner mon soutien. J'avais les bras autour de ses épaules mais mon corps était rigide, incapable d'abandon. La raison pour laquelle je ne pouvais lui répondre était que j'étais tiraillé par un débat intérieur. Une part de moi-même savait qu'il était normal qu'elle ressente de la douleur après la mort de son père, tandis qu'une autre part me disait : « Il n'y a pas de quoi en faire un plat. » J'avais perdu mes deux parents et je n'avais pas ressenti de douleur. Pourquoi était-elle si émotive ?

Quelques années plus tard, à trente-trois ans, j'ai vu un thérapeute pour la première fois, non parce que je pensais avoir besoin d'aide mais parce qu'une psychanalyse était recommandée pour ma formation professionnelle. Au cours d'une des premières séances, le thérapeute m'a demandé de lui parler de mes parents. Je lui ai dit qu'ils étaient morts tous les deux quand j'étais très jeune mais que cela avait été une chance pour moi. Du fait de la mort de mes parents, j'avais pu vivre chez mes sœurs, quitter la Géorgie du Sud, recevoir une bonne éducation, etc.

« Parlez-moi de la mort de votre mère », m'a-t-il dit, coupant court à mon discours autobiographique. J'ai commencé à lui dire comment elle était morte, mais, pour une raison étrange, j'avais la gorge sèche et nouée.

« Parlez-moi de son enterrement », a-t-il dit. J'ai de nouveau essayé de parler. Puis, à ma grande surprise, j'ai éclaté en sanglots. J'ai pleuré, pleuré. Rien ne pouvait m'arrêter. J'avais trente-trois ans et je pleurais comme un gamin de six ans. Après quelques minutes, mon thérapeute m'a regardé avec gentillesse et m'a dit : « Harville, vous venez juste de commencer à faire le deuil de votre mère. »

Ayant fait l'expérience de ma propre douleur et de la rage inévitable qui l'accompagnait, j'ai commencé à changer. J'étais angoissé. J'avais davantage de compassion pour la douleur des autres. Et, pour la première fois dans ma mémoire consciente, je me sentais plein de vie. Je savais qui j'étais, d'où je venais, et je me sentais à l'unisson avec les battements de mon propre cœur. Tous mes sens s'éveillaient et je commençais à faire la paix avec le monde.

L'idée que l'on doit être en contact avec sa propre douleur et sa propre colère s'oppose à des directives très fortes. Quand les enfants pleurent par fatigue ou par frustration, il n'est que trop courant que les parents les ignorent, leur donnent une fessée, se moquent d'eux ou leur crient de se calmer. Un adolescent qui claque la porte de sa chambre dans un accès de colère est souvent critiqué, obligé de s'excuser ou privé d'une chose qu'il désire. Les punitions appliquées à la colère varient d'une famille à l'autre — dans certaines familles, même un regard de colère semble être interdit — mais je pense pouvoir dire avec certitude que la plupart d'entre nous ont grandi dans l'idée que la colère est une mauvaise émotion, destructrice et égoïste. Notre choix était : ou bien d'afficher notre colère et d'en braver les conséquences, ou bien de l'ensevelir au plus profond de nous-même en espérant qu'elle ne causerait de tort ni à nous ni à personne d'autre.

Mais si nous choisissons d'étouffer notre colère, nous étouffons aussi notre capacité d'aimer parce que l'amour et la colère sont les deux faces d'une même médaille. Ce ne sont pas deux entités séparées, l'une bonne et l'autre mauvaise. Elles représentent, en fait, la même force exprimée sous deux déguisements différents. L'abandon bienheureux que nous connaissions enfants, et qui fait une brève réapparition lorsque nous tombons amoureux, émane du même courant émotionnel que la rage que nous projetons sur notre partenaire dans une querelle de vendredi soir. Lorsque nous sommes joyeux, c'est parce que notre énergie vitale est autorisée à s'épanouir. Lorsque nous sommes en colère, c'est parce que notre énergie vitale est frustrée. La colère nous envahit lorsque la promesse d'élan vital nous est déniée.

Le principe du contenant

On s'aperçoit rapidement que la rage fait partie de notre énergie vitale. Si nous refoulons notre colère, cela nous rend malades ou nous déprime ou nous condamne à une existence terne et silencieuse. Mais d'un autre côté, si nous laissons notre rage exploser, nous infligeons aux autres des dommages physiques et affectifs. Comment pouvons-nous libérer notre colère sans blesser les gens que nous aimons ? La réponse est dans le *principe du contenant*.

Pour comprendre ce que j'entends par contenant, pensez un instant au potentiel destructeur de l'essence. Faites une flaque d'essence par terre et jetez-y une allumette : le feu prend immédiatement. Maintenant, mettez cette même essence dans un moteur à combustion qui la laissera sortir goutte à goutte. Provoquez une étincelle électrique au bon moment et le moteur se mettra en marche. La puissance générée servira à propulser une voiture, un tracteur ou un avion. À travers le processus du contenant, un carburant ayant un potentiel de destruction est converti en une forme d'énergie utile. C'est ce qui doit se passer avec la rage primitive. Votre colère a besoin d'être libérée à petites doses, mise à feu dans un environnement sécurisé pour être reconvertie en Éros, sa source de vie originelle.

Dans le domaine de la psychothérapie, ce n'est que relativement récemment qu'ont été élaborés des exercices pour contenir sa rage. Traditionnellement, le psychanalyste orthodoxe traite la peur et la colère en les faisant remonter au niveau conscient chez ses patients. Le patient est encouragé à faire des associations libres et à parler de tout ce qui lui vient à l'esprit. Aux moments propices, le psychanalyste fait une interprétation permettant d'associer des idées qui semblaient dissociées. Dans l'idéal, ces remarques appropriées permettent une meilleure compréhension de soi. Si le patient, revivant des événements douloureux, se tord de douleur, fou de rage, sur le divan, le thérapeute continue à répondre de manière contrôlée. Il n'essaie pas d'augmenter ou de diminuer la réponse émotionnelle.

Un thérapeute gestaltiste — suivant la *Gestalt-thérapie* fondée par Fritz Perls — réagirait de façon plus directe. Un tel thérapeute profiterait de la colère de son patient et lui ferait pratiquer le dialogue des deux chaises. On demande au patient de s'asseoir en face d'une chaise vide et d'imaginer que la personne qui a provoqué sa colère ou sa tristesse est assise sur cette chaise. On l'encourage alors à amplifier sa rage ou à sonder ses blessures jusqu'aux racines de sa colère en bourrant un oreiller de coups de poing ou en donnant des coups de bâton au protagoniste imaginaire. Parfois, le thérapeute assoit d'autres personnes imaginaires sur la chaise pour aider le patient à découvrir les sources plus profondes de sa colère. Par ces techniques évocatrices, la colère ou la tristesse du patient se traduisent en catharsis physique et émotionnelle et se dirigent vers des cibles primaires. En théorie, cela réduit les conflits non résolus du patient.

Un thérapeute spécialisé dans le psychodrame utiliserait une méthode quelque peu différente. Dans ce cas, le thérapeute devient le metteur en scène d'un drame et demande au patient de créer l'ensemble des personnages. Le patient se promène alors dans la pièce et joue les différents personnages. Il joue son père, sa mère ou son employeur, par exemple, puis il redevient lui-même et réagit face à ces personnes imaginaires. Comme dans le dialogue des deux chaises de la *Gestalt-thérapie,* le but de l'exercice est de libérer les émotions et d'éclairer la source véritable de sa colère.

L'exercice de la transaction

L'exercice de la transaction est un exercice que j'ai spéciale-ment adapté pour les couples dans le but de les aider à contrôler leur rage. Il est conçu pour exprimer votre colère envers votre partenaire sans que ce dernier la contrarie, la démente ou la dénie. Au lieu de critiquer votre colère, votre partenaire apprend à la valider : « Oui, je vois que tu es très en colère. » Quand votre partenaire écoute attentivement, paraphrase vos remarques et reconnaît l'existence de vos émotions intenses, votre besoin d'attention est satisfait, votre environnement devient sécurisant et positif et votre colère se dissipe peu à peu. L'exercice de la transaction n'est pas destiné à éliminer la source de la colère — cela pourra se faire plus tard en demandant un changement de comportement spécifique. L'exercice confirme simplement la réalité de vos émotions.

Quand votre partenaire est en colère et que c'est à votre tour d'être le contenant, vous bénéficiez vous aussi de l'exercice parce que vous apprenez à maîtriser vos réactions défensives. Reconnaître la colère de votre partenaire ne veut pas dire que vous soyez d'accord avec lui ou que vous acceptiez le blâme. Cela signifie que vous comprenez que votre partenaire est en colère. Vous affirmez son état émotionnel.

L'exercice de la transaction est, essentiellement, une version plus avancée de l'exercice du miroir, décrit au chapitre IX. C'est pourquoi il ne devrait pas être utilisé avant que le premier ne soit maîtrisé. La différence principale entre les deux exercices est que, dans l'exercice de la transaction, l'émetteur vit des émotions plus intenses. À cause de cette tension accrue, il est nécessaire de respecter trois règles de base :

1. Les partenaires ne quittent pas la pièce avant que l'exercice ne soit fini ;

2. Les partenaires s'engagent à ne pas faire de dégâts matériels et à ne pas se toucher de manière agressive ;

3. La personne en colère, l'émetteur, limite ses mots à la description d'un comportement sans aborder la description du caractère de l'autre.

En d'autres termes, la personne en colère doit dire : « Je suis furieuse que tu ne sois pas rentré à la maison hier soir » et non pas : « Tu es un être ignoble d'être sorti toute la nuit. »

Une variante de l'exercice de la transaction, que je recommande à certains de mes patients, est l'*exercice des journées du contenant*[1], une idée suggérée par ma femme, Helen. L'exercice des journées du contenant est essentiellement l'exercice de la transaction pratiqué pendant vingt-quatre heures. Pendant toute une journée, l'un de vous s'engage dans le rôle de contenant tandis que l'autre est autorisé à exprimer toutes ses frustrations. La personne qui est le contenant écoute, paraphrase, apporte un soutien chaleureux sans se mettre sur la défensive, sans critiquer ni contre-attaquer en opposant une de ses propres frustrations.

Quand c'est à votre tour d'être l'émetteur, vous avez l'occasion de mieux ressentir la profondeur de vos émotions. Parfois, des sentiments émergent qui n'avaient jamais été ressentis auparavant par manque de sécurité. En un sens, l'exercice donne la permission de redevenir enfant, mais cette fois-ci avec un parent qui valide et soutient votre expérience. Cette régression profonde dans un environnement sûr et aimant facilite la guérison.

---

1. Voir exercice 14, *Les journées du contenant*, p. 254.

Quand c'est à votre tour d'être le contenant, vous vous entraînez à ne pas réagir. Vous apprenez que la colère de votre partenaire ne vous fera pas de mal. Vous commencez l'un et l'autre à vous permettre d'exprimer vos émotions plus pleinement parce que vous vous êtes désensibilisés à la colère. Vous finissez par développer un sens plus clair de vos limites en apprenant que vous pouvez être indépendant de l'état émotionnel de votre partenaire.

Retour sur la scène de base

Chez les couples qui répètent les mêmes frustrations intenses, j'utilise une technique que j'appelle *retour sur la scène de base*. Cet exercice aide à réduire la fréquence et l'intensité des scènes de base, querelles douloureuses et disputes telles que celles que j'ai mentionnées au début du chapitre entre Stephen et Olivia, et entre Élizabeth et Frank, lesquelles peuvent créer une atmosphère si destructrice au sein d'une relation. Les scènes de base se produisent lorsque les réactions apprises dans l'enfance par l'un des partenaires s'opposent à celles de l'autre, créant un affrontement doublement douloureux. Généralement les scènes de base se terminent dans une impasse, avec deux personnes qui souffrent énormément.

Un couple, Jack et Deborah, répétait toujours les mêmes querelles. Ils les appelaient les « trois heures du matin » parce qu'elles duraient souvent jusqu'à trois heures du matin. Ce n'était pas tant des disputes explosives que des confrontations répétitives, minantes et épuisantes qui finissaient sans résolution. Après une « trois heures du matin », ils étaient déprimés pendant des jours.

Après m'avoir raconté quatre ou cinq versions de ce qui était foncièrement la même querelle, Jack et Deborah ont été capables de voir ce que leurs disputes avaient en commun. Au début, ils ont trouvé plutôt amusante l'idée de réduire leurs querelles au plus petit dénominateur commun ; ils ont bien ri de voir de loin l'objet de leur douleur. Puis la discussion s'est imprégnée de tristesse : « C'est quelque chose dont je ne me sens pas très fier, dit Jack. Pourquoi est-ce que nous tombons toujours dans le même piège ? » Leur scène de base ressemble à peu près à ceci :

Acte I : Il est cinq heures de l'après-midi. Jack rentre à la maison après sa journée de travail et Deborah veut qu'il fasse quelque chose. Cela peut être n'importe quoi — des projets de vacances, des travaux dans la cour, trier le courrier. Jack dit qu'il se fera un plaisir de le faire — plus tard, après son jogging.

ACTE II : Jack va faire son jogging. Il rentre à la maison. À peine a-t-il ouvert la porte que Deborah lui demande si, maintenant, il va s'y mettre. « Oui, d'accord, après ma douche. »

ACTE III : Jack prend sa douche. Deborah le suit et lui répète qu'il est temps maintenant. Jack lui dit : « D'accord, je me sers un petit verre d'abord. »

ACTE IV *(Point culminant du drame)* : Jack prend plusieurs verres. Il commence à se détendre et à jouir du moment. Deborah entre dans la pièce, furieuse. « Ou tu le fais maintenant, ou tu me dis que tu ne veux pas le faire! hurle-t-elle. Je déteste cette façon de faire traîner les choses !

— Mais je veux le faire, objecte Jack. Laisse-moi simplement le temps. Je suis fatigué. Je veux me détendre. Laisse-moi tranquille. »

Jack se met à faire des mots croisés et ignore sa femme. Elle devient hystérique.

« Je te déteste ! crie-t-elle. Tu ne fais jamais ce que tu dis. Tu ne m'écoutes jamais. J'ai l'impression de vivre avec un robot ! Je n'ai aucun sentiment pour toi ! »

Jack essaie d'ignorer sa colère en se concentrant encore plus intensément sur ses mots croisés. Puis, ne trouvant pas la tranquillité, il se lève et quitte la maison.

ACTE V : Jack rentre à la maison des heures plus tard. Il a bu. Deborah l'attaque une fois de plus. La querelle continue avec les critiques accablantes de Deborah, Jack tentant ou bien de la calmer ou bien de l'ignorer. Finalement, fatigués du mélodrame, ils se tournent le dos en désespoir de cause.

Prenons un moment pour analyser cette scène de base. Si nous recherchions dans un livre de psychologie à quels types appartiennent Jack et Deborah, Jack serait décrit comme *passif-agressif*. Il est en colère contre Deborah qui essaie d'organiser sa vie à lui et envahit son espace, mais il a peur de l'exprimer directement. Alors il cherche à gagner du temps, fait son jogging, se douche, se sert un verre, fait des mots croisés, en d'autres termes, il profite au maximum de toutes les échappatoires qu'il a mises en service dans sa relation. On pourrait dire de Deborah qu'elle est *agressive-agressive*. « C'est un bouledogue, » dit Jack, non sans admiration. Elle est directe, à la fois dans sa façon de demander et dans sa colère. L'élément irréductible dans leur scène de base est que, plus Deborah attaque, plus Jack bat en retraite, et plus Jack bat en retraite, plus Deborah se sent abandonnée. La colère de Deborah devant la passivité de Jack est, en fait, de la panique déguisée. Elle est terrifiée à l'idée de rester seule, et, face à l'inertie de Jack, elle a l'impression d'avoir affaire à quelqu'un qui n'existe pas, un fantôme pâle sans substance réelle.

J'ai expliqué à Jack et à Deborah que, pour sortir de l'impasse, il allait falloir réécrire leur scénario, non comme une métaphore mais littéralement. En rentrant à la maison, ils allaient devoir prendre du papier et un crayon, et réécrire le drame de telle sorte que, à la tombée du rideau après le dernier acte, ils soient pris dans une étreinte amoureuse et non dans un conflit. Puis ils auraient à lire et à relire leur nouveau script jusqu'à ce que leurs nouvelles scènes soient aussi utilisables et familières que les anciennes.

Je leur ai assuré que même le plus petit changement leur serait bénéfique, ne serait-ce que de reconnaître une dispute comme partie intégrante de leur scène de base. Ils seraient du moins en mesure de dire : « Ça y est, on recommence ! Nous sommes en train de labourer nos plaies les plus profondes. » Si au moins l'un des deux était capable d'introduire une nouvelle réplique, sans les répliques familières il serait impossible au vieux scénario de se poursuivre.

Voici quelques révisions spécifiques à effectuer dans la scène de base de Jack et de Deborah. Deborah pourrait devenir moins agressive, montrant du respect pour la demande de Jack de le « laisser respirer ». Après lui avoir demandé une ou deux fois de faire une tâche particulière, en l'absence de réponse elle pourrait s'arrêter là. Jack n'aurait plus besoin de réagir en se renfermant. Il pourrait décider de boire un peu moins ou de rester à la maison plutôt que de partir. Éventuellement, il pourrait même décider de coopérer. Ou bien le script pourrait être réécrit de sorte que Jack fasse davantage preuve de force de caractère. Si on lui présentait un projet particulier qu'il ne voudrait pas entreprendre, il pourrait dire : « Non, je ne veux pas faire ça. Cela n'est pas important pour moi. J'ai mes propres projets. » Cette réponse surprendrait sûrement Deborah, mais, si Jack persistait à exprimer ses sentiments, en fin de compte elle serait soulagée. Après tout, ce qu'elle veut vraiment, ce n'est pas de la basse complaisance : elle veut être mariée à un être humain plein de vitalité.

Cette pratique qui consiste à définir une scène de base puis à écrire des scénarios alternatifs s'avère un outil hautement efficace. Quand les couples sont capables de porter un regard plus objectif sur leurs querelles, d'en identifier les éléments clefs et de créer des options plus souples, ils commencent à contrôler l'un des aspects les plus destructeurs de la relation. Bien que ni cet exercice ni celui de la transaction n'aient pour but de s'attaquer aux racines des problèmes d'un couple — l'exercice de stretching décrit au chapitre précédent étant plus approprié — les deux réduisent l'impact destructeur de la rage.

Le « grand contenant »

Le dernier exercice que je souhaite décrire, celui du *grand contenant*, aide les gens à prendre contact avec leur rage et à la connecter avec sa source originelle dans l'enfance. Le grand contenant fonctionne aussi bien avec les gens dépressifs qu'avec les gens qui manifestent leur colère. J'insiste bien sur le fait que cet exercice, contrairement aux autres, doit être fait en présence d'un thérapeute et n'apparaît pas dans la Partie III. Cependant, je le décris ici en termes généraux parce qu'il vous aidera à comprendre le rôle que joue la colère dans votre mariage.

Le grand contenant est basé sur l'exercice de *Gestalt* des deux chaises que j'ai décrit antérieurement. Une différence importante, dans l'exercice du grand contenant, est qu'il y a deux rôles principaux. Je guide le conjoint qui ressent une colère et une douleur émotionnelle récurrentes à travers un processus standard de réduction de la rage. Je l'encourage à venir à une séance prêt à travailler un événement déclencheur ou une expérience qui provoque des émotions particulièrement fortes. Je l'aide ensuite à amplifier ses sentiments et à les connecter avec des expériences remontant à l'enfance, ce qui explique leur force. Le fait de pouvoir se mettre au contact de ces émotions primitives permet au patient de devenir plus entier, plus unifié, et connecté avec son centre d'énergie vitale.

Pendant ce temps, l'autre partenaire joue un rôle important qui consiste à encourager son conjoint à s'enfoncer toujours plus profondément dans sa douleur et sa colère. Au lieu de succomber aux directives du vieux cerveau qui l'incite à combattre ou à fuir, ce partenaire récepteur est encouragé par le thérapeute à solliciter de fortes émotions chez son conjoint en disant des mots comme : « Je veux mieux comprendre ta colère, » et « vas-y, je veux savoir tout ce que tu ressens. » Le partenaire récepteur facilite la montée de la rage. Pour qu'il y parvienne, je lui demande de revêtir une armure de protection, de se détendre, de respirer profondément trois ou quatre fois et d'assumer mentalement le rôle d'un parent fort et aimant. Plus tard dans l'exercice, quand le conjoint émetteur — celui qui s'est exprimé — a réussi à percer sa rage et a atteint le niveau de sa douleur, je demande à l'autre de le prendre dans ses bras et de le réconforter de la même façon que l'on console un enfant qui souffre. En permettant à la colère de s'exprimer dans un milieu capable de l'accueillir et de la contenir, puis de libérer la peine qui lui est sous-jacente, le partenaire récepteur contribue à la guérison psychologique de son conjoint.

Il y a plusieurs autres étapes dans cet exercice plutôt compliqué. Une demande de changement de comportement suit la catharsis et l'expression d'affection pour que le couple ait l'opportunité de minimiser le comportement déclencheur et par là même d'éliminer les futurs conflits. Cet exercice se termine par quelques minutes de fou rire pour terminer sur une note heureuse et augmenter le lien affectif entre les deux personnes.

Dans les pages suivantes, vous trouverez une transcription d'un exercice du grand contenant entre Marla et Peter, le couple présenté au début du chapitre et qui vivait dans un calme de façade. Si vous vous rappelez, lorsqu'un conflit surgissait entre Peter et Marla, ils avaient un accord tacite pour désamorcer la crise et préserver la tranquillité apparente de leur relation. L'incident que Marla a choisi comme base de l'exercice du grand contenant était, de façon typique, feutré. Il n'y avait eu aucun mot de colère, aucun « fouet verbal ». Mais l'incident avait causé malgré tout une brèche profonde entre eux. Pour commencer l'exercice, j'ai demandé à Marla de décrire en quelques mots ce qui s'était passé exactement.

L'exercice du grand contenant de Marla et Peter

« MARLA : *(Doucement sans aucune trace de colère.)* J'étais au lit l'autre nuit et j'essayais de décrire à Peter un rêve important qui m'avait fortement impressionnée. En le lui racontant, je revivais le rêve et me sentais toute bouleversée. Tout d'un coup, j'ai réalisé que

Peter faisait semblant de m'écouter. Il disait : "Hum, hum." Je me suis sentie tellement blessée qu'il ne me prenne pas au sérieux que je lui ai tourné le dos et me suis mise à pleurer. J'attachais beaucoup d'importance à ce rêve, et lui, aucune.

DR HENDRIX : Bon, Marla, j'aimerais que vous vous adressiez directement à Peter et que vous lui redisiez en une seule phrase ce que vous venez de me dire.

MARLA : *(Se tourne vers Peter et continue d'une voix sans expression.)* Je me suis sentie blessée parce que je te racontais un nouveau rêve très important pour moi et tu ne m'écoutais pas.

DR HENDRIX : Bon. Maintenant, Peter, j'aimerais que vous reflétiez cela pour que Marla sache que vous l'avez entendue correctement. [Tous deux connaissaient déjà bien l'exercice du miroir.]

PETER : Tu essayais de me raconter et de revivre un rêve que tu avais fait et qui était très important pour toi, et je ne t'écoutais pas.

MARLA : Oui, c'est ça. »

Maintenant qu'ils avaient défini l'événement déclencheur et étaient d'accord, le moment était venu pour Peter de déployer un bouclier afin que Marla puisse sonder sa colère sans le blesser.

« DR HENDRIX : Peter, posez votre tasse de café et faites ce qu'il faut pour vous sentir prêt à contenir sa colère tout en restant en sécurité. Peut-être voulez-vous respirer profondément pour mieux vous détendre… Maintenant, imaginez-vous en lieu sûr. Vous pouvez construire ce que vous voulez. Vous pouvez vous représenter un bouclier en plexiglas devant vous, ou un imperméable psychique pour parer à la tempête ou encore vous imaginer blotti au fond d'un bois dans un endroit magnifique… Dites-nous quand vous serez prêt. »

Peter prend quelques minutes pour se détendre. Il respire profondément, se cale bien dans son fauteuil dans une posture de méditation, les yeux fermés, les mains sur les jambes, les paumes retournées.

« PETER : D'accord, je suis prêt.

DR HENDRIX : Bon. Maintenant dites à Marla que vous êtes prêt à l'écouter.

PETER : Je suis prêt à entendre tout ce que tu as à dire.

DR HENDRIX : Marla, j'aimerais que vous commenciez avec ce que vous pensez et ce que vous ressentez et que vous ne vous en écartiez pas. Ce que vous voulez faire, c'est nourrir vos sentiments jusqu'à leur summum, pour percer votre tristesse et vos frustrations et prendre contact avec votre douleur.

MARLA : *(D'une voix douce et tremblante.)* Oh ! Je me sens effrayée, tout à coup, de devoir me plonger dans ces sentiments.

DR HENDRIX : Donc vous avez l'impression que vous ne devriez pas explorer ces sentiments. C'est votre réaction...

MARLA : Ce que je ressens, c'est que ce n'est pas juste pour Peter. Ce n'est pas juste de lui mettre ça sur le dos. Ce n'est pas de sa faute.

PETER : Vas-y, Marla, continue. C'est pour toi. Ne t'en fais pas pour moi. Je suis protégé. Je veux vraiment que tu me parles de tout ce que tu ressens.

MARLA : Je sais. *(Elle rit et brise la tension.)* C'est probablement une excuse pour ne pas le faire.

DR HENDRIX : Prenez votre temps et racontez l'événement ; en le racontant, vous pouvez faire revivre vos sentiments. Laissez remonter ce que vous ressentiez pendant cette expérience.

MARLA : *(Soupire.)* Je racontais un rêve à Peter. *(Elle hésite.)* Ce que j'aimerais faire maintenant, c'est éviter de le raconter, parce que je pense que ça serait beaucoup plus facile.

PETER : Je veux l'entendre. Je veux tout entendre au sujet de ce rêve et de ce que tu as ressenti.

MARLA : *(Respire profondément quatre ou cinq fois et recommence.)* Le rêve concernait de l'attirance pour une femme. Ça me fait vraiment peur. C'est terrifiant mais en même temps c'était un beau rêve. C'était un rêve positif. Ce qui est bien la première fois. Je me sentais bien disposée vis-à-vis de cette autre femme. Très attirée par elle. *(Longue pause.)* Dans mon rêve, c'était très agréable. Très normal. Et j'avais l'impression de revivre ce sentiment en te le racontant, Peter. Dans mon rêve, tu acceptais que j'aime bien cette femme. *(Elle commence à pleurer.)* Et quand je te le disais... c'était très embarrassant de t'en parler... *(Sanglots.)* Et je voulais que tu m'acceptes comme tu m'acceptais dans le rêve. Et je n'ai pas aimé que tu ne me prêtes aucune attention.

DR HENDRIX : Redites-le : "Je n'ai pas aimé ça."

MARLA : *(Doucement.)* Je n'ai pas aimé ça. *(Elle pleure.)*

DR HENDRIX : Restez avec vos sentiments. Prenez conscience de vos frustrations et exprimez-les.

MARLA : *(Murmure.)* Oh ! Mon Dieu ! J'ai comme un gros mur dans la tête qui m'empêche de me mettre en colère.

DR HENDRIX : Je veux que vous regardiez Peter et que vous assumiez votre résistance. Dites-lui : "Je ne te dirai rien de ma colère."

MARLA : *(À peine audible.)* Je ne te dirai rien de ma colère.

DR HENDRIX : Restez avec ça. Dites-le plus fort.

MARLA : *(Elle crie.)* Je ne te dirai rien de ma colère. *(Elle commence à pleurer.)* De toute façon, tu n'écoutes jamais. *(Pleurs.)*

DR HENDRIX : Redites à Peter : "Tu n'écoutes jamais."

MARLA : *(À Peter, très doucement, en essayant de contenir sa colère et en se retranchant dans la sécurité de sa douleur.)* Je veux que tu m'écoutes. Je veux que tu m'écoutes quand je suis vraiment moi-même sans essayer d'être parfaite ou de te frustrer.

DR HENDRIX : Dites : "Ça me fait mal quand tu ne m'écoutes pas."

MARLA : *(Doucement.)* Ça me fait mal quand tu ne m'écoutes pas. *(Elle pleure.)* J'ai tellement peur d'être en colère contre toi. *(On pouvait, pour la première fois, déceler de la passion dans sa voix.)*

DR HENDRIX : Restez avec ce sentiment.

MARLA : *(Murmure.)* Oh ! Mon Dieu !

DR HENDRIX : Finissez cette phrase : "Si je me mets en colère…"

MARLA : *(Avec des sanglots.)* Si je me mets en colère contre toi… tu vas me détester !

DR HENDRIX : Bon. Continuez.

MARLA : *(D'une voix forte.)* Et tu vas croire que je suis stupide. Et folle.

DR HENDRIX : Dites tout ce que vous avez sur le cœur. Restez avec votre peur.

MARLA : *(D'une voix forte.)* C'est ridicule. Je sais que je peux me mettre en colère. Je sais que j'en ai le droit. C'est juste que…

DR HENDRIX : Répétez ça : "J'ai le droit d'être en colère." *(À ce stade, je voulais qu'elle ait l'expérience de sa colère plutôt que de sa peur.)*

MARLA : J'ai le droit d'être en colère ! *(Plus fort.)* J'ai le droit d'être en colère !

DR HENDRIX : Dites-le plus fort.

MARLA : *(Bondissant de sa chaise les poings serrés.)* J'ai le droit d'être en colère ! *(Elle se rassoit et éclate en sanglots. Puis subitement, elle dit d'une voix apeurée.)* Oh, Jésus !

DR HENDRIX : Est-ce que vous avez quelqu'un d'autre en tête à qui vous aimeriez dire ça aussi ?

MARLA : *(Doucement et surprise.)* Oh, mon Dieu !

DR HENDRIX : Vous voyez qui ?

MARLA : *(D'un ton résigné.)* Mon père… Oh ! *(Elle murmure.)* J'ai le droit d'être en colère.

D<small>R</small> H<small>ENDRIX</small> : Je ne vous ai pas entendue.

M<small>ARLA</small> : *(D'un ton normal.)* J'ai le droit d'être écoutée. Je veux qu'on fasse attention à moi. *(Elle pleure.)*

D<small>R</small> H<small>ENDRIX</small> : Oui, dites-le.

M<small>ARLA</small> : *(Avec conviction.)* J'ai le droit d'être qui je suis ! Et de ne pas essayer d'être quelqu'un d'autre sous prétexte que je ne suis pas assez bien !

D<small>R</small> H<small>ENDRIX</small> : Allez-y ! Vous avez droit à vos sentiments.

M<small>ARLA</small> : Mon Dieu ! *(Longue pause.)* Oh ! *(Elle soupire.)* Je...

D<small>R</small> H<small>ENDRIX</small> : Revoyez votre père et dites-lui : "Tu ne m'écoutes jamais."

M<small>ARLA</small> : Oh, papa ! Nous enfreignons toutes les règles. *(Elle se met à rire.)*

D<small>R</small> H<small>ENDRIX</small> : Et si j'enfreins les règles...

M<small>ARLA</small> : *(Elle pleure.)* Je me retrouverai seule.

D<small>R</small> H<small>ENDRIX</small> : Et si je me retrouve seule...

M<small>ARLA</small> : Je n'aurai plus personne pour s'occuper de moi.

D<small>R</small> H<small>ENDRIX</small> : Et alors...

M<small>ARLA</small> : Et alors... je mourrai *(Dit comme une évidence.)* C'est pour ça que j'ai tellement peur de me mettre en colère.

D<small>R</small> H<small>ENDRIX</small> : Dites ça : "Si je suis moi-même, je mourrai."

M<small>ARLA</small> : *(Sans émotion.)* Si je suis moi-même, je mourrai.

D<small>R</small> H<small>ENDRIX</small> : Qu'est-ce que vous ressentez ?

M<small>ARLA</small> : Je ne sais pas trop.

D<small>R</small> H<small>ENDRIX</small> : Essayez de dire le contraire : "Si je ne suis pas moi-même, je mourrai."

M<small>ARLA</small> : Si je ne suis pas moi-même, je mourrai.

D<small>R</small> H<small>ENDRIX</small> : C'est vrai ?

M<small>ARLA</small> : Je crois que oui. En quelque sorte. C'est comme si je devais être en partie moi-même, et en partie, non, pour vivre. Si je suis complètement l'une ou l'autre...

D<small>R</small> H<small>ENDRIX</small> : Redites : "Si je suis moi-même, je mourrai."

M<small>ARLA</small> : *(À contrecœur.)* Si je suis moi-même, je mourrai.

D<small>R</small> H<small>ENDRIX</small> : C'est vrai ou pas ?

M<small>ARLA</small> : Non, ce n'est pas vrai.

D<small>R</small> H<small>ENDRIX</small> : Redites-le.

M<small>ARLA</small> : Non, ce n'est pas vrai ! Non ! Non ! Non ! NON ! NON ! NON !

D<small>R</small> H<small>ENDRIX</small> : Restez avec cette émotion. Qu'est-ce que c'est, ce qui est vrai ?

M<small>ARLA</small> : Que je mérite d'être aimée !

DR HENDRIX : Oui. Répétez ça.

MARLA : *(Elle pleure à chaudes larmes. Prend une grande respiration.)* Je suis moi-même. Je mérite d'être aimée. Je mérite de vivre. Je mérite qu'on m'aime. *(Elle s'arrête tout à coup de pleurer et parle d'une voix tendue.)* J'ai toujours mon père en tête. Il me dit que je ne mérite pas qu'on m'aime.

DR HENDRIX : Parlez à votre père.

MARLA : Je le mérite.

DR HENDRIX : Dites-le avec conviction !

MARLA : Je le mérite !

DR HENDRIX : Vous méritez quoi ?

MARLA : *(Elle murmure.)* Je mérite d'être aimée.

DR HENDRIX : Il faut absolument qu'il vous entende. Qu'il entende tout ce que vous avez à lui dire.

MARLA : *(En pleurs.)* Je mérite d'être aimée. Je ne suis pas une idiote.

DR HENDRIX : Redites-le.

MARLA : Je mérite d'être aimée.

DR HENDRIX : Vous êtes quoi ?

MARLA : *(Doucement.)* Je suis moi.

DR HENDRIX : Plus fort.

MARLA : JE SUIS MOI !

DR HENDRIX : Plus fort. Il faut absolument qu'il vous entende. Qu'il vous entende ! Faites taire sa voix dans votre tête.

MARLA : JE SUIS MOI ! JE SUIS MOI ! JE SUIS MOI !

DR HENDRIX : Bon. Dites ça : "Je suis moi et je suis vivante."

MARLA : Je suis moi et je suis vivante. Je suis moi et je suis vivante.

DR HENDRIX : Prenez un ton plus grave. Haussez le ton.

MARLA : JE SUIS MOI ET JE SUIS VIVANTE.

DR HENDRIX : Vous allez rester en vie ?

MARLA : Oui ! *(Elle se prend la tête dans les mains et sanglote avec un soulagement manifeste.)*

DR HENDRIX : Vous faites du bon travail. Je veux que vous fassiez autre chose. Je veux que vous imaginiez votre père et que vous lui disiez qu'il ne peut pas vous tuer. Que vous resterez en vie quoi qu'il arrive.

MARLA : *(Elle respire profondément. Longue pause. Murmure.)* Tu ne peux pas me tuer.

DR HENDRIX : Répétez ça avec plus de conviction.

MARLA : *(Elle hurle.)* VA TE FAIRE VOIR ! TU NE PEUX PAS ME TUER ! *(Elle rit.)* Oh ! Là ! Là ! *(Elle rit de nouveau et perd son sérieux.)* Quel soulagement de lui dire ça. Et dire que je ne savais même pas que j'étais en colère contre lui ou que j'avais peur.

Dr HENDRIX : Maintenant, regardez Peter et dites : "Je peux être en colère et rester en vie."

MARLA : *(Doucement mais avec une certaine autorité.)* Je peux être en colère et rester en vie.

Dr HENDRIX : Maintenant dites : "Je suis en colère contre toi."

MARLA : *(Elle rit.)* Ça veut dire que je dois prouver que je peux être en colère ? Oh non. *(Elle rit et parle en souriant.)* Peter, je suis en colère contre toi. Quand tu ne m'écoutes pas, je suis en colère contre toi.

Dr HENDRIX : Montrez-lui votre colère. Essayez de ne pas sourire.

MARLA : *(D'une voix forte.)* Je suis en colère contre toi. Je veux que tu m'écoutes. Je veux que tu entendes qui je suis… *(Se tournant vers moi.)* Ça, c'est bien. C'est vraiment bien de me sentir comme ça. Ça va être formidable.

Dr HENDRIX : Dites-lui : "Je te montrerai ma colère quand je le voudrai."

MARLA : Je te montrerai ma colère. J'en suis capable. Je le mérite. *(Elle rit.)* Je t'aime à ce point-là. »

À la fin de la séance, j'ai expliqué à Marla qu'il allait lui falloir répéter cet exercice plus d'une fois avant de réussir à dominer sa peur d'être en colère. Le cerveau a tendance à favoriser les messages reçus dans notre petite enfance par rapport à ceux qui ont été ajoutés ultérieurement. Il est probable que, en périodes de *stress* particulièrement, elle se retranche dans ses vieux schémas, s'isole de Peter et pleure pour exprimer sa douleur et sa frustration plutôt que d'accepter de ressentir sa colère. Mais après avoir fait cet exercice dix ou quinze fois, elle pourra finalement intégrer toute la vérité, à savoir qu'il lui est possible d'avoir tous ses sentiments et de survivre.

L'une des raisons pour lesquelles j'ai voulu partager cette transcription avec vous est qu'elle démontre la superposition complexe d'émotions qui nous est commune à tous. Comme pour beaucoup de personnes, la réponse initiale de Marla était d'être triste. Elle était triste que Peter ne l'ait pas écoutée décrire un rêve qui était très important pour elle. Il lui était facile de se sentir triste parce que la tristesse avait été autorisée par ses parents. Sans mes encouragements, elle serait probablement restée dans cet état familier et confortable sans jamais découvrir les émotions primaires envers son père qui étaient à la base. Sa réponse naturelle était de laisser sa tristesse évoluer en une attitude de retrait et, à long terme, de ressentiment.

Cependant, en permettant à ses émotions de prendre de l'ampleur, Marla a été capable de dépasser sa tristesse et de découvrir la peur de sa colère. Ensuite, au contact partiel de sa colère, elle a découvert, comme c'est souvent le cas, que cette colère était dirigée non contre son partenaire mais contre elle-même, parce qu'elle était incapable d'exprimer sa rage. Elle a fait ensuite une découverte importante. La raison pour laquelle elle n'était pas en contact avec sa rage est qu'elle avait intériorisé l'interdiction de son père concernant la colère. Quand elle était enfant, son père lui avait fait ressentir qu'elle était folle ou stupide quand elle se mettait en colère. Violer son tabou envers la colère signifiait qu'elle risquait d'être abandonnée, et si elle était abandonnée, selon le raisonnement du vieux cerveau, elle risquait de mourir. Cette peur tangible de la mort était amplifiée par le fait que, si elle exprimait sa colère, non seulement son père l'abandonnerait mais il la tuerait. Il n'est pas étonnant que, sa peur d'abandon étant liée à la peur encore plus forte d'être tuée, il lui soit extrêmement difficile d'être en colère contre Peter, la personne qu'elle avait inconsciemment confondue avec son père.

À la fin de son exercice, il était clair que Marla était soulagée d'avoir pris contact avec sa colère, une partie d'elle-même, essentielle mais déniée depuis longtemps. « Ça fait du bien », a-t-elle dit, et son rire était un rire plein de vie et d'énergie. Peter et moi étions tout aussi ravis qu'elle parce que nous savions qu'elle venait de remporter une énorme victoire psychologique : elle avait vaincu la voix tyrannique de son père et, en dépit de sa peur, le fantôme paternel n'avait pas surgi d'outre-tombe pour la tuer. Elle était vivante ; elle était complète ; elle n'avait plus besoin de cacher ses vrais sentiments pour survivre. Au summum de sa joie, elle s'est mise à crier : « JE SUIS MOI ! JE SUIS MOI. »

Quand ils ont parlé de l'expérience à la fin de la séance, Peter a dit : « Plus tu te mettais en contact approfondi avec tes sentiments, plus je me disais que ce travail était important non seulement pour toi, mais pour nous deux. Ton manque de colère alimente cette dynamique malsaine entre nous. Ça me permet de faire tout ce que je veux en sachant que je n'aurai pas à affronter ta colère ; je peux agir comme un gamin irresponsable, je n'aurai pas à en subir les conséquences. Si tu quittes ton rôle de sainte et commences à te mettre en colère, j'y répondrai positivement. J'ai beaucoup de respect pour ta colère. » Être en colère contre Peter, puis gagner son amour et être toujours acceptée par lui, était pour Marla ce que les psychologues appellent une *expérience émotionnelle corrective*. Elle était en train d'apprendre une leçon importante, c'est que son mari n'était pas son père. Elle avait confondu son père avec son imago. Maintenant elle se forgeait une appréciation nouvelle du Peter réel. Elle était en train de découvrir qu'elle pouvait être en colère contre lui, et que non seulement elle n'était pas en danger, mais que de plus elle gardait son amour et le respect qu'il avait pour elle.

Dans une certaine mesure, le combat de Marla contre la colère est un combat familier à chacun d'entre nous. Tous, nous cachons nos sentiments forts. Certains d'entre nous cachent leur tristesse, d'autres cachent leur peur, d'autres, leur colère. Mais, d'une façon ou d'une autre, nous cachons nos vrais sentiments aux autres autant qu'à nous-même. La première explication qui se présente est la peur qu'on se moque de nous, qu'on nous critique ou qu'on nous punisse. À un degré plus profond, nous avons peur de mourir. Comme Marla, nous croyons que, pour survivre, nous devons être « en partie nous-même, en partie pas nous-même ». Alors nous nous cachons derrière un masque qui, nous l'espérons, nous procurera une protection et une sécurité plus grande.

Au fil des ans, j'ai eu l'occasion d'observer des centaines de personnes faire l'exercice du grand contenant, et qui pour un bref moment, laissent tomber leur masque. Au début de l'exercice, beaucoup de gens semblent être superficiels ou caustiques ou égoïstes ou faibles ou sans énergie — caractères qui sont, en réalité, des adaptations à la souffrance développées dans l'enfance. Lorsqu'ils parviennent à briser la croûte de ces apparences, et à prendre contact avec leur propre douleur et leur propre colère, ils deviennent des personnes très réelles qu'il est possible d'aimer. Tous les artifices ont disparu et, sans exception, maris et femmes sont submergés d'amour.

Pendant mes week-ends de séminaire, je montre au groupe comment se fait l'exercice du grand contenant. Et là, rien de ce que j'ai dit ou fait jusque-là dans le séminaire ne peut rivaliser avec la force de l'impact produit lorsqu'un homme ou une femme se met en contact avec sa douleur, sa colère et sa rage primaires. Et l'homme ou la femme qui a le courage de révéler ces sentiments a le soutien de toutes les personnes qui se trouvent dans la salle. Nous voulons qu'ils ressentent leur colère et leur peur refoulées. Nous sentons intuitivement leur manque d'énergie vitale et nous désirons fortement qu'ils la retrouvent.

Cependant, quand il s'agit de nos propres émotions refoulées, nous tremblons de peur. Nous avons peur que ce qu'il y a en nous ne soit sombre, horrible et invincible. Mais une fois que nous trouvons le courage de lutter contre cette peur, nous apprenons une chose étonnante : ce qui est caché en nous, c'est notre propre énergie vitale, bloquée. Et libérer cette énergie est le but ultime des relations amoureuses.

Chapitre XII

PORTRAIT DE DEUX COUPLES

Qu'est-ce qui rend un mariage heureux ? C'est une question que tous les hommes et toutes les femmes se posent... La réponse, je pense, se trouve dans la découverte du plus profond besoin de l'autre, et dans la volonté de le satisfaire.
Pearl Buck.

Les chapitres précédents explorent différents moyens utilisés dans le processus de guérison. Prenons maintenant un peu de recul et considérons le processus dans son ensemble. La première étape est de devenir plus conscients de nos vieilles blessures. Nous examinons notre passé pour découvrir comment nous avons été privés d'affection et comment nous avons refoulé des parties essentielles de nous-même. Nous y parvenons par le biais de la thérapie, de la réflexion personnelle et en devenant de meilleurs observateurs des événements quotidiens. Au fur et à mesure que nous rassemblons ces nouvelles petites perles de sagesse, nous en parlons avec notre partenaire, nous ne supposons plus qu'il puisse lire nos pensées. Quand notre partenaire partage avec nous ce qu'il pense et ce qu'il ressent, nous écoutons avec compréhension et compassion, sachant que ce partage est une marque sacrée de confiance. Progressivement, nous commençons à remodeler l'image que nous avons de nos partenaires et à les voir tels qu'ils sont réellement — des enfants blessés en quête de salut.

Une fois que nous avons cette image plus proche de la réalité, nous commençons à reconstruire notre relation en vue de guérir nos blessures. Pour cela, nous devons créer une atmosphère de sécurité et de confiance. En éliminant nos échappatoires, en renouvelant notre engagement l'un envers l'autre et en accomplissant délibérément des actes de gentillesse l'un pour l'autre, nous créons un environnement de sécurité et d'affection. Nous accroissons ce sentiment de sécurité et de respect en apprenant à communiquer de manière ouverte et constructive. Au fur et à mesure que nous surmontons notre résistance à cette nouvelle forme d'interaction, nous commençons à voir nos partenaires plus clairement. Nous apprenons qu'ils ont des peurs, des faiblesses et des désirs qu'ils n'ont jamais partagés avec nous. Nous écoutons les critiques qu'ils nous adressent et réalisons qu'elles nous éclairent. Nous nous disons : « Mon partenaire a quelque chose à me dire à mon sujet et cela contient probablement une part de vérité. » Progressivement nous arrivons à nous accepter nous-même complètement, avec nos zones d'ombre et de lumière.

L'étape suivante dans le processus de guérison est peut-être la plus difficile : nous devons prendre la décision d'agir en fonction des renseignements que nous avons recueillis sur nous-même et sur notre conjoint et nous devons devenir une source de guérison pour notre partenaire. Nous devons aller contre notre instinct — qui est de rester fixé sur nos propres besoins — et devons consciemment faire le choix d'assouvir les besoins de l'autre. Pour cela, nous devons surmonter notre peur du changement. En répondant aux besoins de notre partenaire, nous sommes surpris de découvrir qu'en le guérissant nous devenons capables de nous remettre en contact avec des parties de nous-même que nous avions perdues ; elles étaient ankylosées depuis l'enfance et nous pouvons les réintégrer. Nous retrouvons notre capacité de penser et de ressentir, d'être sexuellement et spirituellement pleins de vie et d'exprimer notre créativité.

Réfléchissant à tout ce que nous sommes en train d'apprendre, nous constatons que les moments douloureux de la vie sont en réalité des opportunités de croissance personnelle. Au lieu de fuir la souffrance, nous devons nous demander : « Quelle est la vérité qui tente de se manifester en ce moment ? Quels sont les sentiments primitifs qui se cachent derrière mes sentiments de tristesse, d'anxiété et de frustration ? » Nous apprenons qu'il s'agit de la souffrance, de la rage et de la peur de la mort, et que ces sentiments nous sont communs à tous. Finalement, pour exprimer ces puissantes émotions, nous trouvons une méthode qui garantira la sécurité et permettra la croissance personnelle sans danger pour nos relations.

Un à un, les problèmes autrefois inconscients de notre mariage — peur, colère, besoins d'enfance, souffrance primitive — resurgissent, tout d'abord pour être acceptés, puis finalement pour être résolus. À mesure que nos blessures guérissent et que nous devenons conscient d'aspects cachés de nous-même, nous acquérons un sens renouvelé de notre essence unifiée et de notre complétude.

Le mariage est un cheminement spirituel mais pas nécessairement exalté. La plupart du temps, créer un mariage conscient demande des efforts très pragmatiques, une sorte de lutte quotidienne. Pour illustrer plus concrètement ce processus, je voudrais partager avec vous l'histoire de deux couples.

Il y a des différences évidentes entre ces deux couples. Anne et Greg Martin, le premier couple, ont dans la quarantaine. Ils sont mariés depuis cinq ans seulement. Chacun d'eux a été marié auparavant et a des enfants de son premier mariage. Tous les deux travaillent à plein temps. Les Martin ont eu connaissance de la Thérapie Relationnelle de l'imago très tôt dans leur relation et ils ont réussi à résoudre leurs principaux problèmes de couple en l'espace de trois ans seulement. Kenneth et Grace Brentano ont autour de soixante-cinq ans et sont mariés depuis trente-cinq ans. Ils ont quatre enfants adultes. Kenneth assure la majorité des revenus tandis que Grace est principalement une femme au foyer. Kenneth et Grace ont connu des difficultés pendant trente ans avant d'arriver à bâtir une relation satisfaisante. Ils l'ont fait en grande partie par eux-mêmes avant de connaître mes idées.

Cependant, ce que ces couples ont en commun présente plus d'intérêt que leurs différences. Les Martin et les Brentano ont réussi à créer un mariage capable de satisfaire leur besoin individuel de guérison et de complétude — un mariage où chacun se sent en sécurité, pleinement vivant et aimé.

Anne et Greg

Anne et Greg se sont rencontrés à Santa Fe au Nouveau-Mexique, en 1981. Anne, qui habitait Dallas, était allée passer le week-end à Santa Fe avec deux amies. Elle était divorcée depuis trois ans et avait fréquenté plusieurs hommes, et, depuis peu elle voulait se remarier : « Les relations sans lendemain ne m'intéressaient plus, disait-elle. Je cherchais quelque chose de durable. » Cependant, Anne ne pensait pas alors à des rencontres masculines ; elle désirait surtout passer un bon moment avec ses amies, Josie et Shelley. Le vendredi soir, les trois femmes sont sorties au restaurant. Au cours du dîner, Josie a mentionné qu'elle n'était pas très douée pour rencontrer des hommes. Anne s'est proposée, en riant, d'être son *coach*. « Tu n'as pas besoin de faire quoi que ce soit de séduisant, lui a-t-elle dit. Si tu repères un homme qui t'intéresse, regarde-le quand il te regarde et souris. Et si un gars t'invite à danser, vas-y. Dans ce cas-là, il trouvera le courage de venir vers toi. »

Anne s'amusait à donner des conseils à Josie pour séduire un homme, quand, levant les yeux, elle aperçut un homme seul qui entrait dans la salle. Il était grand et mince et il portait un blouson en velours côtelé. Il avait « une allure sportive et cependant soignée ». Elle a aussi pensé qu'il avait de la présence, une aura de confiance en lui et d'intelligence. Anne en a complètement oublié son travail de *coach* : « Ah, celui-ci, il est pour moi », a-t-elle dit à Josie.

Greg a également un souvenir très clair de leur rencontre. Il était en ville pour le week-end pour y célébrer la fin imminente de son divorce d'avec sa troisième femme. En fait, il avait remis son dossier de divorce la veille. Il avait envie de se donner du bon temps, mais, avec trois mariages ratés derrière lui, il n'avait absolument aucun désir d'établir une liaison stable. Il est entré dans l'« Inn at Loredo » et a jeté un coup d'œil à la ronde. Il a remarqué Anne, une grande blonde pétillante, entre trente et quarante ans, et il s'est senti immédiatement attiré par elle. Au bout d'un moment, il l'a invitée à danser.

« Nous nous sommes tout de suite mis à parler, a-t-elle dit. Il y a des tas de gars qui ne savent pas parler aux femmes, mais nous, nous y allions à cent à l'heure. C'est une chose qui m'a tout de suite plu en lui. » Une autre chose qui lui avait plu chez Greg, c'est qu'il n'était pas intimidé par les diplômes qu'elle avait. (Elle avait un doctorat et était maître de conférences à la Southern University.) Plusieurs hommes avaient été intimidés par son intelligence. Pour être moins intimidante, elle avait pris l'habitude de se présenter comme « professeur » : « Mais j'ai su tout de suite que je n'avais pas besoin de cacher quoi que ce soit à Greg. Il m'a dit que lui-même avait un doctorat d'ingénieur et qu'il admirait les femmes intelligentes. »

Greg et Anne ont bavardé et dansé toute la soirée, et Greg l'a raccompagnée à pied à son motel. Le lendemain matin, ils se sont retrouvés pour le petit déjeuner et sont allés faire une promenade. L'attirance était forte des deux côtés, mais pas irrésistible. Le week-end aurait pu n'être que le début et la fin de leur aventure si Anne, de façon impulsive, n'avait pas envoyé une carte à Greg la semaine suivante. Après avoir lu la carte, il a téléphoné à Anne pour lui demander s'il pouvait venir la voir à Dallas le week-end suivant. Anne avait d'autres projets, mais elle les a modifiés pour pouvoir passer du temps avec lui.

« Le sort en était jeté ! a dit Anne. On était sur la lancée. C'était presque comme si on était sous l'emprise d'une drogue. » Quand Anne repense à ces premiers jours, elle est étonnée de s'être investie si précipitamment dans la relation. Greg avait des tas de handicaps. Il avait été marié non pas une, ni deux, mais trois fois et il avait quatre enfants de deux de ces mariages. Anne avait fait sa thèse de doctorat sur les difficultés d'être beau-parent, elle savait donc parfaitement à quoi s'attendre. En outre, Greg et elle vivaient à trois cents kilomètres de distance et chacun dans sa ville avait une carrière bien établie : « Face à cela, une personne normale aurait fui en courant, a-t-elle dit, mais notre attirance mutuelle était trop forte. »

Quelle était la source de cette attirance ? Pour le découvrir, nous avons besoin de connaître quelque chose de leur enfance. Anne était fille unique. Pendant sa petite enfance, son père était militaire de carrière et elle ne le voyait que lorsqu'il était en permission. Alors qu'elle avait six mois, sa mère s'est engagée dans la marine, la laissant aux soins de son grand-père et de sa deuxième femme. Quand sa mère est rentrée, un an plus tard, Anne était très attachée à ses grands-parents, et, une fois de plus, a dû couper des liens affectifs profonds.

À sept ans, quand son père et sa mère ont divorcé, ce schéma d'abandon a été renforcé. Son père a quitté la ville et Anne ne l'a plus revu jusqu'à l'âge de treize ans où elle a réussi à le localiser par l'intermédiaire de la Croix-Rouge.

Anne a des souvenirs très clairs de ses premières années avec sa mère. C'était une femme instable et mondaine qui faisait souvent passer ses besoins avant ceux de sa fille. Sa mère sortait fréquemment toute la nuit et ne rentrait à la maison que tard le lendemain. Anne se réveillait, découvrait qu'elle était seule et se préparait courageusement pour aller à l'école.

Selon Anne, quand sa mère était là, elle n'était pas très affectueuse : « Je ne me souviens pas d'avoir été prise dans les bras, touchée ou caressée. » Mais par ses approbations, sa mère était pour Anne une source essentielle de vitalité : « Elle pensait que j'étais vraiment super et elle avait une grande confiance dans mes capacités. Elle ne me disait jamais de choses désagréables ni ne me critiquait. »

Anne est devenue une enfant responsable et indépendante, d'une part parce qu'elle avait été obligée de s'occuper d'elle-même et, d'autre part, parce que sa mère l'avait beaucoup complimentée pour cela. Elle trouvait à l'école l'affection qui lui manquait à la maison. Elle niait la souffrance due au manque de sécurité et de chaleur dans son enfance parce que cela aurait été trop difficile à surmonter. Aux yeux des autres, Anne donnait l'impression d'être une jeune femme pleine de confiance en elle.

Son mari, Greg, l'aîné de cinq enfants, avait grandi dans une ferme de l'Arkansas. Ce qui l'a le plus marqué dans son enfance, c'est qu'il n'y avait pas beaucoup d'affection entre sa mère et son père : « Il y avait beaucoup de cris, surtout de la part de ma mère. Elle savait se faire entendre. Elle était coléreuse. Mais elle donnait aussi beaucoup d'amour. »

L'argent avait toujours été un problème dans la famille de Greg : « Ma mère rouspétait toujours au sujet de l'argent et mon père l'ignorait. » Il a décrit son père comme un homme bon et intelligent, mais pas très dynamique. « Il travaillait dur mais sans parvenir à faire grand-chose, a dit Greg. Il semblait toujours vivre dans le futur. Il disait des choses comme : "S'il pleut en août, nous ferons soixante-dix boisseaux de maïs et tout ira bien" ou "s'il pleut, le soja poussera." Il disait toujours : "Ça ira mieux l'année prochaine." » L'idée que tout irait bien le soutenait. Ce qui l'agaçait le plus chez son père, c'étaient ses rêves jamais réalisés : « Il disait toujours qu'il voulait un avion. C'était vraiment important pour lui. Mais il n'a jamais rien fait pour l'avoir. Si, moi, je voulais un avion, je ferais ce qu'il faut pour en avoir un. Je ferais n'importe quoi pour y arriver. Mon père a laissé sa vie lui filer entre les doigts. »

Les parents de Greg n'ont jamais été excessivement sévères, ni envers lui ni envers ses frères et sœurs, mais, pour reprendre son expression, « ce n'était pas une famille démonstrative ». Greg a beaucoup joué seul, passant pas mal de temps à rôder autour de la ferme, s'inventant des histoires très vivantes. Dans l'ensemble, Greg se rappelle son enfance comme une période heureuse : « J'étais plein de vie. Rien ne me dérangeait. Mais j'étais seul la plupart du temps, un peu détaché. J'avais des amis, mais je ne les laissais jamais s'approcher trop près de moi. Je ne me sentais pas seul, simplement à l'écart. J'avais l'impression d'être différent des autres. Pas pire. Pas mieux. Juste différent. » Greg n'a rompu avec la solitude que beaucoup plus tard dans sa vie, au cours de son deuxième mariage et, étonnamment, ce n'est pas sa deuxième femme qui a réussi à se rapprocher de lui : c'est un ami. Greg explique comment cela s'est passé. « Cet ami, qui était juste un copain, a persisté à vouloir se rapprocher de moi, dit-il. Au début, je n'aimais pas trop le type, mais il insistait et il insistait. Il n'arrêtait pas de me demander de faire des choses avec lui. Comme ça ne marchait pas, il a organisé une soirée à quatre avec nos femmes. Je continuais à dire non, mais il persistait. Finalement, je me rappelle m'être dit, je ferais mieux de répondre à cet enquiquineur parce qu'il ne va pas me lâcher. Il a forcé mon amitié. Il s'est frayé un passage à coups de machette. Il est devenu mon premier ami intime. C'est comme si on avait brisé la glace. Quoique j'aie finalement appris ce qu'était l'intimité avec quelqu'un, je ne la recherchais toujours pas. Je me sentais tout à fait autosuffisant tel quel. »

La première fois, Greg s'est marié avec son « amour de collège » : « Ça, c'était facile, ma première femme était plutôt comme une copine ou une amie. Ça n'a jamais été le grand amour. » Le mariage a duré onze ans. Greg pensait qu'ils n'avaient pas le même niveau intellectuel et qu'ils avaient peu de chose en commun, mais pour lui ces différences ne justifiaient pas une rupture du mariage : « Nous avions deux enfants, dit-il, et le divorce était mal vu dans chacune de nos familles. » Pour finir, Greg a eu une relation avec une autre femme : « Je pense qu'il s'agissait d'un prétexte pour mettre fin à notre mariage. Aux yeux de tous, avoir une aventure est une raison suffisante pour tout envoyer promener. Tu as une aventure, tu divorces. »

La pire erreur de sa vie, selon Greg, avait été d'épouser la personne avec laquelle il avait eu cette aventure : « Elle n'était pas très gentille. Elle était intelligente et m'attirait fortement, mais ce n'était pas le genre de personne que je voulais épouser. On avait beaucoup de problèmes. On avait des problèmes sexuels, des problèmes de communication, et elle me soupçonnait tout le temps. Elle ne cessait de m'accuser d'avoir d'autres aventures. » Leur relation orageuse a duré cinq ans. Durant cette période, ils ont eu un enfant et Greg a adopté le fils que sa femme avait eu d'un premier mariage. (Maintenant, il était père de quatre

enfants : deux de son premier mariage et deux de son second.)
Après trois ou quatre menaces de divorce de la part de sa
femme, Greg lui a dit : « J'en ai marre, je pars et je ne reviens
pas. Vas-y, tu peux t'occuper du divorce. »

Greg est resté seul quatre ans, puis a épousé sa troisième
femme, laquelle venait d'une famille riche de l'Alabama. Elle
avait cinq ans de plus que lui, et, à la différence de la deuxième,
elle était de la haute société. Il dit qu'il a épousé sa troisième
femme parce qu'il voulait une mère pour sa fille de dix ans, la
seule de ses enfants qui vivait avec lui : « Je pensais qu'elle donnerait à ma fille ce que je ne pouvais ou ne voulais pas lui donner. » Greg et sa troisième femme étaient de bons amis et il avait
beaucoup de respect pour elle : « Il n'y avait rien de particulièrement désagréable dans ce mariage, selon Greg, mais il n'y
avait rien de merveilleux non plus. Les hauts n'étaient pas très
hauts. Les bas n'étaient pas très bas. Et il n'y avait aucune communication. Il n'y avait pas d'intimité. Pas de partage. Elle était
intime avec moi, mais mon intimité avait ses limites. C'est
comme ça que le numéro trois s'est terminé. »

L'approche désinvolte de Greg vis-à-vis du divorce et du
mariage pourrait alarmer certaines personnes mais, à une
époque où le divorce est facile et où les informations vraiment
utiles concernant le mariage sont plutôt rares, il avait choisi une
des options qui s'offraient à lui. Tout ce qu'il savait, c'est qu'aucun de ses trois mariages n'avait réussi. Dans chacun — comme
dans sa vie — il y avait quelque chose qui manquait et qui rendait le mariage insupportable.

Le premier mariage d'Anne ressemblait au premier mariage
de Greg en ce qu'il était relativement serein, traditionnel, et
n'avait rien de particulièrement marquant. Son mari, Albert,
était professeur de mathématiques dans un lycée privé. Les dix
premières années de leur mariage avaient été calmes et sereines :
« Albert était occupé par son travail de professeur et moi j'étais
prise par l'éducation de nos deux petites filles. » Étant donné les
conditions de vie particulières de son enfance, Anne n'avait pas
de bon modèle de vie conjugale : « Je crois que l'image que
j'avais du mariage me venait de la télévision, dit-elle, et des
livres et de ce que je voyais chez les autres. Je ne connaissais pas
les détails. Je n'avais aucune compétence. Alors mon premier
mariage était tout à fait superficiel. Mais je ne le ressentais pas
comme tel ; nous faisions de notre mieux. »

Les choses se passaient assez calmement jusqu'à ce que, au bout de dix ans de mariage, son mari fasse une crise émotionnelle. Cela ne leur semblait pas du tout lié à leur vie de couple. Sa souffrance est devenue si aiguë qu'il a consulté un médecin pour se faire aider. Le médecin lui a dit qu'il souffrait d'anxiété et lui a prescrit des calmants pour l'aider à dormir. Albert a écouté bien attentivement tout ce que le médecin a dit, est allé chercher les médicaments à la pharmacie, mais sitôt rentré à la maison, ses premiers mots pour Anne ont été : « Anxiété, qu'est-ce que ça veut dire ? » Elle n'a pas pu lui expliquer. « Cela montre à quel point nous étions naïfs », dit-elle.

Albert a pris toutes ses pilules sans se sentir mieux. Finalement, il a trouvé une solution qui consistait à s'isoler. Il passait beaucoup de temps tout seul ; quand ils étaient ensemble, il n'était pas disponible sur le plan émotionnel parce qu'il était trop occupé à maintenir son équilibre intérieur. Anne était profondément troublée par ce retranchement. Inconsciemment, cela lui rappelait ses sentiments d'abandon dans son enfance. Elle a fait de son mieux pour le lui faire comprendre, mais rien ne semblait fonctionner. En désespoir de cause, elle a commencé à s'éloigner de lui. « Je suis retournée au schéma de mon enfance, à savoir m'occuper de moi-même, un de mes vieux mécanismes de survie qui me permet de me sentir totalement indépendante. »

Outre le manque d'intimité entre eux, Anne et Albert ont commencé à rencontrer d'autres difficultés. « Il voulait que je sois une épouse de professeur modèle, dit Anne. J'étais aimable, sociable, engagée, et les personnes à l'école m'aimaient bien. Mais, une part de moi-même n'était pas heureuse dans ce rôle. » Elle, de son côté, n'était pas satisfaite d'Albert dans son rôle de professeur. « Je voulais qu'il reprenne ses études et passe des diplômes dans l'administration. J'espérais qu'il trouverait un poste administratif à l'école, ce qui lui éviterait le *stress* de l'enseignement. » Quand aujourd'hui Anne réfléchit à la situation, elle réalise qu'elle avait des motifs cachés pour vouloir qu'il change de carrière. « Consciemment, je pensais aux bénéfices que ce diplôme lui apporterait mais, derrière tout ça, je crois que je projetais sur lui ma propre ambition insatisfaite. C'est moi qui avais envie de reprendre mes études. Frustrée dans mon désir de carrière, j'en faisais porter le poids à Albert », dit-elle.

En fin de compte, Albert a repris ses études et a obtenu un doctorat. Quand leurs enfants ont été assez grands, Anne s'est inscrite à un cours pour passer une maîtrise de conseillère conjugale. Elle a commencé à acquérir beaucoup d'informations qui lui ont permis de comprendre sa propre enfance, mais pas grand-chose d'applicable au mariage : « Qui plus est, la plupart des thérapeutes que je connaissais avaient des vies conjugales semblables à la mienne, si ce n'est pire. Ils divorçaient, avaient des aventures. À quoi bon me tourner vers eux pour demander conseil ? »

Pendant ce temps-là, le conflit entre Anne et Albert s'intensifiait. Aussitôt après avoir obtenu son diplôme, Albert a décidé de retourner à l'enseignement. Anne se sentait désespérée : « J'avais cru que toutes ces études allaient le lancer dans une nouvelle carrière. Je me suis tournée vers Albert un jour et je lui ai demandé : "À quoi vont ressembler nos vingt prochaines années de vie commune ?" Il a répondu : "À notre vie actuelle." Je lui ai dit : "Non, ce n'est pas ce que je veux." Je voyais la même routine dans ces années à venir. Je ressentais un vide dans ma vie. Quelque chose de très important me manquait. »

À ce stade de leur mariage, il ne restait que peu d'amour entre eux. « Nous ne nous disputions pas beaucoup, dit Anne, mais il existait entre nous une sorte de malaise. Je voulais qu'il soit différent. Il voulait que je sois différente. Je devenais plus indépendante et il souhaitait la femme douce et rassurante qu'il avait pensé épouser. Individuellement nous nous épanouissions, mais cela n'était pas intégré dans notre relation. Nous ne savions pas où trouver de l'aide, et quand j'y repense, je ne sais si nous en voulions vraiment. Nous étions morts. Anesthésiés. Nous désirions quelque chose l'un de l'autre, mais nous ne savions pas quoi. Nous n'étions pas conscients de nos besoins. Sur une échelle d'un à dix, je dirais que notre compréhension de ce qui se passait dans notre mariage était environ de trois. »

Anne et Albert ont divorcé en février 1978. Leurs deux enfants avaient dix et treize ans. « Ma fille aînée a pris la chose de façon stoïque, comme son père, dit Anne. Mais ma plus jeune verbalisait beaucoup et exprimait très clairement sa souffrance. Elle manifestait sa colère. » Anne a déménagé à Berkeley en Californie avec les deux filles. Là, elle a commencé son doctorat en « conseil psychologique ». Cela faisait partie de ses études de suivre beaucoup de thérapie. Lentement, elle a commencé à mieux se connaître. Peu à peu, elle a vu que son mécontentement lors de son premier mariage était en grande partie dû au fait que, sous une façade de confiance en soi, elle était anxieuse et elle avait peur : « Pour la première fois, j'ai réalisé que je souffrais toujours de l'abandon ressenti dans ma petite enfance, dit-elle. J'avais toute cette souffrance et je ne le savais pas. Je m'en étais éloignée et pourtant elle affectait tout dans ma vie. » À un certain moment, son thérapeute lui a demandé si elle n'avait jamais fait de crise d'anxiété. Elle a répondu : « Ben, non. » Plus tard, elle a réalisé que, toute sa vie, elle avait lutté contre un état d'anxiété : « C'était un barrage constant, si bien que, si j'avais eu une crise d'angoisse, ça aurait été juste une goutte d'eau dans la mer. Mais je n'étais pas consciente de mon anxiété. C'était ma seconde nature. Le monde était ainsi fait. »

Finalement, Anne s'est installée au Texas où elle est devenue professeur associée dans une grande université dans le département de conseillers conjugaux. C'est à cette époque qu'elle a entendu parler de mes idées sur la thérapie de couple. Pour la première fois, Anne a eu une compréhension plus complète de la psychologie du mariage : « Et plus important, dit-elle, j'avais un modèle de travail pour l'améliorer. Dès lors qu'on m'explique quelque chose et qu'on me montre comment le faire, j'en suis capable. Jusque-là, j'hésitais à penser au remariage. Je me disais toujours : "Qu'est-ce qui te fait croire que ce sera différent la prochaine fois ?" »

C'est à peu près à cette époque qu'Anne a rencontré Greg. Revenons sur leur première rencontre et voyons si nous pouvons décoder quelques-unes des origines inconscientes de l'attraction. Quand Anne décrit sa première impression de Greg, elle parle de lui comme d'un homme intelligent, plein de ressources et doté de cette qualité enviable, la satisfaction intérieure. Maintenant qu'elle se connaît beaucoup mieux, elle se rend compte qu'il lui avait aussi donné des indices qu'il n'était pas disponible sur le plan affectif. Comme son père à elle, toujours absent parce qu'il était dans la marine et qui, ensuite, l'avait abandonnée, et comme sa mère qui ne rentrait pas à la maison de la nuit, Greg, avec sa grande confiance en lui-même et ses trois divorces, n'allait pas lui permettre de trop s'approcher. La tendance de Greg à s'isoler a déclenché en Anne le désir de transformer une personne distante et non disponible en quelqu'un de proche et de fiable. Sa rencontre avec Greg a cristallisé ses conflits non résolus.

Pourquoi Greg a-t-il été attiré par Anne ? Chaleureuse, aimante, explosive, Anne évoquait fortement le souvenir de sa mère : « Je sentais qu'elle pourrait être aussi aimante que ma mère, et tout aussi exaspérante. Mais ce qui était sûr, c'est qu'elle remuerait les choses. J'avais beau dire que je voulais la paix, la vérité c'est que je voulais du défi dans ma vie. » Et ce qu'il voulait aussi, sans le savoir, c'était s'engager avec une femme capable de briser ses barrières émotionnelles comme cet ami insistant l'avait fait quelques années auparavant. Quand il a rencontré Anne, il a senti qu'elle avait le pouvoir et la détermination de le faire.

Anne et Greg se sont mariés le jour de l'an, en 1982, quatre mois après s'être rencontrés. Pendant les premières semaines de leur mariage, il leur était facile d'être intimes : « J'avais confiance en Anne plus que je n'avais jamais eu confiance en quiconque, dit Greg. » Mais au bout de quelque temps, il s'est aperçu qu'Anne utilisait l'intimité comme une arme : « J'avais l'impression qu'elle me posait des questions pour envahir mon espace. Elle voulait toujours savoir ce que je pensais ou ce que je ressentais. » Peu à peu, Greg s'est renfermé. Être replié sur lui-même était une sensation sécurisante et familière. Être vulnérable sur le plan émotionnel ne l'était pas. Quand Greg se renfermait, Anne avait l'impression d'être avec son premier mari, Albert. Elle se mettait en colère, devenait exigeante et était convaincue que Greg allait la quitter : « Elle devenait vraiment furieuse. Elle avait toutes sortes de soupçons et voulait savoir ce que je mijotais. Eh bien, je ne mijotais rien. Je pansais mes plaies pour me préparer à la prochaine offensive. » L'indépendance qu'Anne avait admirée chez Greg et l'agressivité que Greg avait admirée chez Anne étaient en train de se développer en lutte de pouvoir.

Anne se rappelle un épisode marquant : « J'étais vraiment bouleversée. Quelque chose de très douloureux était arrivé au travail. J'étais en train d'en parler à Greg et j'ai commencé à pleurer. Il m'a regardée et m'a dit : "Je ne console pas les gens. Ce n'est pas mon truc, donc je ne le fais pas. Ne viens pas chercher de réconfort chez moi." Et évidemment, c'est ce que je recherchais le plus au monde chez lui. »

Peu après il y a eu d'autres difficultés. La présence de quatre adolescents en a ajouté beaucoup à leur relation. Maintes fois, ils ont tous deux voulu baisser les bras. Anne est restée pour une raison, qu'elle a exprimée en ces termes : « J'étais parfaitement consciente du fait que, si je rompais avec Greg, j'introduirais les mêmes problèmes dans une autre relation. Et quand je le regardais, je réalisais que c'était une personne avec laquelle j'avais envie d'être. Il en valait la peine. La douleur que nous nous causions était intense, mais l'attraction entre nous était très forte ».

Sachant qu'il leur serait impossible de résoudre leurs problèmes sans une aide extérieure, Anne a invité Greg à l'un de mes week-ends pour couples. Quoiqu'elle connût bien mes théories, elle avait hésité à en parler à Greg : « Étant moi-même thérapeute, j'ai eu peur d'avoir l'air de lui dire ce qu'il devait ou ne devait pas faire. Ça m'avait déjà posé des problèmes dans des relations précédentes. Je voulais que les idées lui soient présentées par une tierce personne. »

Greg a compris deux choses importantes au cours du séminaire. Tout d'abord, il a été très touché par l'exercice qui l'a aidé à envisager Anne comme une enfant blessée : « Je n'avais jamais compris sa douleur auparavant. D'un seul coup, j'ai compris ce qu'elle ressentait. Elle me disait souvent que, lorsque je ne lui parlais pas, elle se sentait abandonnée, mais je ne comprenais pas ce qu'elle voulait dire par là. Comment une femme adulte peut-elle se sentir abandonnée ? Je n'avais jamais fait l'expérience de ce genre d'insécurité. Subitement, au cours d'une séance d'imagerie guidée, j'ai commencé à la percevoir comme une enfant de quatre ans, blessée. Comme une enfant de huit ans qui trouve la maison vide à son réveil. J'avais devant moi cette enfant qui grandissait, et je pouvais la voir et je pouvais la ressentir — être connecté avec Anne enfant. C'était très émouvant pour moi et ça me donnait davantage envie d'écouter ses plaintes et d'essayer de changer ma tendance à me renfermer. »

La seconde chose que Greg a comprise durant le séminaire concernait la façon de communiquer. Quand il a vu l'exercice du miroir pratiqué devant le groupe, il a réalisé que cela l'aiderait à faire face aux émotions intenses de sa femme. Greg se rappelle la première fois qu'il a essayé de le faire : « Anne et moi étions en voiture et elle était très en colère. Je crois que c'était à propos de ma relation avec l'un des gosses. Je me souviens qu'elle était toutes griffes dehors. J'avais l'impression qu'elle lançait des éclairs tous azimuts, et tout ce que je pouvais faire, c'était les parer. Mon instinct était d'envoyer aussi des éclairs vers elle ou de disparaître — ce que j'aurais fait avant —, mais au lieu de cela, j'ai choisi consciemment de faire l'exercice du miroir avec elle. Je n'ai pas réagi. Je n'ai pas accusé. J'ai simplement écouté et j'ai répété ce qu'elle disait. Au fur et à mesure que je l'écoutais, j'avais l'impression d'absorber un peu de sa furie. Anne s'est faite de plus en plus petite, jusqu'à devenir maîtrisable. À ce moment-là, nous avons pu nous parler calmement et raisonnablement. En ne répondant pas à sa colère, j'avais pu la contenir. » Cette expérience a été gratifiante pour Greg et lui a redonné de l'espoir pour l'avenir de son couple : « J'étais capable de me défendre sans attaquer ni rentrer dans ma coquille. »

Au bout d'un certain temps, Greg a fini par maîtriser si bien la technique du miroir qu'elle est devenue une seconde nature chez lui. À chaque fois qu'il se sentait menacé par le comportement passionnel d'Anne, il revêtait son armure, écoutait et gardait le contact : « Le résultat de tout cela, c'est qu'Anne a cessé de se mettre autant en colère. Elle a tout bonnement arrêté. Ça ne marche plus. Nous avons largement dépassé cela. Nous pouvons maintenant communiquer. »

Greg et Anne ont tiré un autre profit du séminaire : l'exercice du stretching. « Au lieu de nous disputer, nous nous sommes mis à nous demander l'un à l'autre de façon directe ce que nous désirions, dit Anne. Ça a fait toute la différence. Au début, l'exercice était difficile pour chacun de nous, bien que pour des raisons différentes. Pour Greg, le problème était qu'il était fier de n'avoir besoin de personne. Il lui était difficile d'admettre qu'il avait besoin de quelque chose de la part de quelqu'un, et de la part d'Anne en particulier. Cependant un besoin que Greg ne pouvait nier était celui de faire l'amour plus souvent et plus spontanément qu'ils ne le faisaient. » « J'avais ce fantasme de rentrer à la maison et de trouver Anne en négligé, brûlante de passion, mais ça arrivait rarement. »

Il a finalement appris que, s'il voulait avoir une vie sexuelle plus active, il allait falloir qu'il le demande : « Il fallait que je sois plus direct dans l'expression de mes besoins. Elle n'allait pas lire dans mes pensées. »

Le problème d'Anne concernant cet exercice était de nature différente. Elle n'avait pas de difficulté à demander ce qu'elle voulait. Grâce aux révélations acquises au cours de sa thérapie individuelle, elle comprenait clairement ses besoins d'enfance non assouvis et elle n'hésitait pas à demander à Greg de changer de conduite pour les satisfaire. Mais, ce qu'elle avait du mal à faire, c'était d'accepter ses gentillesses lorsqu'il répondait à ses demandes. Anne a donné l'exemple suivant. Greg possède une entreprise d'ingénierie et il doit fréquemment quitter la ville pour des voyages d'affaires. Ces séparations alimentent la peur d'Anne d'être abandonnée. Pour calmer son anxiété, elle lui a demandé de l'appeler tous les jours, surtout s'il quittait la ville. Greg a tout de suite été d'accord. Cependant, au bout de plusieurs semaines de ces appels quotidiens, Anne a commencé à se sentir anxieuse. Elle a commencé à s'inventer des raisons pour que Greg cesse de lui téléphoner : « C'est trop cher », disait-elle. Ou « Ça te prend trop de temps ». Or, Greg a continué à l'appeler tous les jours malgré les tentatives inconscientes d'Anne pour saboter ses efforts. Au bout d'un certain temps, elle a enfin été capable de se détendre et d'accepter le cadeau.

L'année passée, Greg et Anne ont fait des progrès pour exprimer et demander ce dont ils ont besoin. Un des bénéfices pour Greg, c'est qu'il passe moins de temps à chercher ce qu'Anne désire : « J'avais l'habitude de toujours essayer d'anticiper ses besoins. Je faisais tout dans l'espoir de la rendre heureuse. Mais elle s'en apercevait rarement et j'étais fatigué de tenter de la comprendre. Maintenant je peux me détendre, sachant que si elle veut quelque chose, elle me le demandera. J'aime beaucoup mieux cette façon de faire. Je me charge de mes propres besoins. Elle se charge des siens. Nous faisons tout ce qui est en notre pouvoir pour satisfaire les besoins de l'autre, mais nous ne cherchons plus autant à lire dans ses pensées. »

L'un des besoins exprimés de façon très claire par Anne à Greg est son besoin de sécurité et d'encouragement : « Je désire et j'ai besoin d'encouragements à hautes doses », dit Anne. Pour l'aider à nourrir ce besoin, elle a dit un jour à Greg que, dans les moments où elle était trop émotive — en colère, renfermée ou en larmes —, ce qu'elle voulait vraiment, c'était l'entendre lui dire combien il l'aimait. Elle a écrit sur une carte les mots exacts qu'elle souhaitait entendre de sa part. « Voilà ton texte. » La carte disait : « Je t'aime. Tu es la personne avec qui je veux être. Je veux passer le reste de ma vie avec toi. » Greg, l'homme qui avait déclaré ne pouvoir s'occuper de personne, a été capable de prononcer ces mots avec la plus grande sincérité.

Anne et Greg ont aussi appris à se disputer différemment. Ils utilisent une variante de l'exercice de la transaction : « Nous nous disputons d'une manière très saine, dit Anne. Nous donnons libre cours à notre colère, sans pour autant déballer tout le linge sale. Nous sommes honnêtes et directs. » Anne m'a donné un exemple : « En regardant la main de Greg l'autre jour, j'ai remarqué qu'il ne portait pas son alliance. Je me suis sentie blessée et trahie. Mais au lieu de ruminer ça, je lui en ai parlé tout de suite. Je lui ai dit : "Ça me peine vraiment que tu ne portes pas ton alliance. Une alliance est, au regard des autres, un signe visible que nous sommes mariés, et ça, c'est très important pour moi. Ça me trouble. Je ne sais pas ce que ça veut dire que tu ne la portes pas. Ça ne me plaît pas et j'aimerais que tu la portes." Au lieu d'être sur la défensive et agressif, Greg m'a écouté et m'a dit : "Je comprends que tu puisses avoir du ressentiment. Je comprends que tu sois en colère." Plus tard, il m'a expliqué pourquoi il ne la portait pas. J'avais voulu reprendre mon nom de jeune fille et ça l'avait blessé. Dans son esprit, ne pas porter son alliance, c'était un prêté pour un rendu. Nous n'avons pas résolu le problème tout de suite parce que la question était complexe. Mais l'important était que chacun ait pu exprimer ses sentiments. Nous nous sommes écoutés. Nous avons dissipé toute la mauvaise énergie. Et nous ne sommes plus en colère. Autrefois, nous nous serions obsédés là-dessus à n'en plus finir. »

Grâce à ces efforts, Anne et Greg ont pu satisfaire leurs besoins suffisamment pour apprendre à s'accepter mutuellement à un autre niveau. « Je me sens assez en sécurité dans notre relation pour accepter le fait que Greg soit quelqu'un de foncièrement indépendant, dit Anne. Je ne me sens plus menacée. Je peux attendre qu'il exprime ses sentiments. Je n'ai pas à le pousser. Quand il est contrarié, mon instinct est de lui demander sur-le-champ ce qui ne va pas. J'ai envie d'en finir une bonne fois pour toutes. Avant, c'était toujours moi qui prenais l'initiative. J'ai découvert autre chose, c'est que, si je patiente avant de demander quelque chose, lui, il arrive souvent à résoudre les choses à sa façon. Et même s'il ne les résout pas, je peux m'accommoder des choses telles qu'elles sont. J'ai appris que je n'avais pas à réparer tout ce qui était cassé. »

Anne et Greg sont les premiers à admettre que le travail nécessaire pour aboutir à un mariage conscient n'est pas chose facile. En fait, Anne insiste : « Mener les choses à bien avec Greg est la chose la plus difficile que j'aie jamais faite. » Greg formule une opinion similaire : « Le mariage, c'est comme la culture des fleurs. Il faut s'en occuper constamment, sinon les mauvaises herbes finissent par étouffer les fleurs. » Il fait une autre comparaison : « Pour jardiner, il vaut mieux être bien outillé. Vous pouvez prendre de l'eau dans le creux de vos mains, retourner la terre avec vos mains, mais il est plus facile d'utiliser un tuyau d'arrosage et une pelle. C'est comme ça que je ressens ma vie avec Anne. Nous avons les bons outils et les bonnes techniques pour bâtir le mariage que nous désirons. » La raison pour laquelle Anne et Greg sont disposés à fournir autant d'efforts est qu'ils en récoltent des fruits quotidiennement. Greg pense que le changement le plus manifeste concerne leur vie affective. « Au début de notre relation, dit Greg, nous avions de grosses sautes d'humeur tous les deux, à la différence près que, moi, j'étouffais mes sentiments alors qu'Anne exprimait les siens trop librement. Maintenant elle s'est calmée et, de mon côté, je suis plus émotif. Non que nous essayions de devenir ce qu'était l'autre — nous avons simplement atteint un équilibre. Nous tendons à osciller autour d'une moyenne. Parfois elle est plus émotive que moi. Parfois je suis plus émotif qu'elle. C'est comme si nous avions trouvé un terrain d'entente. C'est très rassurant. »

Greg pense que ce qu'il est en train d'apprendre dans son mariage l'aide à mieux diriger son entreprise. « Je suis devenu assez expert pour découvrir ce que les employés ont derrière la tête, dit-il. Je sais que ce dont parlent les gens n'est pas nécessairement la vraie question. Je cherche les problèmes sous-jacents. » Il arrive aussi à mieux se mettre dans la peau des autres. « Je me dis : "Si j'étais cette personne, qu'est-ce que je voudrais ou de quoi aurais-je besoin en ce moment ?" Le fait que je sois capable d'avoir de l'empathie pour Anne m'a permis d'apprendre cela. Mon mariage m'a aussi permis de mieux communiquer et je résiste davantage à la pression psychologique. Si quelqu'un au travail a un problème ou se met en colère, je suis capable de ne pas me mettre sur la défensive. J'arrive à obtenir des résultats. »

Anne pense être plus spirituelle grâce à son mariage avec Greg. « Dans mon esprit, notre but sur terre est d'être le mieux possible en termes d'amour et de vie, d'être bienveillant envers les autres et de développer nos talents et nos dons. Je crois que la meilleure façon d'y parvenir, c'est de me connaître pleinement. Cela signifie être honnête vis-à-vis de moi-même, connaître mes côtés négatifs aussi bien que mes côtés positifs. Se sentir libre d'être un être complet. C'est ce qui est arrivé dans notre relation. C'est un paradoxe extraordinaire. Autrefois je pensais avoir confiance en moi mais, en réalité, ce n'était qu'une façade grandiose. Aujourd'hui je me sens simplement bien dans ma peau. Entièrement. J'aime ce que je suis. Je peux être seule et me sentir heureuse. Je ne me suis jamais aussi bien sentie dans ma peau. Je vais de mieux en mieux à chacun de mes pas. Mon niveau d'anxiété est très bas. Ça, c'est une réelle différence. Je me sens vraiment heureuse et en sécurité pour la première fois de ma vie. »

J'ai demandé à Anne si elle avait des recommandations à faire aux personnes qui liraient ce livre et qui seraient confrontées à ces idées pour la première fois. « Mon conseil serait qu'ils s'examinent eux-mêmes, dit-elle. Et quand je dis ça, je veux dire qu'il faut comprendre ce que vous faites pour votre partenaire, vous le faites pour vous-même. Cela concerne votre croissance personnelle. J'ai finalement appris qu'en faisant l'exercice du stretching pour assouvir un des besoins de Greg je me réappropriais une partie de moi-même. Donc, chaque fois que votre partenaire vous demande de faire quelque chose, vous devez vous interroger : "Est-ce que je peux comprendre pourquoi mon partenaire demande cela ? Est-ce que je veux bien le faire ?" Et si oui, faites-le, que vous en ayez envie ou pas, parce que, en comblant les besoins de votre partenaire, vous retrouverez une partie de vous-même. »

Kenneth et Grace

Kenneth et Grace se sont rencontrés dans les années 40, alors qu'ils étaient tous deux à l'université. Kenneth suivait des cours de préparation aux études de médecine et Grace étudiait l'histoire de l'art. Ils sont devenus amis tandis qu'ils étaient assis l'un à côté de l'autre dans un bus qui les ramenait chez eux pour les vacances de printemps. Kenneth savait ce qui l'avait attiré en elle. Une dame assise devant eux avait un bébé qui pleurait et qu'elle n'arrivait pas à calmer. Grace a demandé à la dame si elle pouvait prendre le bébé dans ses bras. Peu après il s'est calmé. « Je me rappelle m'être dit : "C'est ce genre de femme que j'aimerais comme mère pour mes enfants." Plus profondément — bien que ne le sachant pas à l'époque — je désirais un peu de cette tendresse pour moi-même. »

Quant à Grace, sa première impression de Kenneth a été positive. « Il semblait tellement doux et gentil. » Cela lui a aussi fait plaisir que, durant ce long voyage, il se soit intéressé sincèrement à un exposé qu'elle avait fait à la faculté : « J'ai aimé le fait qu'il respecte mon intellect, ce que d'autres hommes n'avaient pas fait.» Elle se rappelle avoir dit à ses parents, aussitôt rentrée à la maison, qu'elle avait rencontré un homme qui était une perle rare. Sous ces impressions conscientes se cachaient des sources d'attraction encore plus puissantes. Quels problèmes non résolus Grace introduisait-elle sans le savoir dans leur idylle ? Grace était l'aînée d'une famille de trois enfants, deux filles et un garçon. Elle a décrit sa famille comme un mélange « d'amour et de tumulte ». Ils étaient fiers d'être originaux et de sortir des sentiers battus : « Nous étions tous artistes ou musiciens, dit Grace. Il y avait beaucoup de spontanéité. Papa disait, "Allons faire un tour en voiture après le repas. Laisse tomber la vaisselle !" Maman répondait : "Laisse-moi faire la vaisselle d'abord." Et papa rétorquait : "Si nous n'y allons pas maintenant, nous allons rater le coucher de soleil." Alors nous, on s'empilait tous dans la voiture et on allait faire un tour.»

Grace a de bons souvenirs de sa petite enfance. Elle se souvient d'avoir été la « petite chérie » de son papa. Elle avait cinq ans à la naissance de sa petite sœur Sharon et cela a été un réveil brutal : « D'un seul coup je n'étais plus le centre d'intérêt. Je me suis sentie rejetée. Je me rappelle avoir pensé : "Mais qu'est-ce qui se passe ? Je ne suis plus aussi mignonne qu'avant ? Pourquoi on ne m'aime plus ?" Je ne pouvais pas accepter de ne plus être la préférée.»

Grace a décrit sa mère comme une personnalité à la fois chaleureuse et d'humeur changeante. Il était rare qu'elles s'entendent bien l'une avec l'autre : « Elle était tellement forte que j'avais l'impression de devoir me battre pour garder ma propre identité, se souvient-elle. Je pense que c'est pour cela que je suis devenue une rebelle.» Son père était chaleureux, attentionné et il savait l'écouter. Elle se rappelle avoir été très proche de lui : « Trop proche, selon certains, dit Grace. Je me revois rentrer du lycée et m'étendre sur le canapé où mon père me massait le dos. Cela me semblait parfaitement confortable et normal mais je sais que cela rendait ma mère jalouse.» Plus tard, c'est avec une certaine anxiété qu'elle repensait à sa relation avec son père : « En un sens, j'étais terrifiée d'être si proche de lui. Quand je me suis mariée, je me souviens que ça lui a été très difficile. Juste avant mon mariage, il m'a dit : "J'ai toujours pensé que tu resterais à la maison et que tu ne te marierais jamais." Il blaguait en partie, mais je crois qu'il y avait du vrai là-dedans. » Outre la gêne que lui causait cette proximité entre eux, Grace aurait voulu que son père ait une personnalité plus forte : « Il ne s'affirmait pas beaucoup, dit-elle. Il disparaissait quand les choses tournaient mal. Quand maman et moi nous disputions, il allait faire briller la carrosserie de sa voiture ou s'occuper de ses fleurs. Jamais il ne prenait mon parti. »

Vers l'âge de douze ou treize ans, Grace a eu une expérience religieuse. Elle était allée à une réunion de jeunes et s'était sentie remplie de la présence de Dieu. Elle se rappelle avoir ressenti un mélange d'allégresse et de culpabilité : « Allégresse, dit-elle, d'avoir Dieu de mon côté mais culpabilité d'être une méchante fille, insolente envers ma mère. » À cette époque, alors que sa famille s'apprêtait à partir en promenade, Grace se souvient d'avoir refusé obstinément d'aller avec eux : « Je me rappelle être allée dans ma chambre et avoir pleuré à n'en plus finir. Je n'ai aucune idée de ce qui était en train de se passer en moi, tout ce dont je me souviens, c'est que c'était horrible. Une sorte de crise de nerfs. Je me rappelle avoir pensé que j'étais "mauvaise" ou "méchante". » Cette image négative d'elle-même deviendrait un *leitmotiv* plus tard.

Grace avait souvent peur d'être « bête ». Ce sont ses parents qui le lui avaient fait croire en la critiquant ou en lui reprochant de faire des choses « stupides » : « Ce n'est pas que j'étais vraiment stupide, se défend-elle. Je pensais à autre chose et je faisais alors des choses idiotes. » Une autre raison, peut-être, qui a donné cette idée à Grace, c'est que par nature elle agissait plutôt qu'elle ne pensait. Petite fille, elle s'était montrée décidée et responsable et on pouvait compter sur elle pour que les choses soient faites vite et bien. Après un minimum de planification et d'organisation, elle s'attelait à la tâche. Parfois elle en était fière, mais parfois elle souffrait de ne pas être pondérée et réfléchie comme d'autres pouvaient l'être.

L'un de ses talents est son côté très artiste, une chose qui avait compté pour elle dans son adolescence. Au lycée, elle assistait son professeur de dessin au camp d'été et aimait aider les enfants à s'exprimer à travers l'art. Par la suite, elle a remporté des prix pour ses dessins abstraits et ses tableaux surréalistes, et l'art est progressivement devenu le centre de sa vie.

Maintenant que nous savons tout cela sur Grace, examinons

l'enfance de Kenneth. Il a suivi des thérapies toute sa vie. Au cours du premier entretien, il m'a dit qu'il pouvait me raconter sa vie « en deux temps trois mouvements ». Ce qui s'est avéré car, en quelques minutes, il a été capable de me brosser un synopsis cohérent de son enfance : « Ma mère était une femme énergique, au caractère passionné, commença-t-il, qui voulait beaucoup de la vie et qui voulait beaucoup de mon père, un homme gentil, calme et passif. Mon père était un modèle pour moi. De lui, j'ai appris à être calme et passif. Ma mère attendait beaucoup de moi aussi. Je la ressentais comme étant avide de moi. Maintenant, avec le regard adulte que je porte sur mon enfance, je peux voir que c'est parce qu'elle ne se sentait pas comblée par mon père. Elle pouvait parler de façon tranchante et souvent elle me critiquait et se mettait en colère contre moi. Je ne comprenais pas pourquoi et pensais souvent qu'elle était injuste. Gosse, je me rappelle avoir rêvé d'une mère différente. Nous avions des moments de tendresse mais je ne pouvais pas m'abandonner complètement avec elle. J'avais peur qu'elle me bouffe au repas. Je ne pouvais même pas partager mes exploits avec elle car je savais qu'elle s'en approprierait la gloire. Et ça, je n'allais pas la laisser faire. »

Il me semble qu'il y a une similarité fondamentale entre l'enfance de Grace et celle de Kenneth. Tous deux ont eu des pères passifs et renfermés et des mères agressives au caractère dominant. Kenneth, cependant, n'était pas proche de ses parents. Bien qu'il ait beaucoup admiré son père, ce dernier restait à distance. « Nous avons eu de bons moments ensemble, mais il était gêné de parler de ses sentiments. Je voulais qu'il m'aime et qu'il soit fier de moi, mais il ne m'a jamais dit qu'il m'aimait. Ce sont les autres qui m'ont dit qu'il me respectait, mais pas lui. » La colère mettait son père particulièrement mal à l'aise. « Si jamais je me mettais en colère, il se mettait en retrait. Il adoptait la même technique avec ma mère. Quand elle se mettait en colère contre lui, il se repliait sur lui-même. Quand ma mère était en colère contre moi, j'essayais d'imiter sa technique d'évasion mais je n'arrivais jamais à me retirer assez loin. » À cause de cet apprentissage précoce, Kenneth a appris à avoir peur de sa propre colère : la colère lui posait des problèmes avec sa mère et le séparait de son père. « Dès mon jeune âge, j'ai pris la décision d'être quelqu'un de gentil », dit-il. Ce masque, ce *faux moi* cachait une attente désespérée, selon ses propres mots, d'« un maternage tendre et une présence paternelle réconfortante ». Et derrière cette attente, se cachait une accumulation de colère venue de ces besoins non comblés.

Kenneth et Grace illustrent le principe dont j'ai parlé précédemment, à savoir que maris et femmes ont souvent été blessés de la même façon, mais qu'ils ont élaboré des mécanismes de défense opposés. Kenneth et Grace ressentaient tous deux le besoin de se forger des identités distinctes de leurs parents trop autoritaires. Cela nous suggère que, du point de vue du développement de l'enfant, leur conflit se trouve au stade que les psychologues nomment *stade de l'individualisation et de l'autonomie*. Kenneth a façonné son espace psychique en devenant passif et « gentil » pour éviter la colère de sa mère ; Grace a établi son identité en devenant rebelle et coléreuse pour essayer de contrer une mère envahissante. Leur choix de solutions opposées explique qu'ils aient été attirés l'un par l'autre. Grace admirait la gentillesse et la bonté de Kenneth ; Kenneth admirait la force de caractère et l'agressivité de Grace. Ils ont vu l'un dans l'autre des parties essentielles de leur propre nature qui avaient été réprimées. Ce qu'ils n'avaient pas réalisé, c'est que ces traits de caractère opposés représentaient un effort pour guérir la même blessure.

Forts de la position avantageuse que procurent trente-cinq ans de mariage, Kenneth et Grace font des réflexions fines sur ce qui les avait attirés l'un vers l'autre. « Obligé de m'occuper de moi-même lorsque j'étais enfant, dit Kenneth, j'ai choisi Grace pour me materner. Elle était très chaleureuse, pleine de vie et de tendresse. » Grace avance une explication tout aussi succincte pour avoir épousé Kenneth : « J'étais une vilaine fille stupide à la recherche d'un bon garçon intelligent. Kenneth était exactement ce qu'il me fallait. » Bien que, sans aucun doute, ces raisons positives les aient menés au mariage, il y avait aussi des raisons négatives. La plus évidente, c'est qu'ils avaient choisi un partenaire qui perpétuerait leur lutte avec le parent de sexe opposé. Grace était dominante et agressive — comme la mère de Kenneth — et Kenneth était passif et gentil — comme le père de Grace. Ils avaient choisi des partenaires ayant des traits de caractère qui leur avaient causé beaucoup d'angoisse dans leur enfance.

Cependant il a fallu une année complète avant que ces traits négatifs ne se manifestent. « La première année a été plutôt idyllique », dit Grace. Les problèmes sont apparus dans la deuxième année de leur mariage, peu après la naissance de leur fille. Kenneth était médecin généraliste dans une clinique qui connaissait des difficultés financières. Grace s'inquiétait de ce qu'il ne se démène pas assez pour attirer de nouveaux patients. « Moi, j'avais plein d'idées pour améliorer la situation à la clinique, se rappelle Grace, mais il était content des choses telles qu'elles étaient. Je continuais à imaginer toutes ces possibilités que lui ne voyait pas. »

Ils ont eu leur première dispute quand Grace a réalisé que la clinique perdait des patients : « Pendant deux ans, Kenneth avait refusé de voir que la clinique était en déclin. Maintenant il risquait d'être trop tard pour faire quoi que ce soit. Deux de ses collègues étaient partis pour trouver un emploi plus lucratif. Un soir, j'ai finalement explosé. » Kenneth se souvient de la dispute et se rappelle qu'il appréciait que Grace se sente concernée par la clinique, mais qu'il le vivait comme une intrusion. « D'une part, j'appréciais ses qualités de leader, dit-il. Mais d'autre part, elle me rendait furieux avec ses exigences. Elle semblait croire qu'elle savait ce que je devais faire et qu'elle avait le droit de me le dire. C'était comme si elle était ma mère avec des demandes écrasantes. »

En revenant sur cet épisode, Grace se rappelle aussi ses émotions mitigées. « Je m'inquiétais d'être trop forte, trop volontaire. Je me demandais si Kenneth serait plus dominant si j'atténuais ma personnalité. Mais je ne pouvais pas laisser les choses telles quelles. » Les qualités mêmes qui avaient motivé leur attraction l'un vers l'autre — le caractère volontaire et extraverti de Grace, et la nature gentille et passive de Kenneth —, étaient en train de devenir la base d'un jeu de pouvoir entre eux, lequel allait durer trente-cinq ans.

Kenneth a commencé à avoir des doutes au sujet de Grace : « Je commençais à prendre conscience de certaines choses que j'aurais souhaitées différentes chez Grace. D'abord, intellectuellement, elle ne s'intéressait pas aux mêmes choses que moi. Je souhaitais qu'elle lise davantage et puisse échanger des points de vue. » Une fois de plus, le message reçu par Grace était : « Tu manques d'intelligence. » Le jeune homme qui avait paru être si intéressé par son travail universitaire lui reprochait maintenant de ne pas être intellectuelle.

Quand leur fille est entrée à l'école primaire, Grace a commencé à enseigner à mi-temps le dessin dans un lycée de la région. Cet hiver-là, la mère de Kenneth est venue les voir, et Kenneth et Grace ont eu une autre altercation importante. À l'époque, Grace était très prise par le lycée. Elle était aimable avec sa belle-mère, mais poursuivait ses activités habituelles. « J'étais trop occupée pour être une bonne hôtesse », se souvient-elle. De plus, elle refusait de satisfaire le désir de sa belle-mère qui voulait qu'elle soit une femme traditionnelle au foyer, passant, au retour du travail, le reste de son temps à « faire la cuisine, le ménage et le raccommodage ». Au cours de sa visite, la mère de Kenneth devait se distraire toute seule la plupart du temps, et cet accueil l'avait tellement mise en colère qu'elle était partie deux jours plus tôt que prévu, se plaignant amèrement à Kenneth qui la conduisait au train. Être piégé dans la voiture avec sa mère en colère avait rendu Kenneth extrêmement anxieux : « J'étais là, contraint d'écouter ma mère attaquer Grace, sans oser la défendre. Je n'avais pas le courage de prendre le parti de ma propre femme. »

Pour Grace, cette visite avait été une répétition déplaisante de son enfance. Une fois de plus, elle comptait sur un homme incapable et passif pour la défendre contre une figure maternelle critique et hostile. « Je voulais que Kenneth soit de mon côté, dit-elle, qu'il explique à sa mère à quel point j'étais occupée. Mais il avait peur de faire des vagues et il a eu le toupet de se mettre en colère contre moi pour n'avoir pas su la calmer. » Tandis que Grâce me racontait cet épisode, elle a fait remarquer la ressemblance entre son père à elle et Kenneth. « Mon père était un homme très gentil et affectueux, mais il n'avait pas de force de caractère. Je voulais qu'il me protège, qu'il prenne les rênes, exactement ce que je voulais de Kenneth. » Il est intéressant de noter que, lorsqu'elle était en colère contre Kenneth, Grace le traitait de la même façon que sa mère traitait son père. « Je fulminais, je pleurais et je hurlais, bref, je le terrorisais avec ma colère. Kenneth faisait de son mieux pour me calmer. Mais plus il était gentil et plus ça me rendait furieuse. Ça devenait très malsain. » À son insu, Grace avait intériorisé les traits négatifs de sa mère, ceux-là mêmes qui l'avaient empoisonnée dans son enfance.

En surface, Kenneth et Grace, comme beaucoup de couples, donnaient l'impression d'être diamétralement opposés. Grace, extravertie et coléreuse ; Kenneth, gentil et passif. Cependant, sous cette « gentillesse » superficielle, Kenneth était tout aussi en colère que Grace. Il exprimait sa colère à travers la critique. Cette tendance s'était révélée tôt dans leur mariage. « Depuis le départ, Kenneth ne m'a jamais donné le sentiment qu'il avait de l'admiration pour moi, dit Grace. D'autres hommes que j'avais fréquentés m'avaient traitée avec bien plus de gentillesse. Kenneth critiquait ma façon de tenir la maison, d'élever les enfants, mes sautes d'humeur et mon manque de dimension intellectuelle. Il faisait tout le temps le professeur. Il me demandait, "sais-tu ceci ? sais-tu cela ?" — chose obscure dont je n'avais rien à faire. Quand j'admettais que non, il commençait à me sortir un cours comme si j'étais une lycéenne. J'ai mis un terme à ce comportement-là dès les premières années. Mais il ne m'a jamais donné l'impression de me chérir. Il ne m'a jamais aimée de la façon dont je voulais être aimée. Peu à peu, je pense avoir perdu beaucoup de l'estime de moi-même que j'avais apportée dans notre mariage. »

Aujourd'hui, Kenneth peut admettre gentiment que, oui, il critiquait en effet sa femme : « Je voulais beaucoup d'elle, et elle me donnait beaucoup. Mais j'étais résolu à mordre la main qui me nourrissait. J'avais besoin de la bousculer même si je savais à quel point cela la blessait. »

Pourquoi Kenneth était-il aussi critique vis-à-vis de Grace ? Si vous vous rappelez, le but de Kenneth dans la vie était qu'une figure maternelle dominante le traite avec tendresse et affection, mais en même temps, il devait s'en tenir suffisamment éloigné pour ne pas être absorbé. Inconsciemment, il accomplissait cette manœuvre délicate en lui prodiguant suffisamment d'amour et d'affection pour la retenir, tout en maintenant une distance essentielle en la critiquant constamment.

Du fait que Grace se soit trouvée si peu confortée par Kenneth, on comprend qu'elle ait ressenti un manque de sécurité dans sa relation. Elle était soupçonneuse et jalouse de ses activités extérieures, particulièrement de ses contacts avec les femmes : « Il y a tellement de femmes qui tombent amoureuses de leur médecin, dit-elle, j'étais sûre qu'il avait une maîtresse. » Kenneth admet que, pendant très longtemps, il a eu « un pied dans le mariage et un pied en dehors. Comme si quelqu'un de mieux allait croiser ma route. Comme si je n'avais pas choisi la meilleure. Ça me fait mal de le dire, mais je n'étais pas totalement engagé vis-à-vis de Grace ».

Ce n'est pas étonnant que Grace ait souvent ressenti de la

colère : « La seule chose que je ne puisse nier, dit Grace, c'est qu'il y avait toujours en moi une colère latente. » Mais, à l'époque, Grace ne savait pas d'où cela venait. Le moment où elle réalisait le plus qu'elle avait cette colère en elle était le soir en se mettant au lit. Elle se disait : « Pourquoi est-ce que je ressens tant de colère ? Pourquoi ? » Mais elle n'avait aucune réponse à cela. En examinant maintenant cette époque de leur mariage, elle voit clairement que Kenneth était la source de sa colère. Elle se souvient qu'il était souvent appelé la nuit pour des accouchements ou des urgences. Quand elle entendait le crissement des pneus de sa voiture sur le gravier de l'allée, elle était envahie de ce qu'elle appelle des « sentiments romantiques ». Elle était impatiente de le voir et l'accueillait pleine d'espoir. Mais au bout de quelques minutes à peine, elle se sentait en colère. Ses sentiments romantiques s'évanouissaient : « Je me sentais déçue, dit Grace. Et pourtant je n'étais même pas sûre de ce que je voulais de lui. »

Le mariage de Kenneth et Grace a connu bien des changements durant ces vingt premières années. Ils ont élevé quatre enfants, ont habité dans trois villes différentes et ont eu de bonnes et de mauvaises années. Mais les courants émotionnels étaient les mêmes entre eux. Grace désirait toujours plus d'amour, plus de force et plus d'engagement de la part de Kenneth. Kenneth voulait plus d'amour, plus de tendresse de la part de Grace et, en même temps, il voulait qu'elle lui accorde davantage d'espace. La tension sous-jacente était si forte que, s'ils étaient nés à une époque plus permissive, ils auraient divorcé. « Je le menaçais toujours de divorcer, dit Grace. Après la première année de mariage, le sujet du divorce revenait souvent sur le tapis. Nous étions des personnes très différentes, et nous ne voulions pas satisfaire l'autre. » L'un des plus profonds regrets de Grace, c'est d'avoir fait part à sa fille aînée de sa colère contre Kenneth. « Dès qu'elle a été assez grande pour comprendre, je me suis plainte à elle de son père, dit-elle. Jusqu'à aujourd'hui, j'ai peur qu'elle ait moins de respect pour son père à cause de ça. »

Dans leur mariage, le plus grand creux de la vague a été dans leur quarantaine, un âge où Kenneth se trouvait en pleine crise existentielle. Jusque-là, il s'était toujours considéré comme « un jeune homme plein d'avenir ». La vie était une aventure et de nombreuses voies s'offraient à lui. Maintenant, il regardait autour de lui, voyait que son mariage n'était pas brillant, qu'il était médiocre en tant que médecin et qu'il n'avait pas beaucoup d'enthousiasme pour sa profession : « Je ne faisais rien de plus que des accouchements. Je ne pouvais plus nourrir l'illusion d'un avenir prometteur », dit-il. Cette prise de conscience a déclenché en lui une longue dépression.

À cette même période, Grace traversait une crise religieuse. Soudain les croyances dans lesquelles elle avait été élevée ne voulaient plus rien dire pour elle. Elle s'est mise en quête d'un nouveau sens, mais plus elle cherchait, moins elle trouvait de point d'ancrage. En désespoir de cause, elle s'est tournée vers Kenneth : « Je lui disais : "Dis-moi ce que tu crois et je le croirai !" Mais tout ce qu'il faisait était de me donner des livres à lire. Il m'a donné Paul Tillich. Je m'asseyais et je lisais, et je pleurais. Je n'arrivais pas à comprendre ce qui m'arrivait. J'ai finalement décidé que j'étais en train de devenir folle. Je perdais la tête. J'étais trop intelligente pour me laisser avoir par les évangéliques conservateurs, et j'étais trop bête pour comprendre les théologiens libéraux. J'étais dans un vide religieux. »

Kenneth se rappelle ce tumulte qui habitait Grace : « Elle voulait que je résolve sa confusion morale et religieuse, dit-il. J'essayais et j'échouais, et je recevais d'elle une tempête de douleur et de rage. Elle était angoissée quant à son salut. J'avais l'impression qu'elle me prenait à la gorge en implorant de moi une réponse. J'étais censé lui apporter une réponse, et j'échouais. » Il était désespéré de ne pouvoir aider Grace, mais en même temps il était conscient de la priver délibérément de quelque chose qu'elle désirait : « Elle voulait que je sois fort, que je sois résolu. Et ce n'était pas uniquement à propos de la religion. C'était pour tout. Elle voulait être une petite fille et que moi, je sois le papa. Mais pour moi, ce rôle n'était pas juste. Je ne voulais pas être trop fort. Parce que, dans ce cas-là, il m'aurait fallu renoncer pour toujours à mon désir d'obtenir ce dont j'avais besoin. J'avais envie d'être un enfant moi aussi. »

La crise s'est estompée progressivement. Grace a été profondément soulagée de découvrir que son mari, homme très religieux, restait à ses côtés, bien qu'elle soit, selon ses termes, « devenue pratiquement athée ». À cette époque, Kenneth a participé à un groupe de thérapie pour être aidé dans sa dépression. Au cours de sa thérapie, il a découvert des choses importantes le concernant. L'une des plus importantes était que, dans leur relation, il avait rejeté sur Grace la charge d'extérioriser la colère : « C'était elle qui exprimait toute la colère qui était en moi. J'étais celui qui était bon et gentil. Elle était la méchante qui était coléreuse. Cependant, j'avais en moi toute une colère réprimée, et le fait de la contenir me maintenait à distance de Grace et la rendait furieuse au possible. »

Peu à peu, Kenneth s'est risqué à exprimer sa colère : « C'était au cours d'une séance de thérapie, se souvient Grace, que Kenneth avait osé se mettre en colère contre moi pour la première fois. Je ne me rappelle même plus à quel sujet. Mais je me rappelle clairement qu'il avait élevé la voix contre moi. Il était resté bouche bée que je n'aie pas foncé sur lui pour le tuer. Il ne pensait pas survivre à sa propre colère. » Cela s'est avéré une expérience cruciale pour Kenneth. Il avait défié son interdit contre sa colère, et il était toujours vivant pour en parler. Il a commencé à tester sa nouvelle aptitude : « Je me suis mis en colère contre Grace quatre ou cinq fois en une semaine, juste pour prouver que je pouvais le faire. Puis j'ai atteint le point où, à chaque fois qu'elle criait, je réagissais de même. Seulement, je prenais bien soin de crier plus fort qu'elle. » Quoiqu'elle ait toujours désiré que Kenneth soit plus fort, quand il a commencé à l'être, elle a eu du mal à s'y faire. Parfois, elle soupirait après le bon vieux Kenneth passif d'autrefois.

En dépit des appréhensions de sa femme, Kenneth a continué à avoir plus confiance en lui et à devenir plus agressif, croissance soutenue et encouragée par son groupe de thérapie. L'un des messages que Kenneth recevait des membres du groupe, c'est qu'il ne demandait pas assez pour lui-même : « Tu agis comme si tu n'avais pas grand-chose de bon à attendre de la vie, lui disaient-ils. » Kenneth avait senti qu'il y avait du vrai dans cette observation, et il avait cherché des moyens de se réaliser plus pleinement. C'est à cette époque qu'il a eu une aventure. « Je ne blâme pas le groupe pour ce que j'ai fait, dit-il. Ils m'ont aidé à prendre conscience que j'étais trop effacé, mais c'est moi seul qui ai eu l'idée de cette aventure. Je l'ai vue comme une occasion de faire quelque chose pour moi. De déployer mes ailes et prendre mon envol. Ce n'était pas que Grace et moi nous disputions. Les choses allaient bien à cette époque — ce n'était pas formidable, mais bien. C'est juste que j'avais envie de quelque chose d'excitant. C'était une façon de prouver que j'étais quelqu'un. »

L'aventure n'a duré que deux semaines. Grace l'a découverte

en trouvant une facture du motel qui était tombée de sa poche. Elle a tout de suite compris de quoi il s'agissait. « Je l'avais soupçonné pendant des années. Maintenant, c'était vrai. » Grace a réagi à cette aventure de façon typique : « J'étais furieuse. J'ai crié et hurlé. » Deux jours après avoir découvert la facture du motel, elle a pris rendez-vous avec un conseiller conjugal : « Je voulais de l'aide pour gérer tout ça, dit-elle. J'avais l'impression que j'allais exploser. Je suppose aussi que je voyais la thérapie comme un moyen de le traîner devant un tribunal, de le forcer à reconnaître la peine qu'il m'avait faite. »

Par le biais de la thérapie, Kenneth et Grace ont pu arriver à une solution. Kenneth a accepté de cesser de voir l'autre femme et Grace a accepté d'essayer de rebâtir sa confiance en lui. Au cours de ce processus, Kenneth a fait d'importantes découvertes concernant Grace : « Sa colère à propos de cette aventure a été une menace, mais en même temps cela m'a rendu plus fort. Cela m'a montré à quel point elle tenait à notre mariage et à quel point elle voulait ramasser les débris et continuer à travailler pour maintenir notre relation. Nous parlions de divorce depuis si longtemps que je lui étais reconnaissant de bien vouloir considérer si d'une mauvaise situation, il pouvait sortir quelque chose de bon. »

Il est facile de comprendre que cela a pris beaucoup de temps à Grace pour rebâtir sa confiance. Quand Kenneth rentrait le soir, elle l'interrogeait très en détail sur ses allées et venues. Pendant des mois, Kenneth a supporté patiemment ses interrogatoires, réalisant qu'il en était entièrement responsable pour avoir trahi sa confiance. C'est au cours de cette phase critique de leur relation que la dernière crise s'est produite : Kenneth a dû subir un quadruple pontage coronarien. Quoique son mari se soit bien remis de l'opération, Grace a été plus ébranlée par son problème cardiaque que par son aventure. « Un soir, dit Kenneth, alors que nous étions allongés l'un près l'autre dans le lit, elle m'a dit que, si le fait de sortir de ma vie devait favoriser mon rétablissement, elle était prête à le faire. Elle savait que notre mariage n'avait été satisfaisant ni pour elle ni pour moi, et que, peut-être, cela s'était traduit par mon problème cardiaque. Si une séparation pouvait m'être bénéfique, elle donnerait son accord pour divorcer. Elle m'a clairement dit qu'elle ne voulait pas me quitter, mais elle avait peur que le maintien de notre vie commune ne fasse qu'empirer les choses. »

Que Grace envisage de faire ce sacrifice a été le point déterminant pour Kenneth : « C'est là que j'ai décidé de m'investir entièrement dans mon mariage, dit-il. Je savais que je n'allais pas trouver une femme meilleure que Grace. C'était une femme remarquable. Elle avait été parfois difficile. Mais, au fond, ne le sommes-nous pas tous ? Je me suis finalement décidé à m'engager pleinement dans notre mariage. »

J'ai suggéré à Kenneth que, peut-être, sa décision de s'engager pleinement vis-à-vis de Grace avait quelque chose de commun avec l'amour tolérant qu'elle lui avait offert, une chose qu'il avait toujours désirée de la part de sa mère. Après une minute de réflexion, il a dit : « Oui, oui, je crois que c'est tout à fait ça. L'amour de ma mère n'était jamais inconditionnel. Grace était en train de m'offrir un amour désintéressé. »

Kenneth et Grace n'ont pas organisé de cérémonie officielle pour célébrer leur « remariage », mais ils ont eu dans un restaurant une conversation très importante pour eux. Alors qu'un pianiste jouait l'air de *Someone to watch over me* (« Quelqu'un pour me protéger »), Kenneth a pris la main de Grace et lui a dit : « Faisons un pacte. Moi, je veillerai sur toi, et toi, tu veilleras sur moi. C'est une pure déclaration d'amour. Décidons d'être l'un pour l'autre la meilleure amie, le meilleur ami, et de nous protéger mutuellement. »

Après trente ans de mariage, Grace recevait enfin toute l'attention de Kenneth et obtenait son plein engagement. Par cet engagement, Kenneth a pu apprécier les qualités de Grace sous un nouveau jour : « Je pense qu'il a commencé à réaliser que j'étais intelligente. Je n'étais pas une intellectuelle, mais j'avais des dons artistiques. J'ai commencé à ressentir pour la première fois que Kenneth m'admirait vraiment. » La colère qui l'avait consumée tant d'années est devenue moins intense parce que, dit Grace : « Il m'aimait vraiment et je le savais. »

C'est à ce stade avancé d'amour et de capacité à accepter l'autre que Kenneth et Grace sont venus pour la première fois à l'un de mes ateliers. Ils étaient en grande partie sortis de l'impasse par eux-mêmes, mais il leur restait encore à acquérir de nouveaux outils de travail et de nouvelles connaissances. Pour Grace, le moment le plus important du séminaire a été la démonstration de l'exercice du contenant. Elle a été profondément soulagée de voir le couple apprendre à travailler avec sa colère. C'était la première fois, dit-elle, qu'elle avait compris que la colère avait de la valeur : « J'ai soudain réalisé que je n'étais ni méchante ni folle du fait d'être coléreuse. Ma colère avait une raison et un but. J'avais besoin, non de renier mon tempérament explosif pour être aimée, mais seulement de le canaliser pour le rendre productif dans notre relation. C'était une révélation merveilleuse pour moi. »

Depuis cet atelier, Kenneth et Grace, comme Anne et Greg, ont développé leur propre version de l'exercice du contenant. Les deux couples se sentent libres de « sortir de leurs gonds », pour utiliser leurs propres mots, lorsqu'ils ressentent de fortes émotions. Mais les partenaires sont très conscients de leurs actes et ils font attention à ne pas se blesser l'un l'autre dans le feu de l'action. « Nous ne nous insultons jamais, dit Kenneth. Nous exprimons simplement notre colère et notre irritation. Et l'autre sait que c'est un élément important pour que notre relation reste saine. Nous ne gardons pas de rancune. » Grace pense que cet exercice a permis à Kenneth d'accepter beaucoup mieux sa nature émotive à elle : « Il semble que son attitude envers ma colère ait changé au cours de cet atelier. Il avait déjà appris à accepter sa propre colère, dans son groupe de thérapie, mais il n'avait pas accepté la mienne. Maintenant, c'est chose faite. Je crie et je hurle et je continue à être aimée. Nous traversons la crise et nous nous retrouvons une fois que c'est fini. Cela a été un changement important dans notre relation. »

Grace pense que le fait que Kenneth l'accepte mieux a été un facteur déterminant dans sa propre capacité à s'accepter elle-même : « Je pense que le fait que Kenneth accepte mon énergie, ma détermination et ma colère m'aide à accepter ce que j'appelle "ma mère" en moi, cette part qui ressemble à ma mère et que j'ai toujours essayé de renier. Je n'ai plus besoin de me battre parce qu'il m'aime telle que je suis. Je n'ai plus à renier ce que je suis. »

Pour Kenneth, l'amélioration la plus importante dans leur relation a été d'être traité avec davantage de gentillesse et de se sentir plus en sécurité : « Nous sommes amis maintenant, dit-il. Et non plus des antagonistes. La différence, c'est que je me sens en sécurité. Elle est de mon côté, elle désire mon bien-être. Elle m'estime. Elle m'apprécie. Et moi, je m'engage à l'aimer, à l'apprécier et à la conforter. Je ressens tout de façon très différente. La lutte avec ma mère est finie. Une femme est à mon côté et il se trouve que c'est Grace. Je peux me détendre et me sentir en sécurité avec elle. » Grace reflète ces sentiments : « C'est important pour moi aussi. Je peux me détendre et me sentir en sécurité avec Kenneth. » Pour tous les deux, le besoin primitif du vieux cerveau d'être dans un environnement sécurisant et affectueux a finalement été comblé.

Kenneth et Grace ont participé à deux autres ateliers. C'est là qu'ils ont remarqué que je parlais du mariage conscient comme d'un voyage et non comme d'une destination, en expliquant que, même dans les meilleurs mariages, il y a toujours des luttes et un besoin de s'adapter et de changer. En un sens, leur expérience confirme cette observation. « Nous avons toujours des problèmes, dit Grace. Par exemple, Ken veut que je fasse plus attention à ce que je lui dis. Que je m'exerce avant de lui parler, afin de ne pas le blesser. Mais ça m'est difficile. Je suis quelqu'un d'impulsif. Cela me semblerait très étrange de filtrer toutes mes pensées avant de les lui dire. Et moi, c'est l'inverse que j'aimerais de lui. Je voudrais qu'il soit plus spontané, moins réfléchi. Mais cela lui semble risqué. » Ils expriment tous deux une ambivalence quant à la nécessité de continuer à croître sur le plan personnel. « Peut-être que c'est lié à notre âge, dit Kenneth. Une part de moi aspire à une vie sans lutte. Grace et moi-même en sommes arrivés à un stade où nous nous sentons bien. Ce n'est pas que nous ayons arrêté de grandir et de changer, c'est juste que nous nous sentons bien comme nous sommes. » En un certain sens, ils mettaient en question ma description de l'amour réel comme un voyage sans fin. « C'est peut-être un voyage sans fin, me disent-ils, mais c'est un voyage qui, au fil du temps, demande de moins en moins d'efforts. »

Ces deux relations de couple nous offrent une excellente description de ce que j'appelle le « mariage conscient ». Anne et Greg, comme Kenneth et Grace, nous montrent qu'il s'agit d'un état d'esprit et d'une façon d'être basés sur la décision de s'accepter mutuellement, la volonté de croître et de changer, le courage d'affronter sa propre peur, et une décision consciente d'agir avec amour. C'est un mariage construit sur des fondements entièrement différents de l'engouement qui caractérise l'amour romantique, mais où l'on fait l'expérience de sentiments tout aussi joyeux et intenses.

À examiner le mariage plus en détail, il est clair que le mot « amour » ne peut à lui seul décrire avec précision l'immense variété de sentiments que deux individus éprouvent l'un pour l'autre. Dans les deux premières étapes du mariage, celle de l'amour romantique et celle de la lutte pour le pouvoir, l'amour est une réaction automatique ; c'est une réponse inconsciente à l'attente d'un assouvissement complet de nos besoins. L'amour se laisse alors mieux décrire comme éros, une force vitale nous poussant à vouloir nous unir à l'objet de notre désir. Quand un mari et une femme prennent la décision de créer un mariage plus satisfaisant, ils entrent dans une étape de transformation de l'amour en un état conscient où il est essentiel que la volonté intervienne ; alors la meilleure façon de décrire l'amour est en terme d'*agapè*, un élan vital dirigé vers le partenaire avec la volonté de faciliter sa guérison.

Maintenant, à la dernière étape du mariage, celle de l'amour réel, l'amour se transforme en une « oscillation spontanée », mots qui nous viennent de la physique quantique et qui décrivent le va-et-vient de l'énergie entre les particules. Quand des partenaires apprennent à se voir sans se déformer mutuellement, à estimer l'autre autant que soi-même, à donner sans attendre en retour, à s'engager pleinement pour le bien-être de l'autre, l'amour jaillit naturellement entre eux sans effort apparent. Le mot qui rend le mieux compte de cette forme d'amour accompli n'est ni le mot *eros*, ni le mot *agapè*, mais un autre mot grec, *philia* qui veut dire « amour entre amis ». Le partenaire n'est plus perçu comme un parent de substitution ou un ennemi, mais comme un ami passionné.

Quand les couples arrivent à s'aimer de cette manière désintéressée, ils éprouvent une libération d'énergie. Ils cessent d'être consumés par les détails de leur relation, ou d'avoir besoin de fonctionner dans la structure artificielle des exercices. Ils se traitent spontanément l'un l'autre avec amour et respect. Ce qui leur semble contre nature n'est pas leur nouveau mode de relation mais leur égoïsme et les interactions blessantes du passé. L'amour devient spontané, comme il l'était au premier stade du mariage, mais maintenant il est basé, non plus sur l'illusion que nous nous étions faite de notre partenaire, mais sur sa vraie nature.

Ce qui caractérise les couples qui atteignent cet état de conscience avancé, c'est qu'ils tournent leur énergie vers la misère du monde au lieu de rester centrés sur eux-mêmes. Ils développent un degré d'empathie plus grand pour l'environnement, pour les nécessiteux, et pour des causes importantes. La capacité d'aimer et de guérir qu'ils ont créée dans leur mariage est maintenant disponible pour les autres.

Je n'ai pas trouvé de meilleure description de cette forme d'amour rare que dans Corinthiens 13 :

> « L'amour est patient, il est plein de bonté. Il n'est pas envieux, il ne se vante pas, ne s'enfle pas d'orgueil. Il n'est pas grossier, il ne cherche pas son propre intérêt, il ne se met pas facilement en colère, il ne garde pas de rancune. L'amour ne se réjouit pas du mal, mais il se réjouit de la vérité. Il protège toujours. Il fait toujours confiance, il espère toujours, ne se lasse jamais. L'amour n'échoue jamais. »

Troisième partie

DIX PAS
VERS UN MARIAGE CONSCIENT

I

AVANT DE PRENDRE LA ROUTE

Cette partie du livre décrit un processus en dix étapes qui vous permettra de bâtir un mariage conscient. Seize exercices vous aideront à mettre en pratique dans le mariage les informations que vous venez d'acquérir. Avant de les décrire, j'aimerais faire quelques commentaires.

Tous les exercices ont été rigoureusement « testés ». À quelques petites exceptions près, ce sont les mêmes que ceux pratiqués par les couples durant ces dix dernières années. Les seuls changements apportés ont consisté à éliminer ceux qui exigeaient d'être supervisés directement et à en modifier plusieurs autres afin qu'ils s'adaptent mieux à un format de livre. À part cela, ce sont les mêmes exercices que vous feriez si vous veniez à un atelier pour couples ou si vous travailliez avec moi ou avec un conseiller conjugal formé en thérapie relationnelle de l'imago. Ces exercices ont prouvé leur efficacité. Un chercheur indépendant a conclu que les couples qui assistent à un de mes ateliers de week-end, et dont le contenu est à peu près celui de cet ouvrage, font autant de progrès dans leur relation que ceux qui ont eu trois à six mois de séances privées.

La plupart des exercices sont fondés sur le principe du changement progressif, à savoir que vous commencez par les tâches les plus faciles pour continuer avec d'autres de plus en plus difficiles. Vous pourrez travailler et acquérir vos connaissances à votre rythme. N'oubliez pas que, plus un exercice vous paraît difficile, plus il est susceptible de vous aider à croître sur le plan personnel.

Vous allez découvrir que les exercices réclament un investissement de temps et beaucoup de volonté. Pour les faire tous, il vous faudra réserver une ou deux heures sans interruption chaque semaine. Il se peut même qu'il vous faille prendre quelqu'un pour s'occuper de vos enfants ou sacrifier autre chose pour trouver le temps nécessaire, tout comme si vous aviez un rendez-vous hebdomadaire avec un thérapeute. Ce niveau d'engagement est tel qu'il importe que les choses soient bien claires pour vous quant à votre désir d'avoir un mariage satisfaisant et que vos priorités soient constamment réaffirmées.

Il se peut que certains d'entre vous veuillent faire ces exercices mais que vos partenaires n'y tiennent pas. Souvent l'un des partenaires est plus motivé que l'autre pour résoudre les difficultés. Si, pour l'instant, vous êtes la seule personne intéressée par les exercices, je vous encourage à en faire le plus possible par vous-même. Une relation, c'est comme un ballon gonflé : si vous appuyez quelque part, vous en déformez l'ensemble. Si vous commencez à écouter avec plus d'objectivité, à partager vos sentiments avec plus de candeur, à contenir vos réactions défensives et agressives, et si vous faites un effort conscient pour être un objet de plaisir pour votre partenaire, cela pourra favoriser des progrès importants. Peu à peu il est possible que la résistance de votre partenaire diminue et que vous puissiez continuer ensemble le reste des exercices.

Certains d'entre vous choisiront sans doute de faire ces exercices en couple, d'autres préféreront les faire en groupe afin d'avoir le soutien d'autres couples ayant les mêmes objectifs. Un guide pour groupes et un guide pour couples sont disponibles pour vous aider à structurer ces séances.

En travaillant ces exercices, vous découvrirez que le chemin qui mène au mariage conscient n'est pas une ligne droite. Il y aura des moments de grande joie et d'intimité, il y aura des détours, de longues périodes de stagnation et de régression inattendues. Pendant ces périodes de régression, il est possible que vous vous sentiez découragé ou que vous culpabilisiez à propos de votre rechute. Souvent, mes patients me disent : « Dr Hendrix, on a remis ça, on est retombés dans nos vieilles habitudes. On avait cru que tout ça, c'était du passé ! Qu'est-ce qui ne tourne pas rond chez nous ? » Je leur réponds qu'en amour comme dans le mariage rien n'est tracé tout droit. Les relations ont tendance à évoluer en cercle et en spirale ; elles sont ponctuées par des périodes de calme et des périodes de turbulence. Et s'il vous semble répéter constamment les mêmes luttes, il y a toujours un changement, si infime soit-il. Ce qui se passe en fait, c'est que vous approfondissez votre connaissance de l'autre ou que vous participez à un certain phénomène d'une façon différente et à un niveau différent. Peut-être êtes-vous en train d'intégrer davantage d'éléments inconscients dans votre relation, ou d'approfondir votre prise de conscience d'un processus de changement déjà amorcé ? Peut-être réagissez-vous plus intensément à une situation familière parce que vous êtes plus ouvert ? Ou, au contraire, peut-être réagissez-vous moins intensément parce que vous avez réussi à maîtriser certains de vos sentiments ? Ces changements, même s'ils paraissent imperceptibles, sont malgré tout à l'œuvre. En continuant d'affirmer votre décision de croître et de changer, et en pratiquant assidûment les techniques décrites dans les pages qui suivent, vous serez en mesure de faire des progrès stables et réguliers dans votre cheminement vers un mariage conscient.

Comme je l'ai mentionné au chapitre VII, votre engagement doit être total dès le début pour vous aider à surmonter toute résistance éventuelle. Prenez le temps maintenant d'examiner vos priorités. Jusqu'à quel point désirez-vous créer une relation plus aimante où vous vous sentiriez plus soutenu ? Êtes-vous prêt à vous engager dans un processus de croissance parfois difficile ? Si oui, prenez un papier et un crayon et écrivez un paragraphe indiquant votre volonté de participer. Vous pourriez écrire par exemple : « Parce que notre relation a pour nous beaucoup d'importance, nous nous engageons à approfondir notre connaissance de nous-même et de l'autre, ainsi qu'à acquérir et à mettre en pratique de nouveaux comportements dans notre couple. À cette fin, nous acceptons de faire tous les exercices de ce livre de manière consciencieuse et appliquée. »

Au fur et à mesure que vous ferez les exercices, n'oubliez pas ces deux règles cardinales :

1. Les exercices ont pour but d'approfondir vos connaissances sur vos besoins et sur ceux de votre partenaire. Le partage de ces connaissances ne vous oblige pas à satisfaire ces besoins.

2. Le fait de partager vos pensées et vos sentiments avec l'autre vous rend vulnérable sur le plan émotionnel. Il est important que ces nouvelles données soient utilisées avec amour et douceur, dans le but d'apporter de l'aide.

II
UN PROGRAMME EN DIX PAS

• Première séance : *exercice 1*.

• Deuxième séance : Lire ou dire « La relation de nos rêves » (Exercice 1).
Nouveau matériel : exercices 2 à 6.

• Troisième séance : Lire ou dire « La relation de nos rêves ».
Nouveau matériel : exercice 7.

• Quatrième séance : Lire ou dire « La relation de nos rêves ».
Nouveau matériel : exercice 8.

• Cinquième séance : Lire ou dire « La relation de nos rêves ».
Évaluer s'il est nécessaire de fermer d'autres échappatoires.
Nouveau matériel : exercice 9.

• Sixième séance : Lire ou dire « La relation de nos rêves ».
Évaluer s'il est nécessaire de fermer d'autres échappatoires.
Faire deux ou trois gestes d'amour attentionné par jour.
Nouveau matériel : exercices 10 et 11.

• Septième séance : Lire ou dire « La relation de nos rêves ».
Évaluer s'il est nécessaire de fermer d'autres échappatoires.
Faire deux ou trois gestes d'amour attentionné par jour.
Faire des surprises à votre partenaire et participer à des activités qui réclament de l'énergie et sont pour vous une source de plaisir.
Nouveau matériel : exercice 12.

• Huitième séance : Lire ou dire « La relation de nos rêves ».
Évaluer s'il est nécessaire de fermer d'autres échappatoires.
Faire deux ou trois gestes d'amour attentionné par jour.

Faire des surprises à votre partenaire et participer à des activités qui réclament de l'énergie et sont pour vous une source de plaisir.

Pratiquer trois ou quatre changements de comportement par semaine.

Nouveau matériel : exercice 13 (le 14 est optionnel).

• NEUVIÈME SÉANCE : Lire ou dire « La relation de nos rêves ». Évaluer s'il est nécessaire de fermer d'autres échappatoires. Faire deux ou trois gestes d'amour attentionné par jour.

Faire des surprises à votre partenaire et participer à des activités qui réclament de l'énergie et sont pour vous une source de plaisir.

Pratiquer trois ou quatre changements de comportement par semaine.

Nouveau matériel : exercice 15.

• DIXIÈME SÉANCE : Lire ou dire « La Relation de nos rêves ». Évaluer s'il est nécessaire de fermer d'autres échappatoires. Faire deux ou trois gestes d'amour attentionné par jour.

Faire des surprises à votre partenaire et participer à des activités qui réclament de l'énergie et sont pour vous une source de plaisir.

Pratiquer trois ou quatre changements de comportement par semaine.

Nouveau matériel : exercice 16.

• SÉANCES SUIVANTES : Lire ou dire « La relation de nos rêves ». Évaluer s'il est nécessaire de fermer d'autres échappatoires. Faire deux ou trois gestes d'amour attentionné par jour.

Faire des surprises à votre partenaire et participer à des activités qui réclament de l'énergie et sont pour vous une source de plaisir.

Pratiquer trois ou quatre changements de comportement par semaine

Lire l'exercice 16.

Nouveau matériel : ajouter d'autres gestes d'amour attentionné et d'autres changements de comportement au fur et à mesure des besoins.

Note : Vous devez conserver les réponses aux exercices afin de pouvoir vous y référer plus tard. Avant de commencer le travail, je vous conseille de vous munir chacun d'un classeur contenant trente à quarante feuilles. Gardez tous les exercices dans ce classeur.

III
LES EXERCICES

EXERCICE 1 : LA RELATION CONJUGALE DE VOS RÊVES

Durée : Environ soixante minutes.

But : Découvrir le potentiel de votre relation.

Commentaire : Faites l'exercice ensemble.

Directives : 1. Prenez deux feuilles de classeur, une pour chacun de vous. En travaillant séparément, rédigez une liste de phrases courtes décrivant vos idées personnelles d'une relation d'amour engagée qui, pour vous, serait profondément satisfaisante. Mentionnez les qualités qui existent déjà dans votre relation et que vous voulez garder ainsi que celles que vous aimeriez avoir. Écrivez chaque phrase au présent, comme si c'était déjà un fait accompli. Par exemple : « Nous nous amusons bien ensemble », « nous avons des rapports sexuels excellents », « nous sommes des parents aimants », « nous nous comportons affectueusement l'un envers l'autre. » Il est important que toutes vos phrases soient sur le mode affirmatif. Écrivez : « Nous réglons nos différends calmement » plutôt que « Nous ne nous disputons pas ».

2. Montrez-vous l'un à l'autre les phrases que vous avez écrites. Notez celles qui sont similaires et soulignez-les. (Si les mots sont différents, cela n'a pas d'importance pourvu que l'idée générale reste la même.) Si votre partenaire a écrit des phrases avec lesquelles vous êtes d'accord mais auxquelles vous n'aviez pas pensé, ajoutez-les à votre liste. Pour l'instant, ignorez les points de désaccord.

3. Maintenant, reprenez votre propre liste, augmentée le cas échéant de phrases venant de votre partenaire, et évaluez chaque phrase (y compris celles qui représentent un point de désaccord) sur une échelle de 1 à 5 en fonction de l'importance que vous leur accordez : 1 indique « très important » et 5 indique « peu important. »

4. Entourez les deux phrases les plus importantes pour vous.

5. Cochez les points qui vous semblent les plus difficiles à réaliser ensemble.

6. Maintenant travaillez ensemble pour créer une image de la relation de vos rêves selon le modèle ci-dessous. Commencez par les phrases représentant

ce qui a le plus d'importance pour tous les deux. Cochez les phrases qui parlent de conduites difficiles à adopter par tous les deux ensemble. Vers le bas de la liste, écrivez les phrases parlant d'idées qui vous semblent relativement peu importantes à tous deux. Si certains points sont une source de conflit entre vous, essayez de trouver un compromis, une phrase qui vous satisfasse tous les deux. Si vous n'y parvenez pas, laissez tomber ce point-là.

LA RELATION DE NOS RÊVES

JEAN		MARIE
1	Nous nous aimons.	1
1	Nous avons une relation sexuelle belle et satisfaisante.	1
1	Nous exprimons souvent de l'appréciation l'un pour l'autre.	1
1	Nous respectons le temps privé de chacun.	1
1	Nous résolvons nos conflits de façon constructive.	1$^\checkmark$
1	Nous rions de bon cœur ensemble.	1
1	Nous prenons soin de notre corps.	1
1	Nous pouvons compter l'un sur l'autre.	1
2	Nous sommes honnêtes l'un envers l'autre.	1
1	Nous sommes fidèles sur le plan sexuel et affectif.	1
2	Nous respectons les besoins les plus profonds de l'autre.	2$^\checkmark$
2	Nous avons des enfants heureux qui se sentent en sécurité.	1
2	Nous prenons ensemble les décisions familiales importantes.	2
2	Nous grandissons ensemble en sagesse.	2
3	Nous nous faisons des surprises l'un à l'autre.	4
3	Nous nous communiquons ouvertement nos sentiments.	2
3	Nous nous sentons en sécurité l'un avec l'autre.	4$^\checkmark$
4	Nous prenons soin de notre relation chaque jour.	5$^\checkmark$
5	Nous nous sentons en sécurité financièrement.	3

7. Affichez cette liste dans un endroit où vous pouvez la voir facilement. Une fois par semaine, au début de votre séance de travail, lisez-la l'un pour l'autre chacun à votre tour.

EXERCICE 2 : LES BLESSURES D'ENFANCE
(relire le chapitre II)

Durée : À peu près trente minutes.

But : Maintenant que vous avez clairement bâti un rêve de votre avenir, cet exercice va vous transporter dans le passé. Son but est de vous rafraîchir la mémoire, quant à vos parents ou aux personnes qui vous ont fortement influencé, afin que vous puissiez construire votre imago.

Commentaires : Vous pouvez faire cet exercice ensemble ou séparément. Il est important que vous ayez trente minutes sans distraction. Lisez toutes les directives avant de les mettre en pratique.

Directives : Faites d'abord quelques petits étirements pour vous détendre. Puis installez-vous dans un fauteuil confortable. Respirez dix fois profondément, vous relaxant de plus en plus à chaque respiration. Quand vous vous sentez calme, fermez les yeux et imaginez la maison de votre enfance, celle du plus jeune âge que vous puissiez vous rappeler. Imaginez-vous petit garçon ou petite fille. Revoyez les pièces avec vos yeux de petit enfant. Maintenant, promenez-vous dans la maison et trouvez-y les personnes qui, enfant, vous ont le plus profondément influencé.

Quand vous les rencontrerez, vous serez capable de les voir plus clairement. Arrêtez-vous et parlez avec chacune d'elles. Observez leurs qualités et leurs défauts. Dites-leur ce que vous avez apprécié lorsque vous étiez avec eux. Dites-leur ce que vous n'avez pas aimé lorsque vous étiez avec eux. Finalement, dites-leur ce que vous avez toujours espéré d'eux mais qu'ils ne vous ont jamais donné. N'hésitez pas à montrer votre colère, votre peine et votre tristesse. Dans votre visualisation, vos parents vous seront reconnaissants de votre franchise.

Après vous être souvenu de tout cela, ouvrez les yeux et faites un petit compte rendu de votre visualisation selon les directives de l'exercice 3.

EXERCICE 3 : LA CONSTRUCTION DE L'IMAGO
(relire le chapitre III)

Durée : De trente à quarante-cinq minutes.

But : Cet exercice vous aidera à faire la synthèse des informations recueillies dans l'exercice 2 et à les fixer dans votre mémoire.

Commentaire : Vous pouvez faire cet exercice seul.

Directives : 1. Prenez une feuille de papier vierge et dessinez un grand cercle en laissant au-dessous un espace d'environ dix cm. Divisez le cercle en deux par une ligne horizontale. Écrivez la lettre « B » en majuscule au-dessus de la ligne à gauche du cercle, et la lettre « A » majuscule au-dessous de la ligne, à gauche du cercle. (voir l'illustration ci-dessous)

$$\underline{\text{B} \hspace{6cm}}$$
A

2. Dans la partie supérieure, à côté du « B », écrivez toutes les qualités de votre mère, de votre père, et de toute autre personne qui vous a fortement influencé quand vous étiez tout jeune. Écrivez toutes les qualités sans nommer les personnes. (Ne cherchez pas à les classer par individu.) Faites cette liste de qualités du point de vue de l'enfant que vous étiez. Ne décrivez pas vos parents comme vous les percevez aujourd'hui. Utilisez des qualificatifs simples, des mots tels que : « gentil », « chaleureux », « intelligent », « patient », « créatif », « toujours présent », « enthousiaste », « fiable », etc.

3. Dans la moitié inférieure, à côté du « A », écrivez les défauts des personnes qui ont été importantes pour vous. Là encore, ne cherchez pas à les classer.

Cette liste de qualités et de défauts constitue votre imago.

4. Entourez les qualités et les défauts qui semblent vous affecter le plus.

5. Dans l'espace en dessous du cercle, écrivez la lettre majuscule « C » et complétez la phrase : « Ce que je désirais le plus quand j'étais enfant et que je n'ai jamais eu, était… »

6. Maintenant, écrivez la lettre majuscule « D », et complétez la phrase : « Lorsque j'étais, enfant j'éprouvais continuellement les sentiments négatifs suivants… » (Pour l'instant, ignorer les lettres majuscules. Elles vous serviront dans l'exercice 5.)

EXERCICE 4 : LES FRUSTRATIONS D'ENFANCE
(relire le chapitre II)

Durée : Environ trente à quarante-cinq minutes.

But : Cet exercice vous aidera à comprendre plus clairement les principales frustrations de votre enfance et comment vous y avez réagi.

Commentaire : Vous pouvez faire cet exercice seul.

Directives : 1. Sur une nouvelle feuille de votre classeur, écrivez les frustrations récurrentes que vous aviez lorsque vous étiez enfant (voir l'exemple ci-dessous).

2. À côté des frustrations, écrivez de façon brève comment vous réagissiez à ces différentes situations. (Vous pouvez avoir réagi de plus d'une façon. Faites une liste de vos réactions les plus courantes.) Écrivez la lettre « E » en majuscule au-dessus de la colonne où sont listées vos réactions, comme dans l'exemple qui suit.

TABLEAU DE MATT

	« E »
FRUSTRATIONS	RÉPONSES
Je ne recevais pas assez d'attention de mon grand frère.	J'étais une peste. Je faisais tout pour attirer son attention.
Papa était souvent absent.	Parfois j'étais en colère. Le plus souvent, je cherchais à lui plaire.
Je me sentais inférieur à mon grand frère.	Je me résignais à mon infériorité. J'essayais de ne pas rivaliser ouvertement.
Mon père buvait.	J'essayais de l'ignorer. Parfois, j'avais mal au cœur.
Ma mère était surprotectrice.	Je me renfermais. Quelquefois je me rebellais.

EXERCICE 5 : LE PROFIL DU PARTENAIRE
(relire le chapitre III)

Durée : De trente à quarante-cinq minutes.

But : Cet exercice vous aidera à définir ce que vous aimez et ce que vous n'aimez pas chez votre partenaire et à comparer ses traits de caractère avec certains traits de votre imago.

Commentaires : Travaillez seul. Pour le moment ne partagez pas ces données l'un avec l'autre. L'exercice du stretching (exercice 12) vous aidera à les utiliser de façon constructive.

Directives : 1. Sur une feuille de votre classeur, dessinez un grand cercle en laissant au-dessous un espace d'environ dix cm. Divisez le cercle en deux par une ligne horizontale, comme vous l'avez fait dans l'exercice 3. Écrivez un « F » majuscule au-dessus de la ligne à gauche du cercle et un « G » majuscule au-dessous de la ligne et de la lettre « F ».

F
――――――――――――――
G

2. Dans la partie supérieure du cercle (à côté du « F »), faites la liste des qualités de votre partenaire, sans oublier celles qui vous avaient immédiatement attiré au début.

3. Dans la partie inférieure du cercle (à côté du « G »), faites la liste des défauts de votre partenaire.

4. Entourez les qualités et les défauts qui semblent vous affecter le plus.

5. Maintenant retournez à l'exercice 2 et comparez les traits de votre imago avec ceux de votre partenaire. Marquez d'un astérisque ceux qui sont similaires.

6. En bas de la page, écrivez la lettre « H » et complétez la phrase : « Ce que j'apprécie le plus chez mon partenaire, c'est … »

7. Maintenant, écrivez la lettre « I », et complétez cette phrase : « Ce que j'aimerais recevoir de mon partenaire mais qu'il ne me donne pas, c'est… »

EXERCICE 6 : LE TRAVAIL INACHEVÉ
(relire le chapitre II)

Durée : De quinze à vingt minutes.

But : Cet exercice rassemble et organise les informations acquises dans les exercices 2 à 5 afin de décrire votre travail inachevé et l'objectif inconscient qui constitue votre apport affectif personnel dans votre couple.

Commentaire : Travaillez seul.

Directives : Sur une feuille de votre classeur, recopiez les phrases ci-dessous. Vous trouverez les réponses en vous reportant aux exercices mentionnés entre parenthèses.

— J'ai passé ma vie à chercher une personne ayant les traits de caractère suivants : (les traits que vous avez entourés dans les parties A et B de l'exercice 3).

— Quand je suis avec une telle personne, je suis agacé par ces défauts (ceux que vous avez entourés en A dans l'exercice 3, étape 4).

— J'aimerais que cette personne me donne (C de l'exercice 3, étape 5).

— Quand mes besoins ne sont pas assouvis, j'éprouve ces sentiments (D de l'exercice 3, étape 6).

— Et souvent je réagis ainsi (E de l'exercice 4).

Avec l'exercice 6 se termine la première partie des exercices. Vous avez maintenant une description de la relation de vos rêves ; de votre imago ; une liste de vos frustrations d'enfance et de vos réactions pour y survivre ; une description de ce que vous aimez et de ce que vous n'aimez pas chez votre partenaire ; et de l'objectif inconscient que vous aviez au début de votre relation.

EXERCICE 7 : LE DIALOGUE DU COUPLE
(relire le chapitre IX)

Durée : De quarante-cinq à soixante minutes.

But : Cet exercice vous apprendra à pratiquer une écoute approfondie de votre partenaire, à le comprendre et à valider son point de vue, ainsi qu'à exprimer de l'empathie pour ses sentiments. Si vous pratiquez cette technique régulièrement, vous aboutirez à une communication claire et efficace, et finalement, à une connexion affective plus profonde. Au lieu de réagir, vous allez apprendre à développer de l'empathie et de la compréhension pour l'autre.

Commentaires : Faites cet exercice ensemble et souvent. Le dialogue du couple est un outil très efficace pour communiquer, pour obtenir une guérison mutuelle et une connexion profonde. C'est le processus thérapeutique central de la *thérapie relationnelle de l'imago*. Utilisez-le lorsque vous voulez partager vos expériences en faisant les autres exercices.

Directives : 1. Choisissez qui sera l'émetteur et qui sera le récepteur. Celui qui choisit d'être l'émetteur devrait commencer le dialogue en disant : « J'aimerais avoir un Dialogue Intentionnel. Est-ce que tu es disponible maintenant ? » Quand vous utilisez ce processus dans votre relation, il est important que le récepteur réponde aussi vite que possible à cette question. Si le moment n'est pas propice, convenez d'un moment où vous serez disponible afin que votre partenaire sache quand il pourra être écouté. Lorsque vous l'êtes, dites-lui : « Je suis disponible maintenant. »

2. Maintenant, l'émetteur parle quelques minutes, exprimant au récepteur ce qu'il a à à dire. Le message doit commencer par « je » et décrire ce que l'émetteur pense ou ressent. Pour cet exercice, le message doit être neutre et simple. Par exemple : « Je me suis réveillé ce matin avec un mal de gorge et je ne pense pas aller travailler. Je pense que je vais rester à la maison. » Le récepteur redit alors la phrase en utilisant cette formule : « Si j'ai bien compris, tu t'es réveillé avec un mal de gorge et puisque tu ne te sens pas bien, tu penses rester à la maison et ne pas aller travailler. C'est bien ça ? » Si l'émetteur dit oui, alors le récepteur dit : « As-tu quelque chose à ajouter à ce sujet ? » Si l'émetteur a quelque chose à ajouter, il le fait. Le récepteur continue à refléter les phrases et à demander « as-tu quelque chose à ajouter ? » jusqu'à ce que l'émetteur n'ait plus rien à dire. (La question : « As-tu autre chose à ajouter à ce sujet ? » est très importante. Cela aide l'émetteur à exprimer tout ce qu'il pense et tout ce qu'il ressent, et cela évite au récepteur de répondre à un message incomplet. Et puisque c'est limité à « autre chose à ce sujet », cela aide l'émetteur à se limiter à un sujet à la fois.)

3. Lorsque l'émetteur a terminé, le récepteur résume alors tout le message en commençant par « En résumé, ce que tu viens de me dire, c'est... ». Quand le

récepteur a fini son résumé, il demande : « Est-ce que c'est bien ce que tu voulais me dire ? » Le résumé est important parce qu'il aide le récepteur à comprendre plus profondément l'émetteur, et à voir la logique de ce qui a été dit. (Cela aide à la validation qui est l'étape suivante.) Quand l'émetteur indique que, oui, c'est bien ce qu'il voulait dire, vous pouvez alors passer à la validation.

4. Maintenant, le récepteur va valider le message de l'émetteur, avec des mots tels que : « J'ai bien écouté ce que tu m'as dit, ce que tu m'as dit a de la valeur, je veux apprendre à respecter ta façon de voir les choses. » Exemple : « Étant donné que tu as mal à la gorge et que tu ne te sens pas bien, ça se comprend que tu ne veuilles pas aller travailler. » (Cette réponse indique que le récepteur comprend la logique de l'émetteur. C'est la « vérité » de l'émetteur. Le récepteur n'a pas à être d'accord avec l'émetteur, mais il est essentiel qu'il « voie » la logique ou la « vérité » de l'expérience de l'émetteur. Puisque le message de chacun « a de la valeur », cette phrase « […] ce que tu me dis a de la valeur… » indique que le récepteur fait un effort pour l'accepter et que l'émetteur n'est pas fou.) Le récepteur devra s'assurer que l'émetteur se sent validé. Si oui, alors le récepteur témoignera de l'empathie, ce qui est la phase finale.

5. On exprimera l'empathie avec des débuts de phrases tels que : « J'imagine que peut-être tu te sens… (exemple) frustré de manquer un jour de travail. » Si l'émetteur parle de quelque chose qui s'est produit dans le passé, le récepteur peut dire : « J'imagine que peut-être tu t'es senti… » Ces débuts de phrases seront utilisés si l'émetteur n'a pas exprimé ses sentiments de manière directe. Si l'émetteur a exprimé ses sentiments, le récepteur peut alors dire : « Je peux voir que tu te sens… » (Pour exprimer les sentiments, utilisez un seul mot tel que : « triste », « bouleversé », « en colère », « heureux », etc. Si vous utilisez plus d'un mot, tel que : « Tu sens que tu ne veux pas aller travailler », vous exprimez probablement une pensée.) Puisqu'on n'est jamais être sûr de ce qu'une autre personne ressent, il est important de vérifier en disant : « Est-ce que c'est bien ça que tu ressens ? » Si le récepteur n'a pas deviné correctement le sentiment, ou s'il s'est trompé dans sa perception des sentiments exprimés, alors l'émetteur dira quels sont ses véritables sentiments. Mais si l'émetteur exprime des sentiments qui avaient échappé au récepteur, ce dernier les reflétera et demandera : « Veux-tu me dire autre chose sur ces sentiments ? »

6. Maintenant que le récepteur a fini ces trois étapes (le miroir, la validation et l'empathie), il va dire : « J'aimerais répondre maintenant. » Le récepteur devient alors l'émetteur et l'émetteur devient le récepteur. L'émetteur (précédemment le récepteur) répondra au message entendu, ou exprimera des pensées et des sentiments qui font partie de son expérience personnelle.

7. Cet exercice vous semblera manquer de naturel et fastidieux, mais c'est un bon moyen pour s'assurer d'une communication claire. Comme dans tout

apprentissage de nouvelles techniques, vous serez maladroit au début, mais avec la pratique vous deviendrez plus habile et moins mécanique. Quand vous aurez maîtrisé l'exercice, vous découvrirez que vous n'avez pas besoin d'utiliser tout le temps le processus structuré. L'esprit de votre communication entrera dans l'optique du dialogue. Les trois étapes ne sont nécessaires que lorsque vous abordez des sujets très délicats ou quand la communication se rompt. Finalement, vous allez découvrir que votre tendance à réagir s'atténue, que vous ressentez une plus grande sécurité émotionnelle et une plus profonde connexion.

8. Maintenant, utilisez les trois étapes du processus du dialogue, et partagez ce que vous avez appris sur vous-même en faisant l'exercice 2, celui de l'imagerie guidée. Faites-le à tour de rôle. Quand c'est à vous d'écouter, donnez toute votre attention à votre partenaire. Faites le miroir jusqu'à ce que l'autre se sente bien compris. Ensuite validez son point de vue et exprimez votre empathie. Vous pouvez demander des clarifications, mais n'essayez pas d'analyser votre partenaire, de faire des interprétations ni d'exprimer vos frustrations ou vos critiques. En l'écoutant, imaginez les blessures d'enfance de votre partenaire.

EXERCICE 8 : RENONCER AUX ÉCHAPPATOIRES
(relire pp. 109-119)

Durée : De soixante à quatre-vingt-dix minutes.

But : Cet exercice a deux buts : (1) Assurer que vous resterez ensemble jusqu'à ce que vous ayez fini tous ces exercices et (2) il permet d'augmenter progressivement votre degré d'intimité.

Commentaire : Travaillez ensemble.

Directives : 1. Imaginez que votre relation est représentée par un rectangle dont les côtés sont en pointillés. Les ouvertures sont vos « échappatoires », manières erronées de chercher la sécurité et l'assouvissement de vos besoins parce qu'elles drainent l'énergie en dehors de votre couple. Chacun des quatre angles représente une échappatoire catastrophique — suicide, divorce, meurtre, folie. Examinez-vous intérieurement pour voir si vous envisagez de fuir la relation en vous échappant par l'un de ces quatre coins. Si c'est le cas, je vous presse de prendre la décision de fermer ces issues tant que vous travaillez ces exercices ensemble.

2. Maintenant, prenez chacun deux feuilles de vos classeurs. Sur votre première feuille, faites une liste détaillée de vos échappatoires ordinaires. Par exemple : manger beaucoup, rester tard au travail, passer trop de temps avec les enfants — tout ce que vous pouvez faire principalement dans le but d'échapper à votre partenaire. (Voir p. 113 pour une liste plus détaillée.)

3. Sur votre deuxième feuille, faites une liste de ce qui vous semble être les échappatoires de votre partenaire.

4. En utilisant la technique du miroir décrite dans l'exercice 7, partagez vos listes chacun votre tour. Invitez votre partenaire à faire des commentaires et des ajouts.

PARTENAIRE A : Je pense que l'une des raisons pour lesquelles tu rapportes du travail à la maison le week-end, c'est pour éviter de passer du temps avec moi.

PARTENAIRE B : Tu penses que la raison pour laquelle je rapporte du travail du bureau, c'est pour ne pas avoir à passer tant de temps avec toi. C'est bien ça ?

PARTENAIRE A : Pas tout à fait. J'ai dit qu'une des raisons pour lesquelles tu rapportes du travail à la maison est pour éviter de passer du temps avec moi. Je sais que tu as aussi d'autres raisons.

PARTENAIRE B : D'accord ! Tu dis que l'une des raisons pour lesquelles je travaille le week-end, c'est pour passer moins de temps avec toi. Il est possible que j'aie aussi d'autres raisons. C'est bien ça ?

PARTENAIRE A : Oui, c'est ça.

5. Complétez votre liste des échappatoires en y ajoutant celles qui sont suggérées par votre partenaire.

6. Travaillant sur votre propre liste, cochez les échappatoires que vous êtes prêt à éliminer ou à réduire maintenant. Mettez un « X » devant celles que vous trouvez difficiles à modifier.

7. Rédigez l'engagement suivant et complétez-le : « À partir de cette semaine (écrivez la date), je suis d'accord pour consacrer plus de temps et d'énergie à notre relation. Plus précisément pour... »

Voici un exemple d'une liste partielle d'un homme, et son engagement à réduire ses échappatoires :

LES ÉCHAPPATOIRES DE BILL

Téléphoner à mes clients le soir.

Regarder les émissions sportives le week-end.

Rester tard devant la télévision.

Faire des projets sans consulter ma femme.

Me lever plus tard que ma femme.

Rentrer tard pour dîner.

Ne pas prêter attention à ce que me dit ma femme.

Aller au lit plus tard que ma femme.

L'ENGAGEMENT DE BILL : À partir de cette semaine, du 21 au 28 septembre, je m'engage à ne pas passer de coups de fil professionnels le soir. Si quelqu'un m'appelle, je lui demanderai de me rappeler à mon travail. Je suis aussi d'accord pour aller me coucher avant 23 heures et me lever à 6 heures 30 en semaine.

8. Au début de chaque nouvelle séance de travail, prenez un moment pour parler du temps que vous passez ensemble en couple, et décidez ensemble si vous devez fermer d'autres échappatoires. (Utilisez la technique du miroir si vous avez des opinions différentes.) Si vous décidez de passer plus de temps ensemble, demandez-vous si vous êtes prêt à supprimer ou à réduire une autre activité. Écrivez un engagement similaire comme ci-dessus.

EXERCICE 9 : RECRÉER L'AMOUR ROMANTIQUE
(relire le chapitre VIII)

Durée : À peu près soixante minutes.

But : En partageant avec votre partenaire l'art de vous faire plaisir mutuellement de façon régulière, vous pouvez transformer votre relation de couple en une zone sécurisante.

Commentaire : Vous pouvez effectuer les étapes 1 à 3 seul si vous le voulez. Le reste doit être fait à deux.

Directives : 1. La première étape de ce processus est d'identifier ce que votre partenaire fait déjà pour vous faire plaisir. Prenez chacun une feuille de votre classeur et complétez la phrase en italique ci-dessous par autant de versions que possible, en étant précis, sur le mode affirmatif, et en vous concentrant sur ce qui peut être refait régulièrement : « "Je me sens aimé et chouchouté" quand tu... »

Exemples : remplis ma tasse de café quand elle est vide.

me laisses lire la première page du journal en premier.

m'embrasses avant de quitter la maison.

m'appelles du bureau juste pour bavarder.

me parles des choses importantes qui t'arrivent.

me masses le dos.

me dis que tu m'aimes.

me demandes si je veux que tu me rapportes une friandise du magasin.

m'offres des surprises.

t'assieds près de moi quand nous regardons la télévision.

m'écoutes quand je suis contrariée.

me demandes mon avis avant de faire des projets.

prépares un repas spécial le dimanche.

veux faire l'amour avec moi.

me fais des compliments sur ma tenue. »

2. Maintenant rappelez-vous la phase romantique de votre relation. Y a-t-il des comportements aimants que vous aviez l'un envers l'autre et qui n'existent plus entre vous? À nouveau, prenez chacun une feuille de votre classeur et complétez cette phrase : « "Je me sentais aimé et chouchouté" quand tu...

Exemples : m'écrivais des lettres d'amour.

m'offrais des fleurs.

me prenais la main quand nous marchions.

me chuchotais des choses excitantes à l'oreille.

me téléphonais pour me dire combien tu m'aimais.

voulais rester tard le soir pour parler et faire l'amour.

me faisais l'amour plus d'une fois par jour. »

3. Maintenant pensez à des comportements aimants et affectueux que vous avez toujours désirés mais que n'avez jamais demandés. Cela peut provenir de l'idée que vous vous faites du conjoint idéal ou être lié à une expérience que vous avez eue auparavant. (Cependant ces comportements ne doivent pas concerner des activités qui sont actuellement source de conflits.) Ils peuvent être des fantasmes très personnels. Dans la mesure du possible, quantifiez votre demande. Complétez cette phrase : « Je voudrais que tu...

Exemples : me masses pendant une demi-heure sans t'arrêter.

prennes une douche avec moi.

m'offres un bijou comme surprise.

fasses du camping avec moi trois fois par été.

dormes nu.

déjeunes avec moi au restaurant une fois par mois.

me lises un roman pendant les vacances de Noël. »

4. Maintenant réunissez les trois listes en une seule et notez l'importance de chaque comportement pour vous par un chiffre de 1 à 5 dans la marge. 1 indique « très important » et 5 « peu important ».

5. Échangez vos listes. Examinez la liste de votre partenaire et mettez un « X » dans la marge devant les choses que vous ne voulez pas faire pour le moment. Il ne doit rester que des comportements non conflictuels. À partir de

demain, engagez-vous à mettre en pratique au moins deux de ces comportements non conflictuels chaque jour pendant les deux mois à venir en démarrant avec ceux qui sont les plus faciles pour vous. Si vous en ressentez le besoin, ajoutez d'autres éléments à votre liste. Quand votre partenaire vous fait plaisir par un comportement d'amour attentionné, remerciez-le gentiment. Si vous vous souvenez bien de ce que vous avez lu au chapitre VIII, ces comportements d'amour attentionné sont des cadeaux, non des obligations. Donnez-les, quels que soient vos sentiments pour votre partenaire et sans tenir compte de ce qu'il fait pour vous.

6. Si l'un ou l'autre de vous deux ressent une certaine résistance à faire cet exercice, continuez quand même jusqu'à ce que vous l'ayez surmontée. (Voir p. 129 pour l'explication de la peur du plaisir.)

EXERCICE 10 : LA LISTE DES SURPRISES
(relire pp. 127-128)

Durée : Environ quinze à vingt minutes.

But : Le but de cet exercice est de renforcer votre sentiment de sécurité et les liens entre vous en ajoutant des plaisirs inattendus à votre liste de gestes d'amour attentionné (exercice 9).

Commentaire : Cet exercice doit être fait seul et rester caché à votre partenaire.

Directives : 1. Faites une liste de choses que vous pourriez faire pour votre partenaire et qui lui seraient particulièrement agréables. N'essayez pas de deviner. Faites une liste à partir de remarques ou d'allusions qu'il a faites dans le passé. Faites le détective et mettez-vous à l'affût des désirs secrets de votre partenaire. Ne lui montrez jamais cette liste.

2. Choisissez une des choses de la liste et, cette semaine, faites-en la surprise à votre partenaire. Faites-le au moins une fois par semaine, et aussi à des moments inattendus, afin que votre partenaire ne puisse prévoir quand vous lui ferez cette surprise.

3. Notez la date à laquelle vous avez fait chaque surprise.

4. Sur une autre feuille de votre classeur, notez et datez les surprises que vous avez reçues de votre partenaire. Remerciez-le pour ses surprises.

EXERCICE 11 : RIRE DE BON CŒUR ENSEMBLE
(relire pp. 128-129)

Durée : Entre vingt et trente minutes.

But : Cet exercice vise à intensifier votre lien émotionnel et à approfondir vos sentiments de sécurité et de plaisir.

Commentaire : Faites cet exercice ensemble.

Directives : 1. Faites chacun de votre côté une liste d'activités drôles et excitantes que vous aimeriez avoir avec votre partenaire. Elles doivent comporter des expériences de face-à-face ainsi que des contacts physiques suscitant du plaisir. Exemples : faire du tennis, de la danse, du catch, se doucher ensemble, faire l'amour, se masser, se chatouiller, sauter à la corde, faire du vélo…

2. Maintenant montrez-vous vos listes et faites-en une troisième qui combine toutes vos suggestions.

3. Chaque semaine choisissez une des activités sur la liste et faites-la.

4. Il se peut que vous ressentiez une certaine résistance à participer à des activités d'une exubérance enfantine — surtout si vous éprouvez des conflits dans votre relation. Néanmoins, il est important de faire cet exercice. Allez contre votre inclination naturelle et expérimentez ces brefs retours en enfance.

EXERCICE 12 : SE DÉPASSER
(relire le chapitre X)

Durée : De soixante à quatre-vingt-dix minutes.

But : Le but de cet exercice est de vous sensibiliser aux besoins les plus profonds de votre partenaire et de vous donner l'occasion de changer certains de vos comportements afin de combler ces besoins. Au fur et à mesure que vous luttez contre votre résistance, cela offre une possibilité de guérison à votre partenaire et vous permet de devenir une personne plus complète et plus aimante.

Commentaire : C'est un exercice très important. Je vous recommande d'en faire votre plus haute priorité.

Directives : 1. La première étape de cet exercice est d'identifier quels désirs se cachent derrière vos frustrations. Sur une feuille de votre classeur, faites une liste détaillée de tout ce qui vous agace chez votre partenaire. Quand votre partenaire vous met-il en colère, vous contrarie-t-il, vous effraie-t-il ou vous blesse-t-il, provoque-t-il en vous de la rancœur ou de l'amertume ? Voici une liste non exhaustive :

LA LISTE DE JENNY
« Je n'aime pas quand tu…
> conduis trop vite.
> quittes la maison sans me dire où tu vas.
> me critiques devant les enfants.
> sapes mon autorité sur les enfants.
> lis le journal à table.
> me critiques en plaisantant devant des amis.
> ne fais pas attention à ce que je dis.
> te détournes de moi quand je ne suis pas contente ou quand je pleure.

me reproches d'être indécise.

me reproches de mal tenir la maison.

me fais tout le temps remarquer que tu gagnes plus que moi. »

2. Maintenant prenez une autre feuille de votre classeur et écrivez quels sont les désirs cachés derrière chacune de vos frustrations. Sautez plusieurs lignes après chaque désir. Ne notez que le désir, pas la frustration. (Cela est nécessaire parce que c'est cette seconde feuille que vous montrerez à votre partenaire.) Exemple :

DÉSIR (correspond à la première frustration écrite ci-dessus) : « Je voudrais me sentir en sécurité et détendue quand tu conduis. »

3. Sous chaque désir, écrivez une requête spécifique qui vous aiderait à satisfaire ce désir. Il est important que vos demandes soient formulées sur le mode affirmatif et qu'elles décrivent une conduite spécifique. Exemples :

DÉSIR : J'aimerais me sentir en sécurité et détendue quand tu conduis.

DEMANDE : Quand tu conduis, j'aimerais que tu respectes la limitation de vitesse. Si les routes sont mauvaises, j'aimerais que tu conduises encore plus lentement.

DÉSIR : J'aimerais que tu me réconfortes lorsque je suis contrariée.

DEMANDE : Quand je suis contrariée, j'aimerais que tu me prennes dans tes bras et que tu me donnes toute ton attention.

Remarquez que ces demandes concernent des comportements spécifiques formulés de façon affirmative. La requête qui suit est un mauvais exemple parce qu'elle n'est pas précise.

DEMANDE IMPRÉCISE : J'aimerais que tu sois plus attentionné.

Elle devra être réécrite avec plus de détails :

DEMANDE SPÉCIFIQUE : J'aimerais que tu me fasses un gros câlin aussitôt que tu rentres du travail.

La demande suivante est un mauvais exemple parce qu'elle est à la forme négative :

DEMANDE NÉGATIVE : J'aimerais que tu arrêtes de me crier après quand tu es en colère.

Elle devra être réécrite de façon à décrire un comportement positif.

DEMANDE AFFIRMATIVE : Quand tu es en colère contre moi, j'aimerais que tu me parles d'une voix normale.

4. Échangez vos secondes listes (celles des désirs et des demandes). Utilisez vos compétences de communication pour vous assurer que chaque désir et chaque demande sont clairement compris. Réécrivez la demande au besoin pour que votre partenaire sache exactement ce que vous désirez.

5. Maintenant reprenez votre propre liste et, à gauche de la page, attribuez à chaque demande une note de 1 à 5, selon l'importance que vous lui accordez. 1 étant « très important », 5 « pas très important ».

6. Échangez de nouveau les listes, vous avez maintenant les demandes de votre partenaire, et attribuez à chaque demande une note de 1 à 5, à droite de la feuille, pour indiquer le degré de difficulté que cela représenterait pour vous si vous décidiez de répondre à cette demande. 1 indiquant « très difficile », 5 « pas difficile du tout ».

7. Gardez la liste de votre partenaire. Maintenant, vous avez la possibilité de répondre chaque semaine à trois ou quatre des demandes les plus faciles. Rappelez-vous que ces comportements sont des cadeaux. Sans égard à ce que vous ressentez sur le moment et au nombre de changements de comportement de votre partenaire, respectez les trois ou quatre changements de comportement par semaine auxquels vous vous êtes engagé. (Je vous encourage à ajouter, avec le temps, d'autres demandes à votre liste.)

EXERCICE 13 : L'EXERCICE DE LA TRANSACTION
(relire pp. 181-183)

Durée : Environ trente minutes pour étudier les directives et les mettre en pratique.

But : Cet exercice vous permet d'exprimer votre colère et votre ressentiment vis-à-vis de votre partenaire dans un environnement sûr et constructif.

Commentaires : Cet exercice doit devenir votre méthode de référence pour gérer votre colère. Il est très important que vous utilisiez tous les deux cette technique, même si l'un de vous a plus de facilité que l'autre à le faire.

Directives : 1. Quand l'un de vous ressent une intense frustration, qu'il dise à l'autre : « Je suis frustré » (ou « je suis en colère ») ; « est-ce que tu veux bien m'écouter ? » Entraînez-vous à le dire maintenant.

2. Le partenaire, qui est dans le rôle du contenant, prend alors quelques profondes respirations, essaye d'imaginer le partenaire émetteur (qui va exprimer sa frustration) comme un enfant blessé, puis indique qu'il veut bien écouter. Si le partenaire récepteur est occupé, il essayera de se rendre disponible aussi vite que possible, de préférence dans les cinq ou dix minutes qui suivent.

3. Quand le partenaire récepteur est prêt, l'émetteur exprime brièvement sa frustration. La personne en colère doit suivre ces règles : vous pouvez décrire le comportement qui vous a mis en colère, mais vous n'avez pas le droit de traiter votre partenaire de tous les noms, ni de critiquer son caractère. (Exemple : Vous pouvez dire : « Je suis en colère que tu aies oublié de mettre ce chèque à la poste », mais pas « tu es complètement irresponsable ! ») ; vous pouvez exprimer votre colère verbalement, mais vous n'avez pas le droit de toucher votre partenaire avec hostilité, ni d'endommager quoi que soit.

Faites un essai maintenant pour traduire votre état de colère par une phrase. Inventez-en une ou bien utilisez celle-ci : « J'étais très en colère hier soir quand tu m'interrompais sans arrêt ! J'avais l'impression que tu ne faisais pas du tout attention à ce que j'avais à dire ! »

4. Une fois la frustration exprimée, le récepteur la paraphrase sans réagir, utilisant la technique décrite dans l'exercice du miroir : « Tu me dis que tu étais très en colère hier soir parce que je ne te laissais pas parler. Tu avais l'impression que je ne faisais pas attention à ce que tu me disais comme si je t'ignorais. » Par ce processus, le partenaire récepteur affirme que le partenaire émetteur a le droit de se mettre en colère. Le récepteur n'a pas à être nécessairement d'accord avec le point de vue de l'émetteur.

5. Une fois le message délivré et paraphrasé, la personne en colère transformera sa frustration en une demande de changement de comportement qu'elle ajoute à sa liste.

EXERCICE 14 : LES JOURNÉES DU CONTENANT
(relire le chapitre XI)

Durée : Environ quinze minutes pour étudier les directives.

But : Cet exercice augmente les effets de guérison de l'exercice 13, l'exercice de la transaction, et les prolonge dans le temps, ce qui permet à des sentiments plus profonds de surgir, et de réduire la peur de la colère entre les deux partenaires.

Commentaire : Cet exercice est facultatif.

Directives : 1. L'exercice des journées du contenant prolonge l'exercice précédent. Le premier jour de l'exercice, l'un de vous prend le rôle de la personne qui s'exprime, et l'autre, celui du contenant. Si vous êtes le partenaire qui s'exprime, vous êtes libre d'exprimer vos frustrations n'importe quand au cours de la journée sans craindre une réponse négative. Votre partenaire vous écoute et paraphrase vos propos, mais il n'est pas autorisé à réagir de façon agressive ou défensive.

2. Le jour suivant, inversez les rôles. Il est très important que vous alterniez tous les jours afin de faire l'expérience des deux faces de l'exercice.

3. Les règles de l'exercice de la transaction sont les mêmes ici : ni insultes, ni remarques injurieuses, ni dommages envers les personnes ou les objets.

4. Encore une fois, vous pouvez transformer vos frustrations en demande de changements de comportement pour plus tard.

EXERCICE 15 : REDEVENIR UN ÊTRE ENTIER
(relire le chapitre II)

Durée : De quinze à trente minutes.

But : Le but de cet exercice est d'intégrer des éléments de votre moi renié, de votre faux moi et de votre moi perdu, afin de prendre davantage conscience de votre tout essentiel.

Commentaires : Ayant fait régulièrement ces exercices depuis plusieurs semaines, vous avez élargi la perception de ce que vous êtes en érodant votre faux moi, en intégrant votre moi renié et en retrouvant votre moi perdu. Cet exercice est conçu pour vous aider à prendre davantage conscience de ces changements. Vous pouvez faire l'exercice séparément ou ensemble.

Directives : 1. Prenez une feuille de votre classeur et tracez une ligne verticale au milieu.

2. Maintenant, tracez deux lignes horizontales de sorte à diviser la feuille en trois. Votre page devrait être maintenant divisée en six cases identiques, comme dans l'illustration ci-dessous.

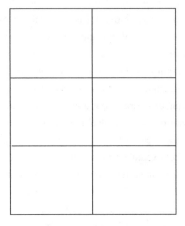

3. Recherchez dans votre classeur vos réponses à la construction de l'imago (exercice 3) et le profil du partenaire (exercice 5). Dans la case de gauche en haut de la feuille que vous venez de diviser en six, faites la liste des principaux défauts de vos parents ainsi que de ceux de votre partenaire. Appelez ces défauts « mon moi renié ». Demandez-vous à quel point ces traits négatifs sont

aussi les vôtres. Quelqu'un, votre partenaire en particulier, ne vous a-t-il jamais dit que vous aviez ces défauts ? Pour le moment, partez du principe qu'ils vous décrivent. À quoi ressembleriez-vous et quel serait votre comportement si vous ne les aviez pas ? Dans la case en haut à droite, décrivez comment vous seriez si vous n'aviez pas ces défauts. Faites des phrases courtes et à la forme affirmative qui commencent par « je ». Par exemple : « Je suis chaleureuse », « je suis responsable », « je suis affectueuse ».

4. Dans la case du milieu, à gauche, faites une liste des qualités de vos parents et de celles de votre partenaire. Il se peut que certaines de ces qualités soient une description de votre moi perdu, des aspects de vous-même que vous avez refoulés dans votre enfance. Appelez cette case « mon moi perdu ». Regardez-la et demandez-vous si vos parents ou votre partenaire ou quelqu'un d'important dans votre vie ne vous ont jamais demandé de développer ces qualités. À supposer qu'elles représentent des aspects refoulés de vous-même, à quoi ressembleriez-vous et quel serait votre comportement si vous les aviez ? Écrivez vos réponses dans la case du milieu à droite. Là encore, utilisez des phrases simples, affirmatives et formulées au présent : « Je suis artiste », « je suis spirituel », « je suis consciencieux », « je suis créatif ».

5. Pensez aux traits de caractère que vous avez dû développer pour obtenir ou garder l'amour de vos parents, et pensez à ce que vous faites aujourd'hui pour vous assurer que les gens vous aiment bien. Faites une liste de ces traits de caractère dans la case en bas à gauche. (Exemples : « J'essaye d'être parfaite », « Je fais ce qu'on me demande », « Je suis très responsable », « J'essaye toujours de faire plaisir », « Je n'exprime pas ma colère ».) Appelez cette case « mon faux moi ». Maintenant pensez à ce que vous seriez si vous n'étiez pas prisonnier de tous ces modes d'adaptation. Faites une liste de ces traits et de ces comportements dans la case du bas, à droite. Utilisez des phrases simples et affirmatives : « Je suis sûr de moi », « je peux exprimer ma colère », « je peux me détendre et je n'ai pas besoin d'essayer d'être parfait ».

6. Au-dessus des trois cases de droite, écrivez « mon vrai moi ». Ces trois cases de droite représentent votre potentiel réel. Lisez cette description une fois par semaine. En la lisant, notez les points qui ne correspondent pas à la réalité du moment. Imaginez-vous en train de changer pour correspondre à la description.

EXERCICE 16 : LA VISUALISATION DE VOTRE AMOUR

Durée : Une minute trois fois par jour.

But : Cet exercice, grâce à la puissance suggestive de la visualisation, amplifie les changements positifs que vous avez introduits dans votre couple.

Commentaire : Cet exercice doit devenir une méditation quotidienne.

Directives : 1. Trois fois par jour, faites l'exercice suivant : fermez les yeux, prenez plusieurs respirations profondes et imaginez votre partenaire. Progressivement, affinez l'image jusqu'à voir votre partenaire comme un être entier, spirituel, blessé de la façon que vous connaissez maintenant. Gardez cette image et imaginez que votre amour guérit les blessures de votre partenaire. 2. Maintenant, imaginez que cette énergie d'amour que vous avez envoyée à votre partenaire revient vers vous pour guérir vos propres blessures. Imaginez que cette énergie va et vient entre vous deux en oscillation continue. Au bout d'une minute, ouvrez les yeux et reprenez vos activités.

BIBLIOGRAPHIE

Baker, Robert L, *Treating couples in crisis,* The Free Press, New York, 1984.

Bauer, W. A, *Greek-English Lexicon of the New Testament and other early christian literature*, trad., W. F. Arndt et F. W. Gingrich, The University Of Chicago Press, Chicago, Illinois, 1957.

Bellah, Robert, Richard Madson, William M. Sullivan, Ann Swidler, et Steven M. Tipton, *Habits of the heart*, The Perennial Library, New York, 1985.

Brandon, Nathaniel, *The Psychology of romantic love*, J. P. Tarcher, Inc., Los Angeles, California, 1980.

Buber, Martin, *Je et Tu*, Aubier-Montaigne, Paris, 1992.

Ernst, Frank, « The OK Corral : The Grid For Get-On–With », *Transactional Analysis Journey* 1 : 4 (october 1971).

Folkenberg, Judy, « Multi-Site Study of Therapies for Depression », *Archives of general psychiatry* 42 (march 1985).

Freud, Sigmund, *Métapsychologie*, Gallimard, Paris, 1952.

Fromm, Eric, *L'Art d'aimer*, Desclée de Brower, Paris, 1998.

Gaylin, Willard, *Rediscovering Love,* Viking Penguin, Inc., New York, 1986.

Hunt, Morton, *The Natural History of Love*, Alfred A. Knopf, New York, 1959.

Jung, C. G., « Des archétypes de l'inconscient collectif », *Les Racines de la conscience,* Buchet-Chastel, Paris, 1971.

— « Le mariage, relation psychologique », *Problèmes de l'âme moderne*, Buchet-Chastel, Paris, 1971.

— « Two Essays in Analytical Psychology », in *Collected Works,* vol. 7, trad. par R. F. C. Hull, Bollingen Series XX, Princeton University Press, Princeton, New Jersey, 1969.

Keicolt-Glaser, Janice K., « Marital Quality, Marital Disruption and Immune Function », *Psychosomatic Medicine,* à paraître.

Kraft, Harriet, « A descriptive study of the love or illusion workshop », 1984, Unpublished Manuscript.

Kubler-Ross, Elizabeth, *Les Derniers Instants de la vie*, Labor et Fides, Paris, 1989.

Lahr, Jane et Lena Tabori, *Love : A Celebration in Art and Literature*, Stewart, Tabori and Change, Publishers, New York, 1982.

Lauer, Jeanette et Robert Lauer, « Marriage is Made to Last », in *Psychology Today* 19:6 (June 1985).

Leibowitz, Michael, M. D., *The Chemistry of Love,* Little, Brown and & Co., Boston, 1983.

Levinson, Frederick F., *The Anti-Cancer in Marriage : Living Longer Through Loving,* Stein and Day, Publishers, New York, 1975.

Lynd, Robert, *Love Through The Ages : Love Stories of all nations*, Coward-McCann, Inc., New York, 1932.

Mahler, Margret, *On Human Symbiosis and The Vicissitudes of Individuation : Infantile Psychosis*, International Universities Press, New York, 1968.

May, Rollo, *Love and Will*, W. W. Norton & Co., Inc., New York, 1969.

Mclelland, David C., « Some reflections on the two psychologies of Love », *Journal of personality* 54:2 (June 1986).

McClean, Paul, « A man and his animal brains », *Modern Medicine*, February 3, 1964.

Penfield, Wilder, *The Mystery of Mind : a critical study of consciousness and The Human Brain*, Princeton University Press, New Jersey, 1975.

Perils, Frederick S., et Abraham Levitsky, « The Rules and Games of Gestalt Therapy », in *Gestalt Therapy Now*, ed. Joan Fagan et Irma Lee Shepherd, *Science and Behavior Books,* Palo Alto California, 1970.

Platon, *Le Banquet,* Garnier-Flammarion, Paris, 1964.

Rougemont, Denis (de), *L'Amour et l'Occident*, Plon, Paris, 1972.

Sager, Clifford J., *Marriage Contracts and Couples therapy : hidden forces in intimate relationships*, Brunner/Mazel, Publishers, New York, 1976.

Schneider, Isidor, ed., *The World of Love*, vol. I and II, George Braziller, New York, 1948.

Siegel, Bernard, *Love Medicine and Miracles : lessons I learned about self-healing from a surgeon's experience with exceptional patients*, Harper and Row, Publishers, New York, 1986.

Silverman, Lloyd H., Frank M. Lachmann, et Robert L. Milich, *The Search for Oneness*, International Universities Press, New York, 1992.

Stewart, Richard, *Helping Couples Change : a social learning approach to marital therapy*, The Guilford Press, New York, 1980.

Wiseman, Myrna M., « Advances in psychiatric epidemiology Poland Rates and Risks of Major Depression », *American Journal of health*, à paraître.

TABLE DES MATIÈRES

Deuxième partie
LE MARIAGE CONSCIENT

Troisième partie
DIX PAS
VERS UN MARIAGE CONSCIENT

Achevé d'imprimer en France par PRÉSENCE GRAPHIQUE
2, rue de la Pinsonnière - 37260 MONTS
N° d'imprimeur : 101036960

Dépôt légal : octobre 2010